Cours illustré de français · 5

D1550198

Cours illustré de français
by Mark Gilbert

Pupils' Books 1–5

In preparation
Pupils' Book 5 – Test Booklet

Teacher's Book 1 (covering Pupils' Books 1 and 2)
Teacher's Book 2 (covering Pupils' Books 3 to 5)

Tape recordings:
    Tape 1 (one 5¾″ reel)
    Tape 2 (two 5″ reels)
    Tape 3 (three 5¾″ reels)
    Tape 4 (three 5¾″ reels)
    Tape 5 (two 5″ reels)

Film-strips:
    Set of three film-strips to accompany Book 1
    Set of three film-strips to accompany Book 2

Also by Mark Gilbert
French through Pictures

Cours illustré
de français · 5

Mark Gilbert M.A., B.Sc. (Econ.)

formerly of
Institute of Education
University of London

Illustrated by Celia White

UNIVERSITY OF LONDON PRESS LTD

Acknowledgments

Grateful acknowledgment is due to those who have granted permission for the use of photographs and extracts from copyright works reproduced in this book, as indicated in the text. Additional acknowledgment is due to the *National Observer* and Dow Jones and Co. in respect of "Le tigre de grand-père" (Section A, Lesson 3), and also to the following Examination Boards in respect of material taken from former examination papers: University of London Schools Examination Department; Welsh Joint Education Committee; University of Cambridge Local Examinations Syndicate; Scottish Certificate of Education Examinations Board; Southern Universities Joint Board; Joint Matriculation Board; Oxford Delegacy of Local Examinations; Associated Examinations Board; Oxford and Cambridge Schools Examinations Board.

It has proved impossible to contact the copyright owners of the passages reproduced in Section A, Lessons 10, 11 and 16, and Section B, Part 1, No. 7, and Part 2, Nos 4 and 7, but the publishers will, if notified, be pleased to make full acknowledgment in subsequent editions of any rights not acknowledged here.

Cover photograph: Camera Press Ltd

ISBN 0 340 09399 4 Boards

Copyright © 1970 M. Gilbert
Second impression 1972

University of London Press Ltd
St Paul's House, Warwick Lane, London EC4

Printed and bound in Great Britain by
Hazell Watson and Viney Ltd, Aylesbury, Bucks

Contents[1]

[1] See also "Summary of Structures and Idioms", p. 326.
[2] Q=Questions.

Preface

In this final book in a series of five leading up to "O" level the author has had three main aims in mind:

1. To enable pupils to make further progress in their knowledge of French, and so to lead them naturally towards the "Use of French" recommended by the Schools Council as a basis for sixth-form work. It is important at this stage to read and study a wide variety of texts.
2. To maintain and widen their interest in French literature and civilisation.
3. To provide an adequate choice of varied test material of "O" level standard reflecting the specific requirements of the different examination Boards.

The book has been divided into five sections:

SECTION A provides new teaching material through seventeen passages from modern French authors, selected as in Book Four for their intrinsic interest, breadth of vocabulary, and potentiality for useful oral and written work. These passages serve as a basis for intensive question-and-answer work, for vocabulary and pattern study, and for various written exercises, including above all a large number of subjects for composition in French of varying degrees of difficulty.

As in Books Three and Four specific practice is afforded in:

1. The agreement of past participles and adjectives (by means of dictations).
2. Important verbal structures (all the patterns introduced into Books Three and Four are continuously revised, with some few additions: see "Summary of Structures and Idioms", p. 326).
3. Idiomatic or unusual patterns, e.g. *depuis, il y a, venir de, après avoir*, etc.

Students who work through Section A will find that they have in fact revised all the grammar needed for the "O" level examination. Some practice in translation from French into English is also provided.

In addition, each chapter in Section A contains either a *conversation* on a useful everyday topic or a series of questions for oral revision purposes. There are also seven *lectures historiques* which bring the story of France up to the present day and provide useful additional vocabulary.

In these seventeen lessons there is therefore ample scope for personal choice by the teacher.

SECTION B contains longer, more difficult passages to give practice in reading comprehension, followed by searching questions in French and/or English. The passages are varied in style and subject matter, so that teachers may select those appropriate to their particular pupils. It is essential, for success at "O" level, to have adequate practice in this aspect of the work.

SECTION C consists of nineteen unseen passages for translation from French into English.

SECTION D (which is in two parts) is devoted to practice in translation from English into French (still a requirement for many Boards):

Part 1 contains passages for retranslation based on the seventeen stories in Section A and includes some substitution-table practice in rapid oral translation of various patterns.

Part 2 provides new practice material (twenty-two passages).

SECTION E contains ten picture stories to be used as a basis for oral practice and written composition.

Sections B to D include questions from examination papers set by the various Boards.

All the tenses already introduced in the earlier books are thoroughly revised in various ways. The past anterior, and the subjunctive in some of its more frequent uses, are introduced through texts, mainly for recognition purposes.

Aural comprehension and reproduction exercises to accompany Book Five will be provided as follows: the stories will be recorded on tape, and to ensure that these texts are genuinely "unseen" they will be included in Teacher's Book Two only. The questions will be printed separately in Pupils' Book Five – Test Booklet. The following kinds of test will be provided:

1. Answering questions in French.
2. Answering questions in English.
3. Multiple-choice questions.
4. Enlarging a summary.

The teacher will naturally select the type of test answering his own Board's requirements.

The test booklet will also contain:

1. Some passages for reading comprehension with multiple-choice questions.
2. Some unseen passages from former examination papers for translation from French into English and vice versa. The student will have had no opportunity of preparing these in advance, since the booklets will be issued only for test purposes.

Thus, in addition to dealing with the traditional questions, Book Five provides ample, graded practice of three essential features of the new GCE "O" level examination:

1. Reading comprehension with questions in French or English (Sections A and B).
2. Compositions (Sections A and E).
3. Aural comprehension with a variety of tests (tapes and test booklet).

Teacher's Book Two will contain an introductory chapter on middle school and examination year work, together with general suggestions for the use of the texts, questions thereon, *conversations* and other exercises, including translation from English into French. This will be followed by more detailed and specific suggestions for dealing with the lessons in Books Three, Four and Five, and for preparing language drills.

In addition to the aural comprehension material already mentioned, the tape recordings will include the question-and-answer work, the conversations and some of the structure drills in Section A.

The grammar section (p. 295) has been expanded to include a larger number of examples, and there are French–English and English–French vocabularies.

The author would like to thank Monsieur D. Perret for his careful perusal of the original typescript of Book Five, and for his valuable suggestions. He also wishes to acknowledge gratefully all the help, advice and encouragement he has received from so many people during the compilation of the course, and to renew his thanks to his illustrator for her inimitable drawings.

M. GILBERT

SECTION A

Leçon I

Gondrée se réveille (1)

Le 6 juin 1944, quelques minutes après une heure du matin, le propriétaire du café situé à l'extrémité du pont qui franchit, à Bénouville, le canal de Caen, fut brusquement tiré de son sommeil. Sa femme le secouait:

— Lève-toi, disait-elle à voix basse. Va regarder par la fenêtre.

Elle se tenait debout auprès du lit, en peignoir. Elle n'avait pas ouvert l'électricité. Un rayon de lune pénétrait par les jointures des contrevents. L'homme était encore mal éveillé.

— Quoi, qu'est-ce que c'est?

— Ecoute. On entend comme un bruit de bois cassé.

Le propriétaire du café se nommait Gondrée. Il se leva, passa un pantalon, marcha jusqu'à la fenêtre. Il poussa doucement les contrevents. Tout était calme. On voyait les arbres dans le clair de lune, le canal, le pont métallique. Juste à l'extrémité du pont, la sentinelle allemande, immobile, légèrement penchée en avant. A ce moment, Gondrée entendit, lui aussi, un bruit de bois cassé: comme un grand écrasement. La sentinelle tenait son arme sous le bras, regardant du côté du bruit. Gondrée sentit l'épaule de sa femme contre la sienne. Il se tourna vers elle et, dans un souffle:

— Si tu lui demandais ce que ça veut dire?

Madame Gondrée, d'origine alsacienne, parlait couramment l'allemand. Elle se pencha, interpella la sentinelle à mi-voix. L'Allemand fit demi-tour; son visage tendu apparut dans le clair de lune. Gondrée comprit ce qu'il répondait:

— Parachutistes.

— Ils vont se faire prendre, murmura Madame Gondrée.

Tous deux pensaient qu'il s'agissait d'aviateurs alliés descendus en parachute d'un appareil abattu. Ce n'était pas la première fois...

A ce moment précis, des coups de feu retentirent.

— A la cave! dit Gondrée.

Madame Gondrée alla chercher ses deux enfants, qui couchaient dans la chambre voisine. Comme la petite famille traversait la salle du café, au rez-de-chaussée, on frappa très fort à la porte. Des voix allemands crièrent sur le trottoir. Les Gondrée filèrent vers la cave. A l'extérieur, les coups de feu continuaient. Il n'y avait qu'à attendre là, dans l'obscurité sans bouger. Dans le village, tout le monde devait s'être réfugié dans les caves.

Les minutes passaient. Des minutes, ou peut-être des quarts d'heure. Dans certaines situations, il est difficile de mesurer l'écoulement du temps. Gondrée entendit la voix de sa femme:

— Il me semble qu'on ne tire plus depuis un moment. J'ai peur que les petits aient froid. Tu devrais aller voir.

— Bon. J'y vais.

Il gravit l'escalier de la cave, traversa la salle du café, remonta au premier. Au dehors, plus de coups de feu. Le cafetier se déplaçait comme un fantôme dans sa maison obscure, évitant de produire le moindre bruit. Lorsqu'il fut arrivé dans sa chambre, il se dirigea à quatre pattes vers la fenêtre. Silence. Gondrée se dressa. Les contrevents étaient demeurés entrouverts.

Juste devant la façade du café, à côté de la pompe à essence, il y avait deux soldats casqués. Entre eux, un cadavre étendu. Gondrée rassembla son courage:

— Dites donc, qu'est-ce qui se passe?

Les soldats se retournèrent. Gondrée entendit qu'ils lui répondaient aussitôt. Il lui sembla que l'un répondait «Armée de l'air» en français; et l'autre, quelque chose en anglais. Mais Gondrée entendait mal, il était troublé, son cœur battait. Voici pourquoi. Ces hommes portaient un masque noir sur le visage.

Gondrée s'éloigna de la fenêtre. Qu'est-ce que tout cela voulait dire?

(*à suivre*)

I   1. Qu'est-ce qui s'est passé le 6 juin 1944?

    2. Quelle était la situation en France à ce moment-là?

    3. Situez la scène au début de l'histoire.

    4. De qui s'agit-il?

5. Pourquoi la femme de Gondrée l'a-t-elle réveillé?
6. Qu'est-ce qu'elle lui a dit de faire?
7. Pourquoi n'avait-elle pas ouvert l'électricité?
8. Pourquoi était-elle en peignoir?
9. Qu'est-ce que Gondrée devait faire avant de pouvoir regarder au dehors?
10. Pourquoi pouvait-on voir ce qui se passait au dehors?

II 1. Pourquoi y avait-il une sentinelle allemande à l'extrémité du pont?
2. Pourquoi était-il penché en avant?
3. Qu'est-ce que Gondrée a demandé à sa femme de faire?
4. Pourquoi?
5. Où Madame Gondrée avait-elle appris l'allemand?
6. Pourquoi le visage de l'Allemand était-il tendu?
7. Qu'est-ce que c'est qu'un parachutiste?
8. Pourquoi y avait-il de temps en temps des parachutistes qui descendaient en France pendant la guerre? (*2 raisons*)
9. Que voulait dire Madame Gondrée quand elle a dit: «Ils vont se faire prendre»?

III 1. Où se trouve la cave dans une maison?
2. Est-ce que Madame Gondrée est descendue tout de suite à la cave?
3. Qu'ont-ils entendu pendant qu'ils traversaient le rez-de-chaussée?
4. Pourquoi les Allemands ont-ils crié?
5. Pourquoi se réfugiait-on de temps en temps dans la cave?
6. Pourquoi Gondrée est-il remonté au premier?
7. Pourquoi ne voulait-il pas faire de bruit?
8. Pourquoi s'est-il dirigé à quatre pattes vers la fenêtre?
9. Qu'a-t-il entendu au dehors?
10. Qu'a-t-il vu par la fenêtre?

IV 1. Qu'est-ce que c'est qu'un cadavre?
2. De qui était-ce le cadavre?
3. Qu'est-ce que Gondrée a demandé aux soldats?

4. Que signifie *l'armée de l'air* ?
5. De quelle nationalité étaient les soldats ?
6. Pourquoi Gondrée est-il devenu encore plus inquiet en regardant les soldats ?
7. Est-ce qu'il est resté tout près de la fenêtre ?
8. Où est l'Alsace ? Est-ce qu'elle a toujours été une province de la France ?
9. Qu'est-ce que c'est qu'une pompe à essence ?
10. Et un cafetier ?

V *Vocabulaire*

[a]
un peignoir	= une sorte de robe de chambre de femme
un contrevent	= volet placé à l'extérieur d'une fenêtre
couramment	= facilement
tendu	= *tense*
un appareil	= un avion (dans cette histoire)
retentir	= résonner, se faire entendre
un fantôme	= un spectre, un revenant, une apparition
éviter	= *to avoid*
entrouvert	= ouvert à demi
l'écoulement	= le mouvement (du temps), *passage*
un cadavre	= le corps d'un homme mort

[b]
l'obscurité	obscur	secouer	débarquer
la clarté	clair	une secousse	le débarquement

[c] *Donnez le contraire de:*
le débarquement, éveillé, à voix basse, en avant, au dehors, s'approcher, (on frappa) très fort

[d] *Exprimez autrement:*
gravir, se dresser, aussitôt, il s'agissait de, il se dirigea vers, ils vont se faire prendre

VI *Dictée*

1. Un rayon de lune pénétrait par les jointures des contrevents.
2. La sentinelle allemande, immobile, était légèrement penchée en avant.

3. Ils pensaient qu'il s'agissait d'aviateurs alliés descendus de leurs appareils abattus.
4. Madame Gondrée est allée chercher ses enfants, qui couchaient dans la chambre voisine.
5. Elle s'est dirigée vers la cave.
6. La petite famille a traversé le rez-de-chaussée.
7. Les deux soldats se sont retournés.

VII [a] *Past anterior* (*page* 314)

Aussitôt qu'	il se fut levé, il passa un pantalon.
Dès qu'	il eut traversé la salle du café, il remonta au premier.
Quand	il fut arrivé dans la chambre, il se dirigea vers la
Lorsqu'	fenêtre.

[b] *Subjunctive* (*page* 318)
  (i) *Modèle*
      Tu dois aller le voir.
      — Il faut que tu ailles le voir.

   1. Tu dois lui demander ce que ça veut dire.
   2. «Nous devons descendre à la cave.»
   3. «Je dois d'abord aller chercher les enfants.»
   4. «Les enfants doivent y descendre au plus vite.»
  (ii) J'ai peur que les enfants aient froid.
      (*usually:* J'ai peur que les enfants *n*'aient froid.)

VIII Racontez cet incident comme si vous étiez Madame Gondrée.

Revision

IX Combien de temps mettez-vous normalement à: faire votre toilette, vous habiller, prendre le petit déjeuner, aller jusqu'à la gare, venir à l'école, faire vos devoirs, vous endormir?

X *Traduisez en anglais:*
   «Le propriétaire du café se nommait Gondrée ... Ce n'était pas la première fois.»

XI *Exercice oral*
Choisissez une question et répondez-y:

Est-ce que vous irez	au club de tennis	ce soir ?
	au match	
	à la piscine	
	à la bibliothèque	
Est-ce que vous ferez	de la musique	
	de l'équitation	
	une promenade à vélo	
Est-ce que vous allez jouer	au football	
	du piano	
	aux échecs	

Réponse

Oui,	quand	j'aurai	fait mes devoirs.
	lorsque		soupé.
	aussitôt que		écrit des lettres.
	dès que		fait la vaisselle.
			lu le journal.

je me serai lavé.
je me serai reposé un peu.
je serai sorti du bureau.
je serai rentré, etc.

Invitation au cinéma

(*Deux amis, Jean et Marcel, reviennent du lycée à moto. Ils font des projets pour la soirée.*)

Jean: Dis donc. Tu es libre ce soir ?

Marcel: Pas tout de suite. Il faut que je fasse mes devoirs. Il faut que je fasse une rédaction d'anglais. Mais je n'en ai pas pour longtemps. Je l'ai déjà commencée. Je serai libre à 7h.30. Et toi ?

Jean: Oh, moi, je n'ai pas grand-chose à faire — quelques pages à lire sur les relations franco-anglaises du 20e siècle. Si on allait au cinéma ?

Marcel: D'accord. Au Gaumont on passe un film policier. Il paraît que

18

c'est un film épatant. Il y a aussi des dessins animés et les actualités. On invite Monique et Suzanne?

Jean: Mais bien sûr. Je téléphonerai à Monique en arrivant chez moi.

Marcel: Alors c'est entendu. Je te trouve devant le cinéma à 7h.40. A tout à l'heure.

Jean: A tout à l'heure. (*Il arrive chez lui, s'élance tout de suite dans la salle de séjour, décroche le récepteur et compose un numéro.*) Allô, allô, ici Jean Dufour. Qui est à l'appareil?

Monique: C'est moi, Monique.

Jean: Tu ne pourrais pas nous accompagner au cinéma ce soir? Il y a un bon film policier au Gaumont.

Monique: Si, si, merci beaucoup. Alors à ce soir.

Jean: Ne quitte pas, Monique. Tu es toujours très pressée. D'abord n'oublie pas de téléphoner à Suzanne, et puis ensuite il faut que tu saches l'heure des actualités, n'est-ce pas? Ça commence à huit heures moins vingt. Ne sois pas trop en retard.

Monique: Je ne suis jamais en retard. C'est toujours le film qui commence trop tôt. A bientôt. (*Elle raccroche.*)

XII 1. De qui s'agit-il dans cette histoire?
  2. A quel moment de la journée revenaient-ils du lycée?
  3. Qu'est-ce que Jean a demandé à Marcel? (*style indirect*)
  4. Pourquoi Marcel aurait-il vite terminé sa rédaction d'anglais?
  5. Qu'ont-ils invité leurs deux amies à faire?
  6. Quand Jean allait-il téléphoner à Monique?
  7. Précisez ce qu'il a fait en arrivant chez lui.
  8. Pourquoi a-t-il dit à Monique de ne pas quitter l'appareil?
  9. Est-ce que Monique arrivait toujours à l'heure à ses rendez-vous? Justifiez votre réponse.
  10. Que devait faire Monique après avoir raccroché, à la fin de sa conversation avec Jean?

XIII *Rédaction*
Faites un court résumé de cette conversation sous la forme d'une narration: «En revenant du lycée un soir deux jeunes gens, Marcel et Jean, ont décidé d'aller au cinéma, etc.»

Leçon 2

Gondrée se réveille (2)

Le cafetier se dirigea, toujours aussi silencieusement, vers l'autre chambre, dont la fenêtre donnait sur la rive du canal. Il poussa les contrevents et regarda dehors. Les contrevents avaient légèrement grincé. En bas, il y avait deux autres soldats. Ils étaient tournés vers Gondrée, leurs mitraillettes pointées vers lui. Des fusées éclairantes descendaient lentement dans le ciel, on y voyait presque comme en plein jour. Les deux soldats portaient aussi des masques noirs.

— Vous, civil ? demanda l'un à haute voix.

— Oui, oui, dit Gondrée.

L'homme répéta:

— Vous civil ?

Gondrée répondit de nouveau «oui, oui» avec conviction en secouant affirmativement la tête. Le soldat s'exprimait avec un accent étranger — avec l'accent anglais, semblait-il. Gondrée avait autrefois travaillé comme employé de banque britannique, à Paris; il eût pu dire quelques mots en cette langue. Mais il n'osait pas le faire. Ces hommes étaient-ils bien des Anglais ? Pourquoi ces masques noirs ?

Il vit avec soulagement qu'ils abaissaient leurs armes. Celui qui venait de parler mit un doigt sur les lèvres. Gondrée secoua encore la tête affirmativement. Puis il redescendit vers la cave.

— Alors ? lui demanda sa femme.

Il lui raconta tout. Elle non plus ne comprenait pas. D'habitude les aviateurs des appareils alliés abattus tentaient de fuir, ou de se cacher. Et ils ne portaient pas de masques noirs...

Le plus extraordinaire était qu'on n'entendait pas de coups de feu... on n'entendait pas non plus les ordres gutturaux habituels...

La lueur de l'aube devenait de plus en plus visible par le soupirail de la cave.

— Tâche de grimper sur ce tas de bois, dit Gondrée à sa femme. Ecoute si tu comprends ce qu'ils disent. Attends, je vais t'aider.

Il vit la tête de sa femme collée au soupirail. Après un instant elle se retourna :

— Ils parlent, mais je ne comprends rien.

Elle descendit et il monta sur le tas de bois. Les soldats étaient de plus en plus visibles, mais on ne pouvait pas distinguer la couleur de leurs uniformes. Il y avait bien une dizaine d'hommes dans le jardin. Soudain, Gondrée sentit que son cœur recommençait à battre très fort. Il venait d'entendre nettement: «*All right.*» Des coups vigoureux ébranlèrent la porte du rez-de-chaussée.

— J'y vais, dit le cafetier.

Lorsqu'il ouvrit, il se trouva en face de deux soldats à la figure noire. Mais il comprit qu'ils ne portaient pas de masques, et qu'ils n'étaient pas non plus des noirs. Ils avaient le visage barbouillé de suie, ou de peinture.

— Allemands dans la maison ? demanda l'un.

— Non, dit Gondrée. Vous pouvez entrer et regarder partout.

Ils pénétrèrent dans la salle du café. Gondrée leur montra la descente de la cave, ouverte. Ils paraissaient hésiter. Alors, il passa devant et les soldats le suivirent, mitraillette au poing. Gondrée ouvrit l'électricité, il montra sa femme et les deux petits. L'un des soldats dit à l'autre: «*It's all right, chum!*»

Gondrée comprit que c'étaient bien des Anglais, et qu'un événement sensationnel venait de commencer. Alors, a-t-il raconté, il se sentit très ému et se mit à pleurer. Madame Gondrée et les enfants embrassèrent les soldats. Ils eurent aussitôt le visage tout barbouillé de camouflage noir. Tout le monde se mit à rire.

Ces soldats anglais faisaient partie de la 6e Division Aéroportée britannique, arrivée en parachutes et en planeurs pour s'emparer des ponts sur l'Orne et sur le canal de Caen, avant le débarquement. Ils étaient les avant-coureurs, si l'on peut dire, de l'énorme masse d'hommes et de matériel réunie en Grande-Bretagne pour assaillir le continent européen, et premièrement le Mur de l'Atlantique.

(d'après) Georges Blond, *Le Débarquement*, Fayard Editeurs

I   1. Est-ce que le cafetier est tout de suite redescendu à la cave?
    2. Quand a-t-il regardé au dehors? (Après...)
    3. Pourquoi les deux soldats étaient-ils tournés vers Gondrée?
    4. Pourquoi avaient-ils pointé leurs mitraillettes vers lui?
    5. Pourquoi voyait-on presque comme en plein jour?
    6. Qu'est-ce que Gondrée a remarqué en regardant les deux soldats?
    7. Qu'est-ce qu'un soldat lui a demandé?
    8. Comment Gondrée a-t-il rassuré les soldats?
    9. Pourquoi a-t-il pu reconnaître l'accent anglais?
   10. Pourquoi n'a-t-il pas osé leur répondre en anglais?

II 1. Quand a-t-il été soulagé?
    2. Lequel des soldats a mis un doigt sur les lèvres?
    3. Pourquoi?
    4. Quand la femme de Gondrée lui a-t-elle posé la question: «Alors?»
    5. De quelle nationalité étaient les aviateurs alliés de la seconde guerre mondiale? (*Donnez-en au moins trois.*)
    6. Qu'est-ce que de tels parachutistes avaient toujours essayé de faire avant ce jour-là?
    7. Expliquez *un appareil abattu.*
    8. Qu'est-ce qu'on n'entendait plus dans la rue? (*2 choses*)
    9. Qu'est-ce que Gondrée a dit à sa femme de faire?
   10. Pourquoi?

III 1. Qu'est-ce que Gondrée a aidé sa femme à faire?
    2. Pourquoi n'a-t-elle pas pu comprendre ce que disaient les soldats?
    3. Combien de soldats y avait-il dans le jardin?
    4. Pourquoi le cœur de Gondrée a-t-il recommencé à battre très fort?
    5. Pourquoi est-il allé à la porte du rez-de-chaussée?
    6. Comment les deux soldats s'étaient-ils noirci le visage?
    7. Pourquoi?
    8. Qu'est-ce que l'un des soldats a demandé à Gondrée? (*style indirect*)
    9. Qu'est-ce que celui-ci les a invités à faire?
   10. Pourquoi ont-ils hésité avant de descendre dans la cave?

IV
1. Comment Gondrée a-t-il rassuré les soldats?
2. Qu'est-ce que les enfants ont fait?
3. Pourquoi Gondrée s'est-il mis à pleurer?
4. Pourquoi s'est-on mis à rire?
5. Pourquoi les parachutistes étaient-ils venus?
6. Pourquoi les Anglais étaient-ils venus assaillir le continent européen?
7. Qu'est-ce que c'est qu'un planeur?
8. Et le Mur de l'Atlantique?
9. Et le camouflage?
10. Quelle est la capitale de la Normandie?

V *Vocabulaire*

[a]
grincer	= *to creak*
une mitraillette	= une petite mitrailleuse
une fusée éclairante	= *signal rocket*
il eût pu	= il aurait pu
une lueur	= une lumière faible
l'aube	= les premières lueurs du jour
un soupirail	= ouverture pour éclairer une cave
ébranler	= secouer
barbouillé	= noirci
la suie	= matière noire qu'on trouve dans une cheminée
le soulagement	= *relief*
un planeur	= espèce d'avion sans moteur qui plane comme un oiseau
s'emparer de	= saisir
assaillir	= attaquer

[b]
noir	grincer	soulager	
noircir	le grincement	le soulagement	
exprimer	descendre	monter	
l'expression	la descente	la montée	
lever	raconter	sentir	affirmatif
abaisser	un conte	le sentiment	affirmativement
net	silencieux	léger	
nettement	silencieusement	légèrement	

23

[c] Celui qui venait de parler mit un doigt sur les lèvres.
Il venait d'entendre: «*All right.*»
Un événement sensationnel venait de commencer.

VI Gondrée a dit plus tard à sa femme:
1. Je me suis dirigé vers l'autre chambre et j'ai regardé le canal.
2. Je me suis retourné quand j'ai entendu frapper.
3. J'ai ouvert la porte et je me suis trouvé en face de deux soldats.
4. Je me suis senti très ému et je les ai embrassés.
5. Je me suis mis à pleurer et j'ai remercié les deux soldats d'être venus.
6. Les parachutistes se sont emparés des ponts et ils ont attaqué la ville de Caen.
7. L'armée allemande s'est mise enfin à battre en retraite.

Mettez au discours indirect:
«Gondrée a dit qu'il s'était...»

VII *Rédactions*
[a] Faites un résumé de cette histoire; *ou*
[b] Un des parachutistes anglais a raconté plus tard ce qu'ils venaient de faire ce matin-là, avant d'arriver chez Gondrée, ce qu'ils avaient fait chez lui, et après jusqu'à midi.

VIII *Dictée*
«Gondrée comprit... Atlantique.»

Revision

IX *Faites des phrases:*

Le jeune homme a	pris	un journal	sur la table.
Le vieillard avait		un livre	dans le tiroir.
		un magazine	dans sa poche.
		une feuille de papier	
		une enveloppe	
		un mouchoir	

Le camping (I)

(*Trois jeunes amis âgés de 15 ans ont décidé de faire du camping pour la première fois ensemble. Ils discutent de ce qu'ils doivent acheter et emporter.*)

Jean: Où allons-nous camper, à la montagne, au bord d'un lac ou d'une rivière, ou à la lisière d'un bois?

Henri: Moi, je préfère être au bord de l'eau. J'aime la natation, comme tu le sais.

Bernard: Moi, aussi. Il y a le petit lac — c'est plutôt un étang — qui se trouve au pied d'un coteau à environ 30 kilomètres. Comment s'appelle-t-il, ce lac?

Jean: Oh, je ne sais pas. Ça ne fait rien. Maintenant il faut penser aux provisions, etc. Je pourrai emprunter la petite tente de mon frère. Il y aura juste assez de place pour trois, et elle est très légère.

Bernard: Moi, je pourrai trouver des assiettes, des couteaux, des cuillères et des fourchettes. Mais je n'ai pas de gobelets.

Henri: Je crois que nous en avons chez nous. Je demanderai à ma mère. Et elle me prêtera une casserole. Elle en a des douzaines dont elle est très fière.

Jean: Bon, et pour faire chauffer l'eau, qu'est-ce qu'il faut faire? J'apporterai en tout cas des allumettes. Mais un feu de bois ne me paraît pas très pratique, surtout sous la pluie. Nous avons un tout petit réchaud à gaz chez nous, dont nous nous servons pour faire le café quand nous faisons une promenade en voiture. On pourra acheter du gaz butane à n'importe quel garage en route.

Bernard: Epatant, mais pour dormir, il faut deux choses, un sac de couchage et un tapis de sol imperméable. J'ai mon sac, dont je me suis servi en campant avec les Eclaireurs, mais je n'ai pas de tapis.

Henri: Ni moi non plus. Il faut en acheter. Je m'en chargerai. Et quant aux provisions, j'apporterai du café, du lait en poudre et du sucre. Et toi, Jean?

Jean: Moi, du beurre, du fromage, et quelques boîtes de conserves.

Bernard: Moi, du pain, de la confiture et ma canne à pêche. Comme ça nous aurons du poisson frit.

Jean: Tu es vraiment optimiste. Dans ce cas, Henri, il faut apporter une poêle avec ta casserole.

Henri: Quant à l'eau, il faut en demander à la ferme la plus proche. Alors on se rencontre demain matin à huit heures.

Bernard: D'accord.

Jean: Oui, pourvu que ma mère n'oublie pas de me réveiller.

(*à suivre*)

X   1. Quel endroit les trois amis ont-ils choisi pour leur camp? Pourquoi?
2. Comment allaient-ils se procurer une tente?
3. Et un tapis de sol?
4. De quoi allaient-ils se servir pour faire chauffer l'eau?
5. Que faut-il avoir si l'on veut dormir confortablement au camp?
6. Pourquoi avaient-ils besoin d'une poêle, d'après Jean?
7. Pourquoi Bernard était-il optimiste, d'après Jean?
8. Où est-ce qu'ils allaient se procurer de l'eau?
9. Quand allaient-ils partir pour le lac?
10. Que pensez-vous du camping? Quels en sont les avantages et les inconvénients?

XI *Rédaction*
Faites un court résumé de cette conversation.

Lectures historiques   (1)

Réaction contre la Révolution (1815–1848)
Après la défaite de Napoléon en 1815, le frère de Louis XVI devint roi sous le nom de *Louis XVIII*: il était gros et infirme mais intelligent et habile. Beaucoup de Républicains et de Bonapartistes furent arrêtés et fusillés; ce fut la Terreur Blanche. Même le maréchal Ney, qui avait mérité pendant la campagne de Russie l'appellation «brave des braves», périt.

Charles X qui succéda au trône en 1821 fut encore plus réactionnaire; il voulait revenir au système d'avant 1789 et supprimer les libertés que la Révolution avait apportées. C'est pourquoi, en juillet 1830, les Parisiens se révoltèrent et pendant trois jours occupèrent les rues et les principaux bâtiments. Le roi fut obligé de s'enfuir en Angleterre. Son cousin devint roi sous le nom de *Louis-Philippe Ier* (1830–1848).

Sous ces trois rois il n'y avait pas de monarchie absolue; il y avait une Constitution et deux chambres, mais seuls les riches avaient le droit de voter. Sous Louis-Philippe l'industrie se développa, les bourgeois gagnèrent beaucoup d'argent, mais les ouvriers eurent de la peine à vivre. Les Français s'emparèrent de l'Algérie.

En 1840 Louis-Napoléon, le neveu de Napoléon Ier, rentra en France. Il fut arrêté et emprisonné dans le fort de Ham d'où il s'évada en 1846. (Voir le récit à la page 151.)

En 1848 une nouvelle insurrection éclata à Paris. Ce fut le début de la IIe République. Louis-Philippe fut obligé de se sauver en Angleterre.

Leçon 3

Le tigre de grand-père

C'est au cours d'une expédition de chasse dans la jungle près de Dehra, dans l'Inde, que mon grand-père avait trouvé notre bébé-tigre, caché dans les racines d'un banian. Il emporta l'animal chez lui, à Dehra, où grand-mère le baptisa Timothée. Notre jeune bébé aimait surtout le salon. Il se reposait confortablement sur le canapé, ne poussant quelques grognements que si l'on cherchait à l'expulser. L'un de ses divertissements préférés consistait à chasser à l'affût la personne qui jouait avec lui, et, quand je vins habiter chez grand-père, je ne tardai pas à devenir l'un des plus chers compagnons de jeu de Timothée.

A cette époque, il était de la taille d'un *golden retriever* adulte et quand je l'emmenais à Dehra en promenade, les gens s'éloignaient prudemment sur sa route. La nuit, il dormait dans la chambre de notre cuisinier, Mahmoud.

— Un de ces jours, déclarait grand-mère, nous allons trouver Timothée installé dans le lit de Mahmoud, et Mahmoud aura disparu.

Quand il eut six mois, la chasse à l'affût de Timothée devint plus dangereuse et l'on fut obligé de l'attacher plus fréquemment. Les domestiques commençaient même à se méfier de lui, et grand-père décida qu'il était temps de transférer notre hôte dans un zoo.

Le plus proche se trouvait à Lucknow, à 300 kilomètres de là. Grand-père réserva donc un compartiment de première classe pour Timothée et lui, et tous deux partirent. La direction du zoo fut enchantée de recevoir un tigre bien nourri et passablement civilisé.

Au bout de six mois, grand-père, à l'occasion d'une visite à des parents qui habitaient Lucknow, voulut voir comment Timothée s'adaptait à sa nouvelle vie. Il se rendit au zoo et se dirigea tout droit vers la cage de son protégé. Complètement adulte, sa magnifique robe rayée luisante de santé, le tigre était assis dans un angle de la cage.

— Salut, Timothée, dit grand-père.

Il enjamba la grille de protection et passa le bras entre les barreaux de la cage. Timothée s'approcha et permit à grand-père de lui mettre les deux bras autour du cou, puis de caresser son large front et de lui chatouiller les oreilles. Chaque fois que le tigre poussait un grognement, grand-père lui donnait une claque sur la gueule, comme il faisait pour le calmer quand il était sous notre toit.

Timothée lui lécha les mains. De nombreuses personnes s'étaient assemblées pour assister à cette réunion, quand un gardien vint demander à grand-père ce qu'il faisait là.

— Je parle à Timothée, lui répondit-il. Vous n'étiez pas là quand j'en ai fait cadeau au zoo, il y a six mois ?

— Il n'y a pas très longtemps que je suis ici, reprit le gardien tout étonné. Continuez, monsieur, je vous en prie. Moi, je ne suis jamais arrivé à toucher ce tigre. Il a un très sale caractère.

Il y avait bien cinq minutes que grand-père caressait Timothée et lui donnait des tapes quand il remarqua un autre gardien qui l'observait avec une certaine inquiétude. Grand-père le reconnut: c'était celui qui avait assisté à la remise de Timothée au zoo.

— Vous, au moins, vous me reconnaissez, lui dit-il.

— Mais, monsieur, balbutia le gardien, ce n'est pas votre tigre.

— Je sais bien qu'il n'est plus à moi, reprit grand-père irrité, mais vous pourriez tout de même tenir compte de ce que je vous dis.

— Je me souviens très bien de votre tigre, continua le gardien. Il est mort, il y a deux mois.

— Mort! s'écria grand-père.

— Oui, monsieur, de pneumonie. Celui-ci a été capturé il y a un mois et il est très dangereux.

Le fauve léchait toujours le bras de grand-père et semblait y prendre un plaisir de plus en plus grand. En un mouvement qui sembla durer un siècle, grand-père retira sa main de la cage. Le visage tout proche de la grosse tête, il murmura:

— Bonsoir, Timothée.

Puis, jetant au gardien un regard de mépris, il gagna la sortie d'un pas alerte.

(d'après) George Kent, *Sélection du Reader's Digest*

I

1. Où grand-père avait-il découvert son bébé-tigre?
2. Où la mère de Timothée l'avait-elle caché?
3. Où préférait-il se reposer chez grand-père?
4. Quel était son passe-temps préféré?
5. Quand il était en promenade à Dehra, est-ce que les gens s'approchaient de lui pour le caresser? Pourquoi (pas)?
6. Où dormait-il la nuit?
7. De quoi grand-mère avait-elle peur?
8. Pourquoi grand-père a-t-il enfin décidé de le donner au zoo?
9. A quelle distance se trouvait le zoo le plus proche?
10. Comment Timothée et grand-père ont-ils fait le voyage à Lucknow?

II

1. Pourquoi grand-père a-t-il visité Lucknow six mois plus tard?
2. Qu'est-ce qu'il a décidé de faire pendant sa visite? Pourquoi?
3. Comment était le tigre?
4. Qu'est-ce que «Timothée» a fait en voyant grand-père?
5. Qu'est-ce que grand-père lui a fait? (*3 choses*)
6. Comment «Timothée» a-t-il témoigné son affection pour grand-père?
7. Est-ce que grand-père était seul près de la cage?
8. Pourquoi le premier gardien était-il très étonné?
9. Qu'est-ce qu'il n'avait encore jamais réussi à faire?
10. Depuis combien de temps grand-père caressait-il le tigre quand il a remarqué le deuxième gardien?

III

1. Pourquoi grand-père a-t-il reconnu le deuxième gardien?
2. De quel air ce gardien observait-il grand-père?
3. Pourquoi?
4. Depuis quand le vrai Timothée est-il mort?
5. Qu'est-ce que le tigre a continué à faire tout le temps?
6. Quand grand-père a-t-il retiré son bras?
7. Comment l'a-t-il retiré et pourquoi?
8. Pourquoi, avant de sortir, a-t-il jeté un regard de mépris au gardien?
9. Qu'est-ce que grand-père aurait dû faire avant de passer le bras entre les barreaux de la cage?

10. Qu'est-ce que le deuxième gardien aurait dû faire beaucoup plus tôt ?

11. Combien d'années y a-t-il dans un siècle ?

IV *Vocabulaire*

[a]

une racine	= partie de l'arbre par laquelle elle tient à la terre
un grognement	= *growl*
chasser à l'affût	= se cacher pour attendre sa proie
un(e) hôte	= personne qui donne ou reçoit l'hospitalité
se méfier de	= ne pas avoir confiance en
rayé	= *striped*
luire	= briller ou refléter la lumière
enjamber	= faire un grand pas pour franchir
chatouiller	= *to tickle*
une claque	= coup donné avec le plat de la main
la gueule	= la bouche d'un animal sauvage
lécher	= *to lick*
sale	= (au sens figuré) méchant
un fauve	= un animal sauvage
le mépris	= dédain, *disdain, contempt*
balbutier	= *to stammer*

[b]

baptiser	grogner	se reposer
le baptême	un grognement	le repos
jouer	divertir	sain(e)
un jeu	un divertissement	la santé

inquiet	nourrir	prudent	fréquent
l'inquiétude	la nourriture	prudemment	fréquemment

furieux
furieusement

[c] *Exprimez autrement:*
Il y avait cinq minutes que grand-père caressait Timothée.
Il se rendit au zoo.
L'on fut obligé de l'attacher.

Je me souviens très bien de votre tigre.
Je ne tardai pas à devenir son ami.
Ils habitaient Lucknow.

[d] Nommez dix animaux sauvages.

V *Etudiez ces phrases:*

[a] Je ne tardai pas à devenir son ami.
Le jeu consistait à me chasser à l'affût.
On chercha à l'expulser.
Ils commençaient à se méfier de lui.
Je ne suis jamais arrivé à toucher ce tigre.

[b] Timothée a permis à grand-père | de | lui mettre les deux bras autour du cou.
lui caresser le front.
lui chatouiller les oreilles.
lui donner une claque sur la gueule.

[c] Ils | se sont | approchés | du tigre.
s'étaient | éloignés
méfiés
débarrassés
souvenus

Ecrivez: «Nous nous...» (10 *phrases*)

[d] Je me souviens | très bien | du tigre.
Je me souvenais | | de l'oncle.
de l'enfant.
de la grand-mère.
des animaux.

[e] Il | s'est | rendu au zoo.
s'était | adapté à sa nouvelle vie.
habitué à sa cage.
dirigé vers grand-père.
intéressé à son bras.

Ecrivez: «Elle s'est...»
«Elle s'était...» (10 *phrases*)

32

VI *Dictée*

1. L'un de ses divertissements préférés consistait à me chasser à l'affût.
2. Les gens s'éloignaient prudemment sur sa route.
3. Sa magnifique robe était luisante de santé.
4. Grand-père lui chatouillait les oreilles.
5. De nombreuses personnes s'étaient assemblées pour assister à cette réunion.
6. La direction du zoo a été enchantée de recevoir une tigresse bien nourrie et civilisée.

Revision

VII *celui, celle, etc.* (Voir à la page 305)
Lisez ces exemples:

1. Ce tigre n'était pas *celui de* grand-père.
2. Ce gardien, c'était bien *celui qui* avait assisté à l'arrivée de Timothée.
3. «Ce tigre, c'est bien *celui que* j'ai transféré au zoo, il y a six mois.»
4. «Ce n'est pas votre tigre; *celui-ci* a été capturé il y a un mois; le vôtre est mort.»

VIII *Traduisez en anglais:*
«Je parle à Timothée ... Il est très dangereux.»

IX *Rédaction*
Faites un résumé de l'histoire du tigre comme si vous étiez le grand-père.

X *Modèle*
Nous allons toujours au cinéma le jeudi. C'est pourquoi...
[a] Nous irons au cinéma jeudi prochain.
[b] Nous y sommes allé(e)s jeudi dernier.

1. Je prends toujours ma leçon de piano le lundi.
2. Chaque année nous allons passer nos vacances à Quimper, en Bretagne.
3. Ils boivent toujours un verre de champagne à Noël.
4. Chaque soir je lis un chapitre de mon roman policier avant de m'endormir.
5. Mon frère vient tous les jours prendre une consommation chez moi.
6. Avant de se coucher ma mère ferme toutes les portes à clef.
7. Le dimanche je me lève toujours à neuf heures.
8. M. Dupuis et sa femme sortent toujours le matin à sept heures.
9. Le samedi ma sœur, qui est à l'étranger, envoie toujours une lettre à sa mère.
10. Chaque semaine ma mère reçoit aussi une lettre de mon frère aîné.

XI *La campagne*
1. Quels animaux trouve-t-on dans une ferme?
2. Où est-ce qu'ils dorment?
3. Que fait le fermier au printemps?
4. Qu'est-ce qui a remplacé les chevaux à la ferme?
5. Vous avez passé une journée dans une ferme. Racontez trois choses que vous avez faites.
6. Est-ce que toutes les fermes se ressemblent? En quoi consistent les différences principales?
7. Pourquoi les fermiers ne veulent-ils pas quelquefois permettre aux jeunes gens de camper dans leurs champs?
8. De quel animal de ferme faut-il se méfier? Pourquoi?
9. Quels sont les devoirs d'une fermière? (*4 devoirs*)
10. Qu'est-ce que les animaux essayent de faire quand il fait très chaud?
11. Comment appelle-t-on la récolte du vin?
12. Et celle du blé?
13. En se promenant en automne à la campagne, qu'est-ce qu'on remarque surtout?
14. Et au printemps?

15. Quels sont les métiers principaux de la campagne?
16. Nommez cinq produits de ferme.
17. Décrivez un beau paysage que vous connaissez.
18. Comment est-ce qu'on peut se divertir à la campagne?
19. Qu'est-ce que c'est qu'un verger?
20. Et un vignoble?

Le camping (2)

(*Il est dix heures, le lendemain matin. Les trois jeunes gens roulent depuis deux heures.*)

Jean: Voici une ferme. Nous pourrons y trouver de l'eau.

(*Ils entrent dans la cour où un chien aboie furieusement. La fermière apparaît.*)

La fermière: Bonjour les garçons. Que voulez-vous? Tais-toi, Médor.

Henri: Nous allons camper près du lac, madame. Vous seriez bien aimable de nous donner de l'eau.

La fermière: Servez-vous, mon petit. Voilà la pompe, au milieu de la cour.

Henri: Merci beaucoup, madame. Vous n'auriez pas par hasard des fruits à vendre?

La fermière: J'ai justement de bonnes pommes, très bon marché, et des fraises des bois, que ma fille vient de cueillir. Prenez ce petit panier-là pour 2 francs. J'ai aussi de belles tomates à 50 centimes la livre.

Jean: Ça c'est formidable. C'est justement ce qu'il nous faut. Je prends donc un kilo de pommes et une livre de tomates. Au revoir, madame, et merci.

(*Ils arrivent bientôt au petit lac.*)

Bernard: Où faut-il s'installer: près du bois, ou au bord de l'eau?

Henri: Il y aura trop de moustiques près des arbres. Il vaut mieux s'en éloigner.

Jean: Oui, tu as raison.

(*Et ils dressent la tente près de l'eau. Après s'être baignés pendant une heure ils trouvent qu'ils ont très faim.*)

Bernard: Qu'est-ce que nous allons manger? J'ai apporté des paquets de bonne soupe. On pourrait faire cuire la soupe aux légumes et manger après du pain, du fromage et des fraises.

35

Henri: Excellent. Oh, mon Dieu, nous avons oublié d'acheter le gaz butane.

Bernard: Tant pis, la soupe sera pour ce soir. J'irai chercher le gaz cet après-midi. Il y a un garage à environ 4 kilomètres.

XII 1. Depuis combien de temps les trois amis roulaient-ils?
2. Pourquoi sont-ils entrés dans la cour de la ferme?
3. Pourquoi le chien a-t-il aboyé?
4. Que voulaient-ils acheter à la fermière?
5. Pourquoi avait-elle justement des fraises des bois?
6. Pourquoi ne voulaient-ils pas camper trop près des arbres?
7. Pourquoi n'aime-t-on pas les moustiques?
8. Est-ce qu'ils se sont baignés avant de dresser la tente?
9. Pourquoi n'ont-ils pas pu manger de la soupe au déjeuner?
10. Qu'est-ce que Bernard avait l'intention de faire l'après-midi?

XIII *Rédaction*
Bernard raconte plus tard à sa mère ce qu'ils ont fait pendant la matinée.

Leçon 4

Le porte-monnaie volé   (1)

/ J'étais descendue acheter une laitue sur l'avenue quand je rencontre Violette, qui allait chercher un chou avec, à la main, le porte-monnaie rouge de maman Petiot. On fait la route ensemble, et je me rappelle tout d'un coup que j'ai dans mon sac la fable *Le Lièvre et la Tortue* qu'elle m'avait demandé de lui copier pour la leçon de demain. Je la lui donne et, comme elle n'avait pas de poche, elle la met dans son porte-monnaie, avec l'argent.

A ce moment-là, on arrive aux petites voitures: il y avait un monde fou et j'étais en train de faire la queue pour la salade quand Violette, qui choisissait son chou, devient toute pâle:

— Mon... porte-monnaie?

— Quoi? Où est-il?

— Je... je l'avais posé sur la voiture, une seconde, pour tâter le chou et... il n'y est plus!

Je cherche à mon tour, sans plus de succès.

— Quelle idée d'aller le fourrer là, ma pauvre fille! s'écrie la marchande; bien sûr, on te l'a volé... Il y avait beaucoup d'argent dedans?

— Un billet de 10 francs, gémit Violette, et elle fond en larmes.

— Ça va, lui dis-je, tu pleureras après! Il ne doit pas être loin, ton voleur, et si jamais il tient le porte-monnaie à la main, on le verra bien: il n'y a pas tant de porte-monnaie rouges!

Nous courons à droite, à gauche, en bousculant les gens qui grognent, mais comment retrouver quelqu'un dans cette foule? Et puis, quand même, un porte-monnaie, ça se cache facilement!

— Oh, sanglote Violette, qu'est-ce que maman va dire? Jamais je n'oserai rentrer à la maison!

— Ecoute, lui dis-je, j'ai une idée: allons vite au commissariat de la rue Buffaut déposer une plainte; c'est ce qu'on fait quand on a perdu quelque chose.

Nous voilà parties le long de l'avenue, Violette pleurant, moi la tirant, quand brusquement, elle pousse un cri:

— La dame... là... elle vient de le mettre dans sa poche gauche. Oh, je l'ai vue!

Elle montre du doigt une dame en blouse grise qui paraît flâner, son filet au bras.

— Tu en es sûre?

— Oui, oui, j'ai reconnu le cuir rouge!... Oh, comment faire?

— Eh, rattrape-la, dis-lui qu'il est à toi!... Cours-y vite, elle va traverser!

(à suivre)

I   1. Où les deux jeunes filles se sont-elles rencontrées ce jour-là?

2. Qu'est-ce qu'elles voulaient acheter?

3. Pourquoi celle qui raconte l'histoire (l'amie de Violette — elle s'appelle Aline) avait-elle mis la fable *Le lièvre et la tortue* dans son sac?

4. Quand Violette a-t-elle mis la fable dans le porte-monnaie rouge?

5. Pourquoi?

6. A qui appartenait le porte-monnaie rouge?

7. Pourquoi Violette a-t-elle pâli?

8. Qu'est-ce qu'elle avait fait du porte-monnaie? Pourquoi?

9. Quand Violette a-t-elle probablement découvert qu'elle l'avait perdu?

10. Que signifie *un monde fou*?

II   1. D'après la marchande, qu'est-ce qui était certainement arrivé au porte-monnaie?

2. Pourquoi Violette a-t-elle fondu en larmes?

3. De qui avait-elle peur?

4. Qu'est-ce qu'Aline a d'abord conseillé à Violette de faire?

5. Qu'est-ce que c'est qu'un commissariat?

6. En allant au commissariat, qu'est-ce que Violette a vu tout à coup?

7. De quoi la dame était-elle vêtue?

8. Pourquoi portait-elle un filet?
9. Comment Violette a-t-elle reconnu son porte-monnaie?
10. Qu'est-ce qu'elle devrait faire, selon son amie? (*2 choses*)

III *Vocabulaire*

[a]
tout d'un coup	= tout à coup *Suddenly*
tâter	= presser légèrement *press lightly / feel*
fourrer	= mettre *to place*
les petites voitures	= les voitures des marchands de fruits ambulants (les marchands des quatre saisons)
un monde fou	= beaucoup de monde
bousculer	= pousser brusquement
grogner	= *to growl*
sangloter	= *to sob*
déposer une plainte	= *to make a complaint*
flâner	= marcher lentement
un filet	= *a string bag*
bien sûr	= certainement
fondre en larmes	= se mettre à pleurer
oser	= *to dare*

[b]   gémir - *groan*   grogner - *grumble*   sangloter - *sobbing*
un gémissement *m*   un grognement   un sanglot *a sob*

se plaindre -   craindre   perdre
une plainte   la crainte   la perte   ✓

[c] *Apprenez ces phrases:*
Il n'y est plus.
sans plus de succès *without much success*
Jamais je n'oserai rentrer. *never dared to return*
Comment retrouver mon porte-monnaie? *Who find my purse.*
J'étais en train de faire la queue. *I was*
Elle vient de le mettre dans sa poche. *she was gc p to put it in her pocket*
Allons déposer une plainte.   ✓

IV Ecrivez à partir de «J'étais descendue» jusqu'à «toute pâle», en mettant ou au parfait ou à l'imparfait les verbes qui sont au présent.

to come

V *Faites des phrases:*

[a]

Elle vient	de	perdre son porte-monnaie.
venait		traverser la rue.
		mettre le porte-monnaie dans sa poche.
		reconnaître le cuir rouge.

[b]

Jamais	je n'oserai	rentrer à la maison.
	elle n'osera	aller au commissariat.
		accuser la dame.

VI *Mettez au discours indirect:*

1. Quelqu'un m'a volé mon porte-monnaie.
2. «Je l'avais posé sur la voiture et il n'y est plus.»
3. «Je n'oserai jamais rentrer à la maison.»
4. «La dame vient de mettre mon porte-monnaie dans sa poche. Je l'ai vue.»
5. «J'ai reconnu le cuir rouge.»
6. «Je n'ose pas lui demander mon porte-monnaie.»
7. «Le voleur ne doit pas être bien loin.»
8. «Si jamais il tient le porte-monnaie à la main, on le verra bien.»
9. «On te l'a volé, ton porte-monnaie.»

Violette a dit que... (1–6).
Aline a dit que... (7–8).
La marchande a dit à Violette que... (9).

VII *Rédactions*

[a] Vous avez perdu quelque chose.
Vous allez au commissariat.
Le commissaire vous pose des questions.
Imaginez la conversation (*150 mots*)

[b] Vous êtes allé(e) au supermarché faire des achats pour votre mère.
Vous y avez rencontré un(e) ami(e). Dites ce que vous avez acheté et imaginez la conversation que vous avez eue avec l'ami(e).

VIII *Vocabulaire à revoir*

  [a] Des légumes:

un chou-fleur, *cauliflower*   une carotte
un petit pois, *pea*   une pomme de terre
un oignon, *onion*   une laitue, *lettuce*
un haricot vert, *French bean*   une betterave, *beetroot*
un champignon, *mushroom*   une tomate
un épinard, *spinach*
un chou, *cabbage*

  [b] Des fruits:

un raisin, *grape*   une pomme
un ananas, *pineapple*   une poire
un pamplemousse, *grapefruit*   une orange
un citron, *lemon*   une banane
un abricot, *apricot*   une figue
                             une datte
                             une pêche, *peach*
                             une cerise, *cherry*
                             une fraise, *strawberry*
                             une framboise, *raspberry*

Revision

IX A quoi sert | un microscope?   (Il sert à...)
                 | une glace?
                 | une armoire?
                 | une machine à coudre?
                 | un frigidaire?
                 | une charrue?
                 | une écurie?

A quoi servent | les allumettes?
                  | les fusils?
                  | les aspirateurs?

X Est-ce que les chaussures	*sont toujours en*	cuir ?
„ les montres	„	argent ?
„ les cravates	„	laine ?
„ les écharpes	„	soie ?
„ les boîtes	„	carton ?
„ les bas	„	nylon ?
„ les théières	„	porcelaine ?
„ les bouteilles	„	verre ?

Le camping (3)

(*Après le déjeuner Jean part chercher le gaz. Bernard et Henri s'asseyent au bord du lac et regardent les poissons qui nagent dans l'eau claire.*)

Bernard: En voilà un grand. Vite, ma canne à pêche!

Henri: Je parie que tu n'attraperas rien.

Bernard: D'accord. Tu me paies une glace pour chaque poisson.

Henri: Entendu. Vas-y, mon vieux. (*Et il s'endort.*)

(*Les poissons mordent bien et Bernard en attrape quatre. Il réveille son ami.*)

Bernard: Regarde bien, Henri. Voilà quatre glaces que tu me dois. Une glace par jour.

Henri: Oh, mon Dieu. Je n'ai pas de chance. Mais quand même je te félicite. En tout cas nous aurons un bon souper.

(*Après une belle journée en plein air ils se sont couchés à 10h. Mais, cinq heures plus tard...*)

Jean (se réveille en sursaut): Quel bruit épouvantable! Ah, c'est le tonnerre. Regardez les éclairs magnifiques.

Bernard: Oui, mais c'est embêtant d'être réveillé comme ça. Il pleut à torrents. Heureusement nous sommes bien protégés par la tente.

Henri: Mais qu'est-ce qui se passe? Il y a de l'eau qui coule sur mon tapis! Nous avons dressé la tente sur une pente. Regardez, l'eau entre partout! Que faut-il faire?

XI *Rédaction*

Imaginez la suite et la fin de cette histoire.

Lectures historiques (2)

La IIᵉ République (1848–1852)
La IIᵉ République introduisit le suffrage universel; c'est à dire que tous les Français âgés de 21 ans pouvaient voter. On croyait qu'une époque de bonheur et de fraternité allait s'ouvrir enfin. Mais ces espoirs furent bientôt déçus; il y avait beaucoup de chômage; la plupart des députés étaient royalistes ou bonapartistes. Pour l'élection du président en décembre 1848, on vota pour le prince Louis-Napoléon, qui jura fidélité à la République: «Je jure de rester fidèle à la République démocratique ... et de remplir tous les devoirs que m'impose la Constitution...»

Mais au bout de trois ans il s'empara du pouvoir, et un an plus tard il se proclama l'Empereur Napoléon III: «La dignité impériale est rétablie; elle est héréditaire, dans la descendance directe et légitime.»

Vingt-sept mille personnes furent arrêtées et 10.000 déportées en Algérie.

C'est ainsi que commença le Second Empire.

Leçon 5

Le porte-monnaie volé (2)

Violette me lance un regard éperdu, hésite... et trottine derrière la dame qu'elle tire timidement par la manche.

— Quoi donc? fait la femme.

— Euh, pardon, madame, est-ce que vous croyez... est-ce que vous êtes certaine que... le porte-monnaie qui est dans votre poche... est à vous?

La dame hausse les épaules:

— Naturellement, petite sotte. De quoi te mêles-tu?

Et elle s'éloigne d'un air indigné, pendant que Violette me rejoint, toute penaude:

— Tu l'as entendue?

Je la repousse sans lui répondre et je cours après la dame:

— Madame!

— Quoi encore? Avez-vous fini?

Mais je répète: «Madame, madame!» en criant si fort que les gens commencent à s'attrouper autour de nous, et j'ajoute d'une voix claire:

— Rendez-moi le porte-monnaie que vous avez volé à mon amie!

— Vo...lé??? hurle la dame; oh, c'est honteux de mentir comme ça! Voulez-vous bien me laisser tranquille, mal élevée!

Elle me bouscule pour partir, mais se heurte à un cercle de gens qui nous serrent de près; la marchande de salade s'est glissée au premier rang, les poings sur les hanches:

— La petite ne ment pas, réplique-t-elle; c'est vrai qu'on le leur a volé, leur porte-monnaie!... Et, pour tout arranger, montrez-nous donc le vôtre, madame, on verra bien!

— Eh, le voilà! crie la femme en sortant de sa poche droite un petit portefeuille noir.

Mais je m'élance:

— Non, non, il est dans la poche gauche!

La dame me regarde comme si elle voulait me mordre et, d'un geste rageur, sort enfin le porte-monnaie rouge.

— Mon porte-monnaie! hurle Violette.

— Comment, comment? crie l'autre, mais il est à moi, et c'est vous qui êtes une voleuse!

Les gens hochent la tête:

— Après tout, murmure un monsieur, c'est peut-être vraiment le sien: qu'est-ce qui nous prouve le contraire?

Violette gémit, et je me hâte d'intervenir:

— Qu'est-ce qui le prouve? Vous allez voir! Si le porte-monnaie est à vous, madame, dites-nous donc un peu ce qu'il y a dedans!

— Mais..., balbutie la femme qui est devenue rouge, de l'argent... quelques pièces!

— Vraiment? Et quoi encore?

— Euh, ça ne vous regarde pas!

— Eh bien, moi, je vais vous dire ce qu'il y a dedans: il y a, non pas quelques pièces de monnaie, mais un billet de 10 francs avec, en plus, la fable du *Lièvre et de la Tortue* que j'ai copiée ce matin pour mon amie!... Allons, ouvrez-le, ce porte-monnaie, pour qu'on voie!

La dame crie, se débat, veut partir, mais les gens la tiennent bien; bon gré mal gré, il faut qu'elle s'exécute, et que trouve-t-on dans le porte-monnaie? Les 10 francs et la fable!

— Voleuse! hurle la foule, appelons vite un agent!

Mais déjà Violette a repris son bien, et je l'entraîne:

— Bah, dis-je, laissez-la donc, du moment que nous avons le porte-monnaie!

(d'après) Colette Vivier, *La maison des petits bonheurs*
(avec l'autorisation de l'auteur)

I 1. Pourquoi Violette a-t-elle hésité à aborder la dame en blouse grise?
2. Qu'est-ce qu'elle lui a demandé? (*style indirect*)
3. Qu'est-ce que celle-ci a fait après lui avoir répondu?
4. Qu'est-ce qu'Aline a demandé à la dame de faire?
5. De quoi cette dame l'a-t-elle accusée?

6. En essayant de partir, qu'est-ce que la dame a fait à Aline?
7. Pourquoi la dame ne pouvait-elle plus s'enfuir?
8. Pourquoi les gens s'étaient-ils approchés?
9. Pourquoi la marchande s'était-elle mise au premier rang?
10. Qu'est-ce qu'elle a demandé à la dame de faire?

II 1. Qu'est-ce que la dame a d'abord sorti de sa poche?
2. Pourquoi a-t-elle enfin sorti le porte-monnaie rouge?
3. De quoi a-t-elle accusé Violette?
4. Quand a-t-elle rougi?
5. Pourquoi?
6. Comment Aline a-t-elle pu prouver à la foule que le porte-monnaie rouge appartenait à Violette?
7. Qu'est-ce que la foule a voulu faire?
8. Pourquoi?
9. Que pensez-vous d'Aline?
10. Cinquante francs, c'est combien en argent anglais?

III *Vocabulaire*

[a]

éperdu	= troublé, agité
la manche	= la partie du vêtement qui couvre le bras
hausser les épaules	= les lever en signe d'indifférence
outré	= indigné
penaud	= honteux
se heurter à	= *to collide with*
le poing	= *fist*
la hanche	= *hip*
hocher la tête	= secouer la tête
bon gré mal gré	= *willy-nilly*
son bien	= ce qui lui appartenait
se débattre	= faire des efforts pour se dégager

[b] honteux   bien élevé   regarder
    la honte   mal élevé   un regard

mentir	gémir	prouver
un(e) menteur(euse)	un gémissement	la preuve
un mensonge		

[c] *Traduisez et apprenez:*
De quoi te mêles-tu ?
Mêlez-vous de vos affaires !
Ça ne vous regarde pas !
Ouvrez le porte-monnaie, pour qu'on voie ce qu'il y a dedans.

IV *Faites des phrases:*

Aline a	conseillé	à Violette	d'aller au commissariat.
	dit		d'attraper la dame.
	promis		de demander le porte-monnaie rouge à la dame.

Elle a	demandé	à la dame	de sortir le porte-monnaie de sa poche.
	ordonné		de lui rendre le porte-monnaie.
			de dire à tout le monde ce qu'il y avait dedans. ~ *monde*
			de l'ouvrir.

V *Dictée*
1. Voilà la fable que j'ai copiée hier et que j'ai donnée à Violette ce matin.
2. Aline s'est élancée à la poursuite de la dame.
3. La dame s'est éloignée d'un air outré.
4. Elle a bousculé Violette pour partir, mais elle s'est heurtée à un cercle de gens qui la serrait de près.
5. Elle voulait s'en aller mais les gens la tenaient bien.
6. Violette est devenue toute pâle et a fondu en larmes.
7. La marchande de salade s'est glissée au premier rang.

VI *Rédaction*
Aline a raconté à sa mère ce qui s'était passé sur l'avenue.

Revision

VII *Voir à la page 306.*

Il (elle) est	à moi.	C'est le mien (la mienne).	Ce sont les
Ils (elles) sont	à toi.	C'est le tien (la tienne).	miens (les
	à lui.	C'est le sien (la sienne).	miennes)
	à elle.	C'est le sien (la sienne).	etc.
	à nous.	C'est le nôtre (la nôtre).	
	à vous.	C'est le vôtre (la vôtre).	
	à eux.	C'est le leur (la leur).	
	à elles.	C'est le leur (la leur).	

VIII *Faites des phrases:*

[a] Quelqu'un a dû lui

voler	son vélo.
acheter	son porte-monnaie.
enlever	sa clef.
emprunter	son écharpe.
arracher	ses disques.
demander	

[b] C'est

le journal	le plus	moderne	de Paris.
le magazine		populaire	de France.
l'hebdomadaire		sérieux	d'Europe.
			du pays.
			du monde.

IX *Réunissez les deux phrases avec* lequel, laquelle, *etc.*

1. Voici la rue Suchaut. Elle est descendue par cette rue.
2. Voilà la petite voiture. Sur cette voiture elle a posé son porte-monnaie.
3. Dans mon sac j'ai quelques pièces d'argent. Avec ces pièces je pourrai acheter un cadeau pour ma mère.
4. Elle a mis son imperméable. Sous cet imperméable elle a caché le porte-monnaie rouge.
5. Allez vite à la rue Buffaut. Au bout de cette rue se trouve le commissariat de police.
6. Il faut escalader ces murs. Derrière ces murs il y a un très beau verger.

X *Mettez au discours indirect:*

Modèle

Ne pleure pas.

— *Elle lui a dit de* ne pas pleurer.

1. Rattrape la dame, et dis-lui que le porte-monnaie est à toi.
2. Ne sois pas si timide.
3. Rendez-moi mon porte-monnaie.
4. Montrez-nous le vôtre.
5. Dites-nous ce qu'il y a dedans.
6. Ouvrez le porte-monnaie et videz-le.
7. Appelez vite un agent et dites-lui d'arrêter cette femme.
8. Laissez-la partir.
9. Reviens chez moi.
10. Ne dis rien à ta mère.

XI *On fait les courses (les commissions)*

1. Où portez-vous votre argent?
2. Quelle est la différence entre un magasin et un supermarché?
3. Quels sont les avantages et les inconvénients des deux?
4. Combien de livres anglaises y a-t-il dans un kilo?
5. Qu'est-ce qu'on peut faire dans un bureau de poste?
6. Où peut-on acheter des gâteaux, du sucre, des œufs?
7. Nommez trois sortes de viande; où est-ce qu'on les achète?
8. Pourquoi beaucoup de gens font-ils leurs achats au marché?
9. Où est-ce qu'on peut acheter de l'essence?
10. Vous voulez acheter un veston (une robe). Où allez-vous et que demandez-vous?
11. Dites ce que vous faites quand vous allez acheter un disque.
12. Qu'est-ce que c'est que la réclame?
13. Qu'est-ce que c'est qu'une vente de soldes?
14. Qu'est-ce que vous faites quand vous achetez des chaussures?
15. Vous allez faire un pique-nique. Quelles sont les provisions que vous emportez?

Les journaux

(*Pauline Gray, élève anglaise de 15 ans, passe un mois à Tours chez sa correspondante Monique Delbos. Elles prennent le petit déjeuner. M. Delbos vient de partir portant son journal sous le bras.*)

Pauline: Je m'intéresse beaucoup aux journaux français. En attendant le train à Dieppe j'ai fait une liste des journaux en vente au kiosque. Tu serais très aimable de m'expliquer la différence entre les journaux principaux. Je vois par exemple que ton père lit *Le Monde*?

Monique: Oui, c'est vrai. Il dit que c'est le journal le plus sérieux surtout pour la politique et pour les finances. Moi, je ne l'aime pas. La mise en pages n'est pas très moderne et il n'y a jamais de photos. Mais on dit que c'est bien écrit et qu'il s'intéresse beaucoup aux grandes informations internationales. C'est pour les intellectuels, ce qui m'exclut tout de suite

Pauline: Et *Le Figaro*?

Monique: Voilà qui est bien à mon avis. D'abord c'est moins cher, et il y a de belles pages féminines. J'aime lire aussi les pages bien informées sur le théâtre et sur le cinéma. Les pages sont plus grandes, la mise en pages est plus moderne. Il y a souvent des articles d'intérêt général et l'on raconte les faits divers d'une manière intéressante.

Pauline: Mais le journal le plus populaire, c'est *France-Soir*, n'est-ce pas?

Monique: Oui, il a un tirage de plus d'un million par jour. C'est un journal à sensation.

Pauline: En Angleterre nous avons au moins cinq grands journaux du dimanche — des hebdomadaires.

Monique: Oui, je les ai vus quand j'étais en Angleterre. Chez nous il n'y a vraiment que *France-Dimanche*, qui a la plus forte vente des hebdomadaires. C'est un journal à sensation qui raconte tous les crimes passionnels, les meurtres, les vols. Mais il y a d'autres hebdomadaires plus sérieux comme *L'Express*, qui contient d'excellents articles sur toutes sortes de choses, et des pages littéraires et artistiques. Il y a aussi *Le Figaro littéraire*, qui ne manque pas de lecteurs. Je n'ai pas besoin de mentionner *Paris-Match*, *Marie-Claire* et *Elle*, que tu connais bien déjà, j'en suis sûre.

Pauline: Oui, on les trouve dans la bibliothèque de notre lycée, ainsi que *Jours de France*.

Monique: Pour finir nous avons un bon journal pour les sportifs, *L'Equipe,* où il y a des articles sur chaque événement sportif.

Pauline: Merci beaucoup. J'espère que cela ne t'a pas trop ennuyée.

Monique: Mais non, voyons! Il faut que tu achètes de temps en temps un exemplaire de ces journaux pour en connaître bien la différence. Allons maintenant en ville faire nos commissions.

XII *Rédaction*

Faites une comparaison de deux journaux anglais que vous connaissez.

Leçon 6

Renoir et le fugitif (1)

(Il s'agit d'Auguste Renoir, le célèbre peintre impressionniste.)

Quand Renoir peignait, il était tellement pris par son sujet qu'il ne voyait plus ni n'entendait ce qui se passait autour de lui...

Dans la forêt de Fontainebleau, ça se passait avec les bêtes. «Les cerfs et les biches sont curieux comme des hommes!» Ils s'étaient habitués à ce visiteur silencieux, presque immobile devant son chevalet et dont les mouvements semblaient caresser la surface de la toile. Longtemps Renoir ne se douta pas de leur présence... Un jour il commit l'imprudence de leur apporter du pain. «Ils étaient constamment sur mon dos, me soufflant dans le cou. Parfois, j'étais obligé de me fâcher... Allez-vous me laisser peindre, oui ou non?»

Un matin qu'il installait son chevalet dans une clairière, inquiet d'un nuage qui venait «changer ma lumière», il s'étonna de l'absence de ses compagnons habituels. Peut-être avaient-ils été dispersés par une de ces horribles chasses...

Au bout d'un instant Renoir connut la raison qui éloignait les bêtes. Un bruissement de feuillage dans les buissons lui révéla un voisinage insolite. Se sentant découvert, un personnage à l'aspect peu engageant fit son apparition. Ses vêtements étaient fripés et souillés de boue, ses yeux hagards. Renoir crut à un fou échappé. Il se saisit de sa canne comme d'une arme, décidé à se défendre...

L'inconnu s'arrêta à quelques pas de Renoir et lui dit d'une voix tremblante: «Je vous en supplie, monsieur, je meurs de faim!» C'était un journaliste républicain poursuivi par la police de l'Empire. Il avait échappé aux agents qui venaient l'arrêter en enjambant le balcon de l'appartement contigu au sien et en fuyant par l'escalier de l'immeuble voisin. Au hasard il était monté dans le premier train en partance gare de

Lyon et était descendu à Moret-sur-Loing. Depuis deux jours il errait dans la forêt, sans nourriture. Epuisé il préférait se rendre que de continuer. Renoir courut au village et en rapporta une blouse de peintre et une boîte de couleurs. «On vous prendra pour l'un des nôtres. Ici personne n'aura l'idée de vous poser des questions. Les paysans nous voient aller et venir et ne s'en étonnent plus.» Raoul Rigaud passa plusieurs semaines à Marlotte avec les peintres. Pissarro put faire prévenir des amis du fugitif à Paris. Ceux-ci s'arrangèrent pour le faire passer en Angleterre où il attendit la chute du Second Empire.

(à suivre)

I 1. Où se trouve la forêt de Fontainebleau par rapport à Paris?
2. Quel bâtiment célèbre se trouve près de cette forêt?
3. Pourquoi les bêtes s'approchaient-elles de Renoir pendant qu'il peignait?
4. Pourquoi avait-il été imprudent de leur donner du pain?
5. Pourquoi a-t-il été surpris un matin en arrivant dans la forêt?
6. Comment s'est-il d'abord expliqué l'absence des bêtes?
7. Qu'est-ce qui l'a averti qu'il y avait quelqu'un ou quelque chose dans les buissons?
8. Quelle a été sa première impression en voyant sortir l'homme? Pourquoi?
9. Quelle précaution a-t-il prise?
10. Quelle était la profession de l'inconnu?

II 1. Pourquoi le fugitif mourait-il de faim?
2. Comment avait-il échappé à la police?
3. Pourquoi les agents étaient-ils venus l'arrêter?
4. Comment était-il venu à Moret-sur-Loing?
5. Qu'est-ce qu'il avait enfin décidé de faire? Pourquoi?
6. Pourquoi a-t-il mis une blouse de peintre?
7. Comment a-t-il pu l'obtenir?
8. Pourquoi les paysans ne seraient-ils pas étonnés de voir un peintre?
9. Comment l'inconnu s'appelait-il?
10. Est-il parti tout de suite pour l'Angleterre?
11. Pourquoi y a-t-il attendu la chute du Second Empire?

III *Vocabulaire*

[a]
un cerf	= *stag, deer*
une biche	= *hind*
une toile	= *canvas*
se douter de	= *to suspect*
se fâcher	= se mettre en colère
un chevalet	= *easel*
une clairière	= *clearing*
un bruissement	= bruit faible
un buisson	= *bush*
insolite	= *unusual*
fripé	= déchiré
souillé	= couvert de boue
enjamber	= *to stride over*
supplier	= prier avec insistance, *to beg*
contigu	= qui touche

[b]
s'étonner	épuiser	un voisin
l'étonnement (m)	l'épuisement	un voisinage
nourrir	peindre	chasser
la nourriture	la peinture	la chasse
	un peintre	un chasseur
arrêter	une feuille	curieux
un arrêt	le feuillage	la curiosité
		curieusement

fuir	poursuivre	imprudent	continuel
la fuite	la poursuite	imprudemment	continuellement

[c] *Apprenez:*

Peut-être avaient-ils été dispersés.
d'une voix tremblante
Il errait dans la forêt depuis trois jours.

IV *Etudiez ces phrases:*

[a] Il ne voyait ni n'entendait rien.
Personne ne vous posera des questions.
Les paysans ne s'en étonnent plus.

peasants

[b] Il avait │ les dents blanches.
      les yeux │ bleus.
              │ hagards.
      │ la peau blanche, les cheveux longs, les pieds gelés.

[c] Les animaux s'étaient habitués à sa présence.
Il s'était étonné de leur absence.
Ils s'étaient approchés de lui.
Ils s'étaient éloignés de lui en entendant le bruissement de feuilles.

[d] Il aida M. Rigaud à │ échapper à la police.
                        │ se déguiser en peintre.
                        │ s'enfuir en Angleterre.

V *Rédactions*

[a] M. Rigaud a raconté à Renoir comment il avait échappé à la police. (*80 mots*)

[b] Une fois en Angleterre, il a raconté à ses amis ce qui venait de se passer.

VI *Mettez au discours indirect:*
Le réfugié a dit:
1. Je suis journaliste.
2. J'ai échappé aux agents du Second Empire.
3. J'ai sauté sur le balcon de l'appartement voisin.
4. Je suis monté dans le train et je suis descendu tout près d'ici.
5. J'erre dans la forêt depuis deux jours.
6. Je meurs de faim.

Renoir lui a dit:
7. Je vous chercherai une blouse de peintre.
8. On vous prendra pour un artiste.
9. Personne ne vous posera des questions.
10. Les paysans nous voient aller et venir et ne s'en étonnent plus.

Le réfugié a dit qu'... (1–6).
Renoir a dit qu'(e)... (7–10).

55

VII *Etudiez ces phrases:*

M. Rigaud s'est sauvé en | descendant l'escalier en courant.
sautant dans un taxi.
allant à la Gare de Lyon.
attrapant le premier train.
descendant près de la forêt.
se déguisant.

VIII *Dictées*

[a] «Un matin qu'il s'installait ... un fou échappé.»

[b] 1. Les biches qui s'étaient approchés de Renoir le regardaient pendant qu'il travaillait.

2. Il leur jeta les morceaux de pain qu'il avait apportés.

3. Les vêtements que portait M. Rigaud étaient déchirés et couverts de boue.

4. Combien d'agents avez-vous vus?

5. La blouse et la boîte de couleurs qu'il avait rapportées appartenaient à un de ses amis.

6. Ses compagnons habituels n'étaient pas venus ce jour-là.

7. Voici plusieurs lettres qu'on vous a envoyées, madame.

8. Elle a dû remplir la fiche que la receveuse lui a donnée.

9. Quant aux colis postaux je les ai laissés à la poste; je vous les apporterai plus tard.

Lettre

183, avenue de la Dame Blanche,
94 Fontenay-sous-Bois
Le 1ᵉʳ septembre 19..

Monsieur,

Hier soir j'ai assisté au grand film dans votre cinéma. J'ai quitté le cinéma à environ 10h.30 du soir, mais malheureusement j'ai laissé ma serviette sous le siège. Je suis rentré chez moi, et quand je me suis rendu compte de mon oubli, il était trop tard pour vous téléphoner.

La serviette est noire et l'on trouvera mon nom inscrit à l'intérieur. J'étais assis au dernier rang des fauteuils d'orchestre.

Quelqu'un vous a peut-être donné la serviette. Dans ce cas, auriez-vous la bonté de la garder, et de me téléphoner (Fontenay 23–66)? Je viendrai immédiatement la chercher.

Je vous prie d'agréer, monsieur, l'assurance de mes meilleurs sentiments.

A. Doumer

IX Au lieu d'écrire cette lettre, vous avez pu téléphoner au gérant du cinéma. Imaginez la conversation.

Revision

Lequel, laquelle

X *Modèle*

Qu'est-ce que c'est qu'une charrue?

— C'est un outil avec lequel on laboure la terre. On y fait des sillons.

Qu'est-ce que c'est qu'

1. un buffet (un meuble sur ...)?
2. une hache?
3. un fusil (une arme)?
4. une cuillère?
5. un tire-bouchon (un instrument ...)?
6. un fer à repasser (un appareil ...)?
7. une aiguille?
8. un théâtre (un bâtiment ...)?
9. un camion?
10. un fauteuil?

XI *La France* (*1*)

1. Quels sont les pays qui se trouvent au nord et à l'est de la France?
2. Quelle est la situation géographique de: Caen, Lyon, Rouen, Montpellier, Marseille?
3. Nommez cinq provinces françaises et dites quelque chose sur une d'elles.
4. Nommez deux chaînes de montagnes en France. Où se trouvent-elles?
5. Quel est le fleuve le plus long de France?
6. Quelle montagne se trouve près de Chamonix? Pourquoi est-elle célèbre?
7. Qu'est-ce qu'il y a entre la France et l'Angleterre? Comment peut-on la traverser?
8. Où est Versailles? Pourquoi cette ville est-elle célèbre?
9. Sur quel fleuve se trouve Bordeaux?
10. Quelle est la différence entre la France et l'Europe?

Les étrennes

(*Madame Leblanc est au bureau de poste du village. C'est le 27 décembre et elle veut expédier ses étrennes.*)

Madame Giraud (*la receveuse qui la connaît très bien*): Bonjour, Madame Leblanc. Vous voulez envoyer ces deux colis. Ce sont des étrennes, n'est-ce pas?

Madame Leblanc: Oui, celui-ci contient un sac en agneau pour Dominique, ma petite-fille, et celui-là, une boîte de chocolats pour Alain, mon petit-fils.

Madame Giraud: Bon. (*Elle les prend et les pèse.*) Celui-ci coûtera 5 francs et celui-là 6.

Madame Leblanc: Je voudrais envoyer un mandat de 30 francs à mon neveu. Je préfère un mandat-carte à un mandat-lettre.

Madame Giraud: Oui, vous avez raison. C'est plus pratique. Le facteur apporte l'argent à domicile. Veuillez remplir cette fiche, madame.

Madame Leblanc (*après avoir rempli la fiche*): Les lettres, c'est 40 centimes pour acheminer la lettre plus vite et 30 pour la vitesse ordinaire, n'est-ce pas? Pour les cartes de Nouvel An, c'est combien?

Madame Giraud: Trente centimes.

Madame Leblanc: Donnez-moi donc dix timbres à 40 centimes et vingt à 30. Dites, on vient d'installer un téléphone chez moi. On peut envoyer un télégramme par téléphone, n'est-ce pas?

Madame Giraud: Oui, si vous êtes abonnée.

(*Le Jour de l'An arrive. Madame Leblanc attend avec impatience l'arrivée du courrier. On frappe à la porte. C'est le facteur.*)

Le facteur: Bonjour, madame. Bonne année. Voici un calendrier.[1]

Madame Leblanc: Merci beaucoup, monsieur, je trouve ces calendriers très utiles. (*Elle lui donne ses étrennes.*)

[1] Dans plusieurs régions de la France les facteurs ont l'habitude d'offrir à leurs clients, le Jour de l'An, un calendrier — l'almanach des PTT (Postes, télégraphes et téléphones). Cet almanach comprend non seulement le calendrier du nouvel an, mais aussi des renseignements postaux, une carte routière de la France, un plan de la région, et un plan détaillé de la plus grande ville de cette région.

On y trouve aussi tous les renseignements concernant les villes et les villages du département: bureau de poste, téléphone, télégraphe, jours de foire et de marché, et nombre d'habitants. Enfin les heures des levers et couchers du soleil et de la lune pour chaque jour de l'année.

Le facteur: Voici quelques lettres et cartes pour vous, madame, et trois mandats, dont le montant est de 150 francs. (*Il lui donne l'argent.*) S'il y a des colis postaux pour vous, ils arriveront plus tard. *Madame Leblanc:* Merci beaucoup, monsieur. Je suis vraiment gâtée cette année.

XII Faites un court résumé de cette conversation sous la forme d'une narration.

Leçon 7

Renoir et le fugitif (2)

Quelques années s'écoulèrent. Ce fut la guerre, la défaite, la fuite de Napoléon III. Renoir regagna Paris avant la fin de la Commune et continuait à travailler à la seule tâche qui lui importait: il peignait.

Un beau jour qu'il avait installé son chevalet sur les bords de la Seine, quelques gardes nationaux s'approchèrent de lui. Il n'y prêta pas attention. Le temps était superbe. Un joli petit soleil d'hiver, jaune doré, révélait dans l'eau de la rivière des couleurs jusqu'alors secrètes. Le bruit lointain des obus versaillais tombant sur le fort de la Muette troublait à peine le murmure de l'eau contre le quai.

Soudain un garde national fut pris d'un soupçon. Ce peintre qui couvrait sa toile de signes mystérieux ne pouvait pas être un vrai peintre. C'était un espion versaillais! Et son tableau était un plan des quais de la Seine destiné à la préparation d'un débarquement des forces ennemies. Il fit part de son doute à un autre garde. La nouvelle se répandit comme une traînée de poudre. Des passants entourèrent Renoir. L'un d'eux insistait pour qu'on le jette dans la rivière. «Ce bain froid ne me disait rien. Mais j'avais beau protester! Ça n'a pas de cervelle, une foule!» Le garde national proposa d'emmener l'espion à la mairie du VIᵉ arrondissement où on le fusillerait. «Il a peut-être des révélations à faire.» Une vieille dame en tenait pour la noyade... Heureusement le garde national gagna, et mon père fut traîné à la mairie du VIᵉ arrondissement. Un peloton d'exécution était de service en permanence.

Renoir était déjà en route pour le lieu de la fusillade quand il vit passer son protégé de Marlotte, superbe, le ventre ceint d'une écharpe tricolore et suivi d'un état-major revêtu d'uniformes magnifiques. Il réussit à attirer son attention. Raoul Rigaud se précipita vers lui et le serra dans ses bras. L'attitude de la foule changea aussitôt. C'est au milieu d'une haie de gardes nationaux présentant les armes que mon

60

père suivit son sauveur jusqu'à un balcon dominant la place bourrée de curieux venus pour assister à l'exécution de l'espion. Raoul Rigaud le présenta à la foule. «*La Marseillaise* pour le citoyen Renoir.»... Les canonnades continuaient. Mais la peinture était plus forte que la prudence... «Le diable, c'est que la lumière change si vite!», disait Renoir.

Jean Renoir, *Renoir*, Hachette
(avec l'autorisation de l'auteur)
(Traduction anglaise publiée par Collins)

I   1. De quelle guerre s'agit-il ?
     2. Et de quelle défaite ? A quelle date ? (*Voir* Lecture historique *no.* 3)
     3. Est-ce que Renoir avait changé d'occupation ?
     4. Où se trouvait-il un jour ? Pourquoi ?
     5. En quelle saison était-ce ?
     6. Quel temps faisait-il ?
     7. Quels bruits entendait-on ?
     8. De quoi le garde national soupçonnait-il Renoir ?
     9. Qu'est-ce que c'est qu'un espion ?
     10. Qui a eu l'idée de jeter Renoir dans la rivière ?
     11. Pourquoi les gardes l'ont-ils emmené à la mairie ?
     12. Quelle a été, pensez-vous, la réaction de Renoir à cette décision ?

II   1. En route pour la mairie, quel monsieur Renoir a-t-il vu passer ?
     2. Est-ce que les vêtements de M. Rigaud étaient encore déchirés ?
     3. Etait-il seul ?
     4. Qu'est-ce que Renoir a réussi à faire ?
     5. Pourquoi était-il heureux de revoir M. Rigaud ?
     6. Pourquoi Rigaud était-il heureux de revoir Renoir ?
     7. Comment lui a-t-il témoigné son amitié ?
     8. Pourquoi l'attitude de la foule a-t-elle changé si vite ?
     9. Où M. Rigaud a-t-il emmené Renoir ?
     10. Qu'est-ce qu'il a dit à la foule ? (*style indirect*)
     11. Pourquoi y avait-il tant de gens sur la place ?
     12. Qu'est-ce que la foule a fait en l'honneur de Renoir ?
     13. Pourquoi cet incident aurait-il pu se terminer fatalement pour Renoir ?

14. Est-ce que le bombardement a empêché Renoir de travailler ?
15. Pourquoi était-il si important pour Renoir de ne pas perdre de temps quand il peignait ?

III *Vocabulaire*

[a]
un obus	= *shell*
se répandre	= *to spread*
j'avais beau protester	= *I protested in vain*
une traînée	= *train (of gunpowder)*
la cervelle	= *brains*
un peloton	= *platoon*
un lieu	= un endroit
le ventre	= *body, stomach*
ceindre	= mettre autour d'une partie de son corps
un état-major	= *staff (military)*
faire part de	= communiquer
aussitôt	= tout de suite
bourré de	= plein de

[b]
une tâche	un soupçon	sauver	un fusil
tâcher	soupçonner	un sauveur	fusiller
			une fusillade
fuir	décider	actuel	noyer
la fuite	une décision	actuellement	une noyade

[c] *Donnez le contraire de:*
la défaite, la guerre, vrai, un ami, emmener, lointain, s'approcher de

[d] *Apprenez:*
la peinture, un peintre, peindre à l'huile, une toile, une blouse, un pinceau (*brush*), un chevalet

IV *Etudiez ces phrases:*

[a]
Renoir	a commencé	à	travailler.
	a continué		peindre.
	s'est mis		soupçonner le garde.
	s'est remis		

Il a réussi à attirer l'attention de Rigaud.
Rigaud a aidé Renoir à échapper à la mort.
Renoir s'est préparé à peindre.

[b] Ils | voulaient | assister | au mariage.
| avaient envie d' | | au match.
| espéraient | | à l'exécution.
| préféraient | | à la réunion.
| osaient | |

[c] Renoir laissa tomber son pinceau.
Il vit passer M. Rigaud.
Il entendait crier la foule.
Les gardes voulaient le faire fusiller.

[d] Cet incident aurait pu mal se terminer pour lui.
Ils auraient pu | le noyer dans la Seine.
| le fusiller.

[e] Il était important de ne pas | perdre de temps.
| effrayer les animaux.
| être fusillé.

V *Dictée*

1. Quelques années se sont écoulées.
2. Renoir s'est mis à peindre sur les bords de la Seine.
3. Des gardes nationaux se sont approchés de lui.
4. Un des gardes s'est mis à soupçonner le peintre.
5. Une foule s'est formée autour de lui.
6. Une vieille femme a eu l'idée de le faire noyer.
7. La nouvelle s'est répandue comme une traînée de poudre.
8. Les obus versaillais sont tombés sur le fort.
9. Il faisait des plans destinés à aider les forces ennemies.
10. La guerre a été gagnée par la Prusse.
11. Napoléon III s'est enfui en Hollande.

VI *Rédaction*
Imaginez ce que Renoir a dit à M. Rigaud pour expliquer sa
situation.

VII *Traduisez en anglais:*
«Un beau jour ... en permanence.»

VIII [a] Professions:
1. Renoir était peintre.
2. Rigaud était journaliste.
3. De Gaulle était président.
4. Napoléon était empereur.
5. Joséphine était impératrice.
6. Charles X était roi.
7. Ney était maréchal.
8. Victor Hugo était poète.
9. Alexandre Dumas était romancier.
10. Schweitzer était médecin.

[b] Titres:
Le général de Gaulle, le maréchal Ney,
l'empereur Napoléon, le capitaine Peisson,
le prince Charles, le roi Charles X,
le docteur Schweitzer, l'amiral Darlan

Revision

IX *Exercice oral*
Un(e) élève pose les questions; un(e) autre répond.
Demandez à (Jean) ou à (Marie):
1. à quelle heure il (elle) s'est levé(e) ce matin?
2. s'il s'est levé plus tôt ou plus tard que d'habitude?
3. s'il s'est couché tôt ou tard hier soir?
4. s'il s'est endormi vite ou lentement?
5. s'il a bien ou mal dormi?
6. s'il se sentait fatigué ce matin?
7. s'il voulait se lever ou non?
8. ce qu'il a fait avant de prendre le petit déjeuner?
9. s'il a bu du thé ou du café au petit déjeuner?
10. combien de temps il a mis à venir à l'école?
11. s'il est arrivé de bonne heure ou en retard?

Les cafés français

(*Voilà Pauline Gray, jeune Anglaise de 15 ans, et Monique Delbos au café à Tours. Elles bavardent. Un monsieur appelle un garçon: «Du papier à lettres, s'il vous plaît.»*)

Pauline: Chez nous en Angleterre on n'a pas l'habitude de faire son courrier au café et on y demanderait en vain du papier à lettres. Il paraît qu'on fait toutes sortes de choses dans un café français. On peut y rester autant que l'on veut?

Monique: Oui, c'est vrai, et l'on fréquente les cafés bien plus que chez vous. Le bistrot, c'est un endroit où l'on rencontre ses amis. Les hommes d'affaires y prennent l'apéritif avant de rentrer déjeuner ou dîner. Le dimanche après-midi, la famille entière s'installe souvent à la terrasse, bavardant et regardant les passants.

Pauline: Voilà un monsieur qui lit un journal qu'il a pris sur cette table là-bas.

Monique: Oui, on peut trouver des journaux, quelquefois des magazines aussi, dans la plupart des cafés.

Pauline: Et voilà, dans le coin, des messieurs qui jouent aux cartes, en se disputant de temps en temps.

Monique: Oui. Souvent le soir après le dîner on retourne au café. On y joue beaucoup en France, par exemple, aux billes, aux échecs, aux dames, aux dominos. Quelquefois il y a même une salle pour le ping-pong, surtout dans les cafés fréquentés par les étudiants.

Pauline: Et on peut se servir du téléphone, n'est-ce pas?

Monique: Oui, on s'en sert beaucoup. Il faut d'abord demander un jeton à la caisse.

Pauline: Je trouve que c'est une très bonne habitude de fréquenter les cafés, pour causer avec des amies. De nos jours les jeunes gens en Angleterre le font beaucoup plus qu'autrefois. Ils ont leurs bistrots à eux.

X Faites un court résumé de ce qu'on peut faire dans les cafés en France, d'après cette conversation.

Lectures historiques (3)

Le Second Empire (1852–1870)

Napoléon III ne ressemblait pas du tout à son oncle. Il n'avait ni son intelligence ni son génie militaire. On l'appelait «Napoléon le petit».

Jusqu'à 1860 il gouverna en dictateur comme Napoléon Ier. Les élections n'étaient pas libres; les journaux n'osaient rien écrire contre le gouvernement. Les policiers surveillaient tout.

Mais après 1860 Napoléon se rendit compte qu'il fallait accorder plus de liberté au peuple. Et l'industrie se développait rapidement. En 1870 il y avait dix fois plus de voies ferrées et cinq fois plus de machines industrielles qu'en 1852.

Haussmann reconstruisit le centre de Paris. En 1864 Napoléon accorda aux ouvriers le droit de faire grève.

Ferdinand de Lesseps construisit le canal de Suez, ouvert par l'impératrice Eugénie en 1869. Nice et la Savoie furent réunies à la France en 1860.

Il y eut cependant trop de guerres, et surtout la guerre avec la Prusse, en 1870, qui fut une folle aventure qu'on aurait pu éviter.

Napoléon fut capturé à Sedan. A cette nouvelle la République fut proclamée, et le gouvernement républicain continua la guerre. Gambetta quitta Paris, assiégé par les Prussiens, dans un ballon pour organiser la résistance en province et remporta plusieurs victoires; mais Paris, affamé, capitula en janvier 1871.

Cependant il y avait encore des Parisiens qui ne voulaient pas céder; ils se révoltèrent contre le gouvernement de Versailles et formèrent leur propre gouvernement: la Commune. Il y eut une guerre civile et des milliers d'hommes périrent. (Voir l'aventure du peintre Renoir, ci-dessus.)

La France dut céder l'Alsace et une partie de la Lorraine à l'Allemagne.

(Lisez A. Daudet, *La dernière classe*.)

Leçon 8

Le docteur Schweitzer à Lambaréné

En 1913, un médecin, le docteur Schweitzer, s'est installé à Lambaréné, au Gabon. Il y a fait construire un hôpital, où il a passé toute sa vie à soigner les malades noirs. En 1953 il a reçu le prix Nobel, d'une valeur de dix millions de francs. Il a employé cet argent pour agrandir l'hôpital, et améliorer les services médicaux. Il est mort en 1965 à l'âge de 90 ans.

I   1. Quand le docteur Schweitzer est-il né? (1875) (*en toutes lettres*)
    2. Quel âge avait-il quand il s'est installé à Lambaréné?
    3. Est-ce que le Gabon est en Afrique du Sud?
    4. Qu'est-ce qu'il a fait construire?
    5. Qu'est-ce qu'il a fait pendant sa vie entière?
    6. Quelle récompense a-t-il reçue en 1953?
    7. Combien d'argent a-t-il reçu?
    8. Qu'est-ce qu'il a fait avec cet argent?
    9. Quand est-il mort? (*en toutes lettres*)
   10. Quel âge avait-il à sa mort?

Le docteur Schweitzer arrive au Gabon

Au débarcadère un missionnaire s'avança, la main tendue:

— Si vous voulez me suivre, je vais vous montrer votre case, celle où vous logerez.

— Et l'hôpital? C'est-à-dire une case pour soigner mes malades?

— Il n'y en a pas. Il n'y a rien!

— Rien? Je savais qu'il n'y avait pas grand-chose; toutefois entre pas grand-chose et rien il y a encore de la marge... Où vais-je travailler?

— Rassurez-vous, docteur. Par tam-tam, j'ai ordonné aux indigènes de la région de ne pas apporter leurs malades avant trois semaines. D'ici là vous parviendrez bien à construire une case ou deux. Bref, avant d'être médecin, vous serez architecte...

67

Ce fut pendant que Schweitzer indiquait aux porteurs le meilleur endroit pour déposer ses bagages qu'un tumulte s'éleva tout à coup dans la direction du fleuve.

— Sapristi, dit le missionnaire, je leur avais pourtant bien dit de ne pas amener de malades avant trois semaines!... et ils en amènent un. Et c'est un cas urgent. Vous l'entendez hurler?

Schweitzer ôta un instant son casque colonial et se passa la main dans les cheveux. L'Africain que le fleuve lui apportait à la fin de cette première journée devait être opéré. S'il ne l'opérait pas, demain, ou après-demain, il mourrait dans une agonie atroce. Et il serait, lui, Schweitzer, le mauvais docteur. Aucun Africain ne l'appellerait jamais *N'tchinda...* celui qui coupe bien; le chirurgien. Personne ne lui ferait confiance.

Mais où l'opérer? Comment? Avec l'aide de qui? Brusquement, il saisit le missionnaire par la manche.

— La vue du sang ne vous fait pas tourner de l'œil?

— Non.

— Vous avez déjà assisté à une opération?

— Oui.

— Bon. Vous serez mon infirmier aujourd'hui. A partir de maintenant, le poulailler est hôpital. Qu'on y installe un lit de camp. Tout de suite!

Et le poulailler fut élevé au rang d'hôpital. Le docteur posa sa main sur le front de l'Africain.

— Sois tranquille, lui dit-il. Dans une heure tu dormiras et quand tu te réveilleras, tu n'auras plus mal.

Et Schweitzer tenta l'opération.

Du temps passa. Au chevet du malade, Albert Schweitzer ne disait rien, attentif à voir renaître la vie. Finalement, l'Africain ouvrit les yeux. Il jeta autour de lui un regard étonné... Et puis soudain:

— Moi plus avoir mal! Moi guéri!

Il était émerveillé. Il se sentait bien, et, ayant trouvé la main du docteur, il ne la lâcha plus. Celui-ci dut lui parler longtemps parce qu'il avait encore un peu peur. Schweitzer ne manifesta aucune impatience. N'était-il pas venu au Gabon pour servir les hommes? Eh bien, il les servait maintenant! d'abord avec les instruments de la science, ensuite avec la compréhension du cœur.

(d'après) M. Duino, *Schweitzer le sorcier blanc*, Editions Gérard

II 1. En 1953, depuis combien de temps Schweitzer travaillait-il déjà au Gabon?
2. Quelle question a-t-il posée au missionnaire lors de son arrivée à Lambaréné? (*style indirect*)
3. Qu'est-ce que celui-ci lui a répondu? (*style indirect*)
4. Qu'est-ce que le missionnaire avait déjà ordonné aux indigènes de faire?
5. Qu'est-ce que Schweitzer réussirait certainement à faire en trois semaines?
6. Qu'est-ce qu'il a entendu tout à coup dans la direction du fleuve?
7. Pourquoi y avait-il un si grand bruit?
8. Comment le missionnaire savait-il que c'était un cas urgent?
9. Qu'arriverait-il à l'Africain si Schweitzer n'opérait pas?
10. Que penserait-on de lui s'il refusait d'opérer?
11. Qu'est-ce que le missionnaire pourrait faire pour aider Schweitzer? (*2 choses*)

III 1. Qu'est-ce que Schweitzer a dit à l'Africain avant d'opérer? (*style indirect*)
2. Pourquoi a-t-il attendu longtemps près du malade après avoir opéré?
3. Quelle a été la réaction de l'Africain en se réveillant?
4. Ecrivez en bon français: «Moi plus avoir mal! Moi guéri!»
5. Comment l'Africain savait-il qu'il était guéri?
6. Qu'est-ce que Schweitzer a dû faire pour le rassurer?
7. Pourquoi Schweitzer n'a-t-il manifesté aucune impatience?
8. Qu'est-ce que c'est qu'un missionnaire?
9. Et un débarcadère?

IV *Vocabulaire*

[a] la manche   = la partie du veston où l'on met le bras
une case   = une hutte
un poulailler = une hutte où l'on garde les poules
émerveillé   = étonné et plein d'admiration
le chevet   = la tête du lit

69

[b] guérir   sain   saigner   s'étonner   bref
     la guérison   la santé   le sang   l'étonnement   brièvement
                                            étonné
     opérer   l'opération   se confier à   attentif
     co-opérer   la co-opération   la confiance   attentivement
        débarquer   embarquer   le soin
     un débarcadère   un embarcadère   soigner
     le débarquement   l'embarquement   soigneusement

[c] *Exprimez autrement:*
    sa vie entière   construire   tout à coup
    un endroit   un tumulte   toutefois
    indiquer   ôter   manifester
    tenter   pourtant   la peur

[d] *Donnez le contraire de:*
    demain, après-demain, le lendemain, le surlendemain, bon,
    meilleur, le meilleur

V *Etudiez ces phrases négatives:*
Aucun Africain ne l'appellerait jamais *N'tchinda.*
Schweitzer ne manifesta aucune impatience.
Tu n'auras plus mal.
Il n'y avait pas grand-chose.
Entre pas grand-chose et rien il y a de la marge.
Il n'est guère possible d'opérer sans infirmier ni lit.
N'était-il pas venu au Gabon pour servir?

Je leur avais | dit | de ne pas amener de malades.
              | ordonné |
              | demandé |

VI *Etudiez ces phrases:*
[a] Schweitzer est parvenu | à | faire construire une case.
     Il a réussi | | calmer le malade.
                            | | guérir le malade.

Il a passé toute sa vie à soigner les malades.
Il a invité le missionnaire à l'aider.
Le missionnaire l'a aidé à opérer le malade.
Pasteur ne chercha jamais à s'enrichir.

[b] Schweitzer a | vu arriver | le malade.
entendu hurler
laissé partir

Il a fait construire un hôpital.

[c] «Si vous vouliez bien me suivre, je vous montrerais votre case.»
Si Schweitzer n'opérait pas tout de suite, l'Africain mourrait.
Si l'Africain mourait, on appellerait Schweitzer le mauvais docteur et on n'aurait plus confiance en lui.
Si Schweitzer n'avait pas d'hôpital, où pourrait-il soigner les Africains?
Schweitzer a dit au malade que dans une heure il dormirait et quand il se réveillerait il n'aurait plus mal.

VII *Modèle*

Ayant | trouvé la main du docteur, il ne la lâcha plus.
Après avoir
Quand il eut

Exprimez autrement:

1. Arrivé au débarcadère, il regarda la foule qui l'attendait.
2. Ayant débarqué, il fit la connaissance du missionnaire.
3. Ayant fait construire un hôpital, il invita tous les malades à venir.
4. Après avoir réfléchi quelques instants, il décida d'opérer.
5. Quand il se fut installé dans une case, il opéra le premier malade.

VIII *Rédactions*

[a] Schweitzer a raconté ce qui lui est arrivé lors de son débarquement à Lambaréné.

[b] Un(e) de vos camarades est malade à l'hôpital. Ecrivez-lui pour lui donner des nouvelles de l'école, etc.

IX Que font:

un médecin	un chirurgien	un architecte
un dentiste	un romancier	un poète
un ingénieur	un pharmacien	un bijoutier
un missionnaire	un professeur de géographie	
un agent	un charcutier?	

Revision

X Quel équipement doit-on posséder afin de pouvoir faire:
des photos, l'ascension des montagnes, du ski, du camping, du thé,
un pique-nique, un gâteau;
et pour pouvoir écouter des bandes magnétiques, écouter des
disques, et faire la lessive?

XI *Traduisez en anglais:*
«Au débarcadère ... hurler.»

Lectures

1. *Un grand savant français*
   Louis Pasteur (1822–1895) fit plusieurs découvertes remarquables,
et surtout:

[a] En 1848 il démontra l'existence des microbes et on commença
à reconnaître la grande importance de l'hygiène. On stérilise
tout dans les hôpitaux. Cette découverte a été un grand bienfait pour l'humanité.

[b] Il trouva un vaccin contre la rage. D'abord il l'injecta avec
succès à des chiens enragés et enfin à un petit garçon, Joseph
Meister, âgé de neuf ans. Un chien enragé l'avait mordu et il
en mourrait certainement. Pasteur essaya son injection et
vécut dans l'angoisse pendant dix jours, mais le petit fut
sauvé.

Pasteur fut un vrai grand homme. Quoiqu'il travaillât sans cesse pendant
toute sa vie, il ne chercha jamais à s'enrichir de ses découvertes, et il
aimait beaucoup la vie de famille. Vers la fin de sa vie il fut acclamé par
des savants de tous les pays.

2. *Il n'y a que l'embarras du choix*
Il y a trois mois Michel Dubreton a réussi sa licence-ès-lettres, et il lui
a fallu prendre une décision: allait-il continuer ses études ou non? Il y
a réfléchi longtemps. S'il continuait ses études à l'université, et qu'il fût
finalement reçu à l'agrégation, il obtiendrait un bien meilleur poste: il
serait tout de suite professeur de lycée; il aurait assez d'argent et plus tard
deviendrait même proviseur de lycée ou directeur de collège technique.

Mais il faudrait attendre plusieurs années, il resterait pauvre et il ne pourrait pas épouser sa chère Cécile. Il ne saurait jamais quand il serait reçu. Par contre, s'il abandonnait ses études, il pourrait trouver un emploi immédiatement. Cela lui permettrait de s'amuser le soir, d'aller souvent au théâtre ou au restaurant avec Cécile. Il achèterait une moto et ferait de belles promenades avec elle.

Il y avait une troisième possibilité, lui semblait-il. Il avait toujours voulu voyager en Inde; là il verrait le Tadj Mahal et d'autres merveilles; il ferait des connaissances très intéressantes: de l'Inde il passerait en Russie et resterait un ou deux mois à Moscou, où il aurait l'occasion de parler le russe, qu'il apprenait depuis cinq ans. Mais comment voyagerait-il ? Il ferait de l'auto-stop, et il travaillerait comme garçon de restaurant ou d'hôtel. En voyageant il verrait des paysages et des villes inoubliables. Mais est-ce qu'il pourrait se priver pendant toute une année de la compagnie de Cécile ?

Quelle décision a-t-il prise ? Je ne saurais vous le dire, mais en tout cas Cécile vient de recevoir une carte postale de Moscou. Peut-être qu'il y est allé pendant les grandes vacances.

XII *Rédaction*

    [a] Si vous aviez à choisir comme Michel, qu'est-ce que vous décideriez de faire et pourquoi ? (*80 mots*)

    [b] Quels projets avez-vous pour l'avenir, au point de vue du travail et du sport ?

Leçon 9

Leur premier vol

(*M. Misbert est aviateur. Ses enfants sont venus à l'aérodrome avec leur ami Charles admirer son nouvel avion.*)

L'avion, un joli petit monoplan de tourisme à deux places, était aussi brillant, aussi net qu'un jouet. Madeleine et Michel en admirèrent l'élégance sobre et la finesse des lignes. Mais Charles demanda tout de suite quelle était la force du moteur et quelle vitesse l'appareil pouvait atteindre.

— Papa, dit Madeleine, ne voudras-tu pas nous donner le baptême de l'air ?

— J'y pensais, répondit M. Misbert. Nous attendrons pour cela un beau matin calme.

Charles baissait la tête. Michel lui dit:

— Papa, certainement, voudra bien t'emmener aussi.

— Peut-être! murmura Charles; mais mes parents ne donneront pas leur autorisation.

Madeleine et Michel firent leur première promenade en avion quelques jours plus tard, par une matinée radieuse. Leur père les emmena tous les deux à la fois, serrés l'un contre l'autre sur l'unique siège disponible.

Lorsque le moteur commença à ronfler, ils eurent un instant d'appréhension, mais se rassurèrent bien vite. L'avion roula sur l'herbe rase. Les deux enfants remarquèrent soudain qu'ils dominaient du regard les hangars de l'aérodrome: l'avion avait quitté le sol sans qu'ils s'en fussent aperçus...

L'air était parfaitement calme. Aucune secousse, aucun tangage; on avait l'impression d'une sécurité absolue. Le pays prenait un aspect tout nouveau et imprévu, avec ses routes et ses voies ferrées convergeant vers la ville, avec ses chaumières, ses vallées verdoyantes et ses cours d'eau argentés.

L'avion revint vers l'aérodrome et atterrit doucement, comme un oiseau. Madeleine et Michel étaient un peu assourdis par le ronflement du moteur, mais enchantés. Charles Dupré était là qui les attendait. Il leur posa mille questions.

Charles voulait monter en avion; il le voulait passionnément. Ses parents auraient bien voulu y consentir, son grand-père également; mais sa grand-mère, effrayée à l'idée de le voir passer entre ciel et terre, disait non.

Alors le grand-père alla trouver M. Misbert, et ils eurent une longue conversation. Puis ils se dirigèrent ensemble vers l'aérodrome.

Il soufflait ce jour-là un vent assez violent. M. Misbert fit pourtant sortir l'avion du hangar. Le moteur ronfla: après une course de quelques dizaines de mètres, l'appareil monta dans le ciel. L'avion prit rapidement de la hauteur, puis on le vit redescendre non moins rapidement, remonter encore, et enfin tourner plusieurs fois au-dessus de la ferme. Charles, qui le suivait des yeux, dit:

— Je crois qu'il y a un passager à bord. Qui est-ce donc?

Il était loin de supposer que ce passager était son grand-père... L'avion atterrit, et M. Misbert demanda à son compagnon:

— Eh bien, qu'en pensez-vous? N'avez-vous pas été un peu secoué?

— Peuh! fit le grand-père, ce n'est rien! Si j'étais jeune, je voudrais, moi aussi, voyager en avion.

Ce soir-là, il y eut, à la ferme, une discussion. La grand-mère finit par se laisser convaincre, et Charles reçut à son tour le baptême de l'air.

En descendant d'avion, après un quart d'heure de vol, il était comme soulevé de joie.

— On dirait qu'il lui est poussé des ailes! observa Madeleine.

E. Pérochon, *A l'ombre des ailes*, Librairie Delagrave

I 1. Qu'est-ce que c'est que le baptême de l'air?
   2. A quoi est-ce que l'auteur compare l'avion?
   3. Quel genre d'avion était celui de M. Misbert?
   4. Quelles précisions Charles a-t-il demandées à M. Misbert?
   5. Qu'est-ce que Madeleine a demandé à son père de faire?
   6. Pourquoi Charles a-t-il baissé la tête?

7. Pourquoi ne pouvait-il pas recevoir le baptême de l'air ?
8. Quel temps faisait-il lors de la première promenade en avion des enfants ?
9. Combien de sièges libres y avait-il dans l'avion ?
10. Comment leur père a-t-il pu les emmener ensemble ?
11. Quelle a été la première réaction des enfants lorsque le moteur a commencé à ronfler ?
12. Pourquoi avaient-ils l'impression d'une sécurité absolue pendant le vol ?
13. Qu'est-ce qu'ils ont remarqué au-dessous d'eux ?

II 1. Pourquoi n'y avait-il pas de tangage ce jour-là ?
2. Quel effet le ronflement du moteur a-t-il eu sur les enfants ?
3. Est-ce qu'ils ont senti une secousse au moment de l'atterrissage ?
4. En atterrissant ils ont vu Charles. Imaginez une question qu'il leur a posée.
5. Qu'est-ce que Charles a demandé encore une fois à ses parents ?
6. Qui s'est opposé à son désir ? Pourquoi ?
7. Comment le grand-père a-t-il pu persuader sa femme de changer d'avis ?
8. Quel temps faisait-il le jour où le grand-père a reçu son baptême de l'air ?
9. Qu'est-ce que l'avion a fait au cours de ce vol ?
10. Pourquoi Charles ne savait-il pas que le passager était son grand-père ?
11. Qu'est-ce que le grand-père aurait voulu faire, s'il avait été jeune ?
12. Quelle réaction Charles a-t-il eue après le vol ?

III *Vocabulaire*
[a] disponible = libre
l'herbe rase = l'herbe coupée
le tangage = l'oscillation d'un bateau où d'un avion d'avant en arrière
imprévu = inattendu, qu'on n'a pas prévu
la voie ferrée = double ligne de rails parallèles que suivent les trains

une chaumière = une petite maison couverte de chaume, *thatch*

verdoyant = de couleur verte

argenté = couleur d'argent

assourdir = rendre sourd (cf. aveugler = rendre aveugle)

le ronflement = le bruit que fait un moteur

pourtant = cependant

un avion à réaction = *jet plane*

[b]

| lever | la tête | secouer | tanguer |
| baisser | | une secousse | le tangage |

| ronfler | une colline | assourdir |
| le ronflement | une vallée | sourd |

| la peur | la crainte | jouer | autoriser |
| l'appréhension | craindre | un jouet | l'autorisation |

| atterrir | discuter | courir | vite |
| l'atterrissage | une discussion | une course | la vitesse |

prévoir
imprévu

[c] *Traduisez en anglais:*

A quoi pensez-vous?

Que pensez-vous de cette promenade?

J'y pensais.

Il n'y avait aucun tangage, aucune secousse.

Sans qu'ils s'en fussent aperçus.

[d] *Apprenez:*

un aérodrome, un aéroport, un avion à réaction, un hangar, une hélice, décoller, atterrir, une aile, le moteur, un passager, la piste

IV *Etudiez ces phrases:*

[a] (faire, voir, entendre, laisser + infinitif)

e.g. Il fit sortir l'avion du hangar.

On vit redescendre l'avion.

On entendit ronfler le moteur.

La grand-mère se laissa convaincre.

[b] Ses parents lui ont permis │ de monter en avion.
Sa grand-mère lui a défendu │

Mais elle a consenti enfin à le laisser partir.

[c] La grand-mère commença par refuser sa permission.
Elle finit par se laisser convaincre.

[d] S'il faisait beau le lendemain, ils feraient leur première promenade en avion.
Si ses parents voulaient bien lui donner leur autorisation, Charles
aurait son baptême de l'air le lendemain.
«Si j'étais jeune, je voudrais moi aussi, voyager en avion.»

V [a] un vieil avion   un vieil appareil
un nouvel avion   un nouvel appareil
un bel avion   un bel appareil

cf. l'avion est vieux, nouveau, beau.

Trouvez cinq noms masculins qui commencent par une voyelle
ou *h* muet. Ecrivez-les en ajoutant ces trois adjectifs.

[b] Subjunctive:
sans qu'ils s'en fussent aperçus.

Learn the imperfect subjunctive of *avoir* and *être*.

[c] Adverbs:
égal   parfait   rapide   certain
également   parfaitement   rapidement   certainement

VI *Rédactions*
[a] Faites un résumé de cette histoire en 200 mots.
[b] Vous avez reçu hier votre baptême de l'air. Dans une lettre à
votre père racontez en détail ce qui s'est passé.

VII *Dictée*
«Lorsque le moteur commença à ronfler ... argentés.»

VIII *Traduisez en anglais:*
«Madeleine et Michel firent leur première promenade ... mille
questions.»

Revision

IX De quelle nation proviennent ces lignes aériennes?
BEA, Lufthansa, Swissair, Ibéria, TWA, Aer Lingus, Alitalia, El Al.

Et ces voitures?
Citroën, Mercédès, Volvo, Chrysler, Toyota.

X *Comparez:*
[a] Que pensez-vous *de* | votre professeur?
cette idée?
cet enfant?
ce film?
ces joueurs?

avec:
[b] Il pensait *à* | sa chère Cécile.
sa carrière future.
ses vacances.
ce qui venait de se passer.
ce qu'il allait faire en quittant l'école.

XI *Faites des phrases:*
Voici ce que le grand-père a dit:
Si j'étais plus jeune | je voyagerais toujours en avion.
je m'intéresserais à la politique.
je m'entraînerais pour la course des mille mètres.
je traverserais la Manche à la nage.
Imaginez d'autres projets (remplacez par *nous, il, elles*)

Londres–Paris par avion

(*Deux jeunes Anglaises vont passer une quinzaine à Paris dans une famille française. Elles viennent d'arriver en autobus à l'aéroport de Londres.*)

Marguerite: Je me demande où est notre porte de départ. Ah, voilà une affiche: *Destination Paris. Départ 11h.30. Porte 22.* Dépêchons-nous. Nous n'avons pas de temps à perdre.

(Elles suivent un long corridor, jusqu'à ce qu'elles arrivent à l'avion. Elles y montent et trouvent deux places à l'arrière.)

Jeanne: Tu vois, c'est un avion à réaction. Il n'y a pas d'hélices. C'est bien. On m'a dit que les avions à réaction sont plus confortables.

Une hôtesse de l'air: Bonjour, mesdames et messieurs; le commandant Lebel et son équipage sont heureux de vous accueillir à bord... dans quelques instants nous allons partir pour Paris, où nous arriverons dans quarante minutes. Nous volerons à 8.000 mètres d'altitude et notre vitesse sera de l'ordre de 600 kilomètres à l'heure. Je vous prie de bien vouloir attacher vos ceintures de sécurité pour le départ.

Marguerite: Il n'y a pas de gilet de sauvetage. Si, si, il y en a un au-dessous de mon siège. Et voilà une brochure qui explique comment le mettre.

Jeanne: Nous n'en aurons pas besoin. Mais voilà que nous décollons. Je n'ai senti aucun mouvement. Nous montons très rapidement. Quelle vue magnifique déjà!

Le commandant de l'avion: Bonjour, mesdames, messieurs, nous voilà déjà en route. Dans dix minutes nous survolerons la Manche. Mais d'abord regardez bien la vue splendide de Londres.

(Dix minutes plus tard.)

Marguerite: Regardez la Manche, qui est comme un lac bleu. On voit les deux pays en même temps.

Jeanne: C'est sensationnel, comme dans un film. Quel dommage que le trajet soit si court!

(Un quart d'heure plus tard, l'avion commence sa longue descente sur Orly. Elles voient de loin la Tour Eiffel. La descente est très lente.)

Marguerite: Voilà l'Autoroute du Sud qui passe tout près d'Orly. L'année dernière nous avons pris cette route pour aller en voiture à Dijon.

(L'avion atterrit très doucement sur la piste, et les passagers descendent. On annonce: «Un car à destination de l'aérogare des Invalides est mis à votre disposition.» Après avoir passé à la douane, où tout était en règle, elles montent dans l'autocar.)

Jeanne (au receveur): Combien de temps faut-il pour arriver aux Invalides, monsieur, s'il vous plaît?

Le receveur: Environ une demi-heure, mademoiselle.

Marguerite: Qu'est-ce que c'est que les Invalides?

Jeanne: J'ai lu ça dans le *Guide Bleu.* L'Hôtel des Invalides a été construit par Louis XIV pour loger des soldats invalides. On y voit aujourd'hui le tombeau de Napoléon.

XII 1. Qui sont les personnages de cette histoire ?
2. Comment Marguerite a-t-elle pu découvrir où aller en arrivant à l'aéroport ?
3. Combien de temps ont-elles dû attendre avant le départ ?
4. Qu'est-ce qu'il fallait faire avant le décollage ?
5. Comment Marguerite a-t-elle appris comment mettre son gilet de sauvetage ?
6. Comment appelle-t-on la mer qui sépare l'Angleterre de la France ? Et le détroit qui sépare Douvres de Calais ?
7. Qu'ont fait les jeunes filles pendant le trajet ?
8. Quelle autoroute Marguerite a-t-elle indiquée ? Pourquoi ?
9. Comment sont-elles allées à l'aérogare des Invalides ?
10. Combien de temps fallait-il pour y arriver ?
11. En quel siècle a-t-on construit l'Hôtel des Invalides ?
12. Pourquoi vaut-il la peine d'y aller ?

XIII *Rédaction*

Faites un court résumé de cette conversation sous la forme d'une narration au passé.

Lectures historiques (4)

La IIIe République (1870–1940)

[a] De 1870 à 1914

La IIIe République dura 70 ans; pendant cette période deux guerres mondiales éclatèrent.

Avant 1914 il y eut deux grandes œuvres sociales: la création de l'enseignement populaire et de l'aide aux pauvres et aux malades.

En 1870 beaucoup de gens ne savaient ni lire ni écrire. Jules Ferry (1832–1893), grand ministre républicain, fit construire des écoles primaires. L'instruction devint gratuite (1881), obligatoire (1882), laïque (l'enseignement religieux ne serait plus donné à l'école). On créa aussi des lycées et collèges de jeunes filles.

On vota aussi plusieurs lois sociales qui réglementaient la journée de travail à dix heures, la retraite pour la vieillesse, etc.

La France d'outre-mer s'étendit énormément: on occupa en Afrique du Nord la Tunisie (1881) et le Maroc (1912). On avait déjà conquis l'Algérie.

En Asie on prit possession de l'Indochine (1885). En Afrique on s'empara du Congo sans tirer un seul coup de fusil.

Ce fut pendant cette période que Pasteur et Marie Curie firent leurs découvertes célèbres. (Voir «Pasteur», page 72; «Pierre et Marie Curie», page 158.)

Leçon 10

L'oncle d'Amérique

Les neveux étaient allés tous les trois, avec leurs épouses et leurs enfants, attendre à la gare l'oncle Michel qui revenait d'Amérique.

Il y avait aussi la veuve d'un quatrième neveu mort à la guerre, accompagnée de son enfant, un petit boiteux. Mais comme cette veuve était pauvre, les épouses des trois neveux riches lui demandèrent à peine «Comment allez-vous ?» et ne parlaient pas avec elle; et elle se tenait à l'écart avec son petit garçon.

— Parlons de choses sérieuses, dit le plus âgé des trois neveux. Nous sommes bien d'accord: l'oncle Michel habitera chez moi.

— Chez moi! dit l'autre neveu. J'ai fait reblanchir exprès deux chambres...

— Ah ça! Par exemple! Chez vous! Et nous qui avons même fait installer le chauffage central dans toutes les pièces? dit l'épouse du neveu le plus âgé.

Les sonneries électriques commencèrent à tinter.

— Voici le train! Voici le train! crièrent tous les petits neveux. L'oncle Michel arrive! Vive l'oncle Michel!

Le train arriva. On vit passer: la locomotive, les wagons de première classe, de seconde classe; mais l'oncle Michel ne descendait pas.

Le voilà qui descend d'un wagon de troisième classe.

Cela produisit une très mauvaise impression.

— Porteurs, porteurs! crièrent les neveux.

— Pas de porteurs, dit l'oncle Michel. Je n'ai qu'une petite valise et je la garde avec moi. Il y a eu, au milieu de l'océan, une tempête qui a emporté tous les bagages.

Cela produisit une très mauvaise impression.

L'oncle Michel était vêtu proprement, mais n'avait pas un seul brillant aux doigts; et pourtant il y a bien des mines de diamants, au Pérou, et d'or, en Californie.

83

Tous sortirent de la gare.

— Que c'est beau! dit l'oncle Michel quand ils furent sur la place. Quel beau café, quelles belles autos exposées en vitrine! Il y a même une banque! Elle m'aurait bien servi pour y mettre mes dollars; mais ils sont allés au fond de la mer. Baste! Pourquoi nous attardons-nous à penser à ces misères quand Dieu nous a sauvé la vie et que nous sommes ici dans notre patrie, parmi nos chers parents? Mais quel progrès dans mon cher pays! Il y a même un hôtel! Un grand hôtel!

— Mon papa, dit une fillette, veut que vous veniez chez nous, dans notre maison, monsieur mon oncle, et non au grand hôtel... Aïe!

— Qu'as-tu, ma petite fille? demanda l'oncle Michel.

— Papa m'a pincée par-derrière. Il fait toujours comme ça pour me faire taire.

— Maintenant, chers parents, pensons à manger, dit l'oncle.

— Quand vous voudrez nous honorer de votre visite, dit le premier neveu, notre maison sera la vôtre.

Et après avoir prononcé ces mots, il s'en alla.

— Vous nous ferez grand plaisir, dit le second neveu, si vous venez nous voir.

Et il s'en alla.

Le troisième neveu s'en était allé sans rien dire.

— Oncle Michel, dit alors la jeune veuve qui s'était tenue à l'écart, s'il ne vous déplaît pas de venir chez moi, il y aura toujours un lit et une assiette de soupe.

— Pourquoi pas? dit alors l'oncle Michel. Vous habitez loin?

— Hé, assez.

— Alors, prenons une voiture. Garçon, cria-t-il sur un ton impérieux en entrant dans un café, une auto!

— Des autos à louer, il n'y en a pas sur la place, monsieur.

— Comment? Et là-bas, qu'y a-t-il? demanda l'oncle Michel montrant la vitrine derrière laquelle on voyait une superbe automobile. .

— Ce sont des automobiles à vendre, répondit le garçon.

— Très bien, dit l'oncle Michel. Alors, j'achète l'automobile.

L'oncle Michel sortit un carnet aux très nombreux feuillets, tira un stylo en or, écrivit avec ce stylo en or un nombre, apposa sa signature en dessous, remit son stylo en or dans la poche intérieure de son pardessus, détacha ce feuillet, le remit au directeur de l'agence d'automobiles et dit:

— Allez retirer ce chèque dans cette banque.

Peu après, la vitrine s'ouvrit toute grande et l'auto descendit dans la rue avec tant de majesté que tout le monde s'arrêtait pour la regarder.

— Madame, installez-vous, dit l'oncle Michel, et toi, monte, mon petit.

Les chers parents, quand ils apprirent toutes ces choses, tombèrent malades et ils ne guèrirent que bien longtemps après.

Panzini, *Anni Verdi* (traduit d'Elie Baude)

I
1. Pourquoi les neveux étaient-ils venus attendre leur oncle à la gare ?
2. Quelle attitude les trois femmes des neveux ont-elles prise envers la veuve ? Pourquoi ?
3. Pourquoi les trois neveux ont-ils commencé à se disputer ?
4. Qu'est-ce que deux neveux avaient fait faire exprès à leurs maisons ?
5. Pourquoi étaient-ils déçus lors de l'arrivée de l'oncle ? Relevez les faits significatifs. (*4 faits*)
6. Pourquoi le père de la fillette voulait-il la faire taire ?
7. Quelle différence y avait-il entre les invitations de deux neveux et celle de la veuve ?
8. Quelles preuves de sa richesse l'oncle a-t-il fournies ?
9. Pourquoi l'oncle avait-il fait semblant d'être pauvre ?
10. Pourquoi les chers parents sont-ils tombés malades en apprenant ce qui s'était passé après leur départ ?

II *Vocabulaire*

[a] une veuve	= une femme dont le mari est mort
boiteux	= quelqu'un qui marche en penchant plus d'un côté que de l'autre
à peine	= *hardly*, *scarcely*
se tenir à l'écart	= se tenir à part (*apart*)
exprès	= dans une intention spéciale
tinter	= sonner
une tempête	= un orage
le Pérou	= *Peru*
s'attarder	= se mettre en retard

[b]   épouser   se marier
     un époux   un mariage
     une épouse

     blanc   rouge, etc.   chauffer
     blanchir   rougir   le chauffage
       sonner   plaire
     une sonnerie   déplaire

[c] Revision:

La famille

    un grand-père   un oncle   un neveu
    une grand-mère   une tante   une nièce

    un cousin   un mari   un veuf
    une cousine   une femme   une veuve

un beau-frère	= le frère du mari ou de la femme
une belle-sœur	= celle dont on a épousé le frère ou la sœur
un beau-père	= père du mari ou de la femme
une belle-mère	= mère du mari ou de la femme
un gendre	= le mari de votre fille
une belle-fille (une bru)	= la femme de votre fils

III *Dictée*

1. Les trois neveux attendaient leur oncle qui revenait d'Amérique.
2. Il y avait aussi la veuve d'un quatrième neveu mort à la guerre, accompagnée de son enfant, un petit boiteux.
3. Son argent était dans les valises que la tempête avait emportées.
4. Dieu leur avait sauvé la vie.
5. «Papa m'a pincée», dit la fillette.
6. Le troisième neveu s'en était allé sans rien dire.
7. Il a acheté la belle auto neuve qu'il a vue exposée dans la vitrine.
8. Le directeur de l'agence d'automobiles a regardé la signature que l'oncle avait apposée sur le chèque.
9. La vitrine s'est ouverte toute grande.
10. Ils sont tous montés dans la voiture.
11. Le veuve s'est installée à côté de l'oncle.
12. Les chers parents sont tombés malades.

IV Il y a

Etudiez ces exemples:

Il y a bien des mines de diamants au Pérou.

Il y avait aussi une veuve.

Il y a eu une tempête.

Il leur a dit qu'il y avait eu une tempête.

«Il y aura toujours un lit pour vous.»

Elle lui a dit qu'il y aurait toujours un lit pour lui.

Qu'y a-t-il?

Il n'y en a pas.

V *Apprenez:*

[a] Je n'ai qu'une valise.

Ils ne guérirent que bien longtemps après.

Il n'avait pas un seul brillant au doigt.

Pas de porteurs!

[b] Parlons de choses sérieuses.

Pensons à manger.

Prenons une voiture.

Ne vous installez pas là, madame.

Installez-vous à côté de moi.

[c] Il y avait | une auto | à | louer.
| un appartement | | vendre.
| un bateau | | acheter.

[d] Que c'est beau!

Quel beau café!

Quelles belles autos!

[e] J'ai fait reblanchir deux chambres.

Nous avons fait installer le chauffage central.

Il fait ça pour me faire taire.

VI *Compare constructions after* quand *and* si:

[a] «*Quand* vous *voudrez* nous rendre visite, notre maison *sera* la vôtre.»

Il lui a dit que quand il *voudrait* leur rendre visite, leur maison *serait* la sienne.

87

«Quand vous *viendrez* nous voir, vous nous *ferez* grand plaisir.»
Il lui a dit que quand il *viendrait* les voir, il leur *ferait* grand
plaisir.

[b] «*Si* vous *voulez* nous rendre visite, notre maison *sera* la vôtre.»
«Si vous vouliez nous rendre visite, notre maison serait la vôtre.»
«Si vous venez nous voir, vous nous ferez grand plaisir.»
«Si vous veniez nous voir, vous nous feriez grand plaisir.»
«S'il ne vous déplaît pas de venir chez moi, il y aura toujours un
lit.»
«S'il ne vous déplaisait pas de venir chez moi, il y aurait toujours
un lit.»
«Si je n'avais pas perdu tous mes dollars, cette banque m'aurait
bien servi.»

VII *Rédactions*

[a] Imaginez la maison de la veuve, ce que l'oncle a fait pour elle
et pour son enfant boiteux.

[b] Imaginez qu'un oncle revient très riche d'Australie, ce qu'il
fait pour vous et votre famille.

VIII

1. Qu'est-ce que l'oncle Michel a fait après avoir sorti son carnet
de chèques ?
2. Qu'est-ce qu'il a fait après avoir sorti son stylo ?
3. Et après avoir écrit un nombre sur le chèque ?
4. Et après avoir apposé sa signature dessous ?
5. Et après avoir remis son stylo dans sa poche ?
6. Et après avoir détaché le feuillet du carnet de chèques ?

IX *Modèle*

Quand l'oncle Michel a-t-il tiré un stylo en or ?
Avant de sortir son carnet ?
— Non, après l'avoir sorti.

1. Quand a-t-il apposé sa signature sur le chèque ?
Avant d'écrire le nombre ?
2. Quand a-t-il remis son stylo dans sa poche ?
Avant d'apposer sa signature ?

3. Quand a-t-il détaché le feuillet du carnet?
Avant de remettre son stylo dans sa poche?
4. Quand a-t-il remis le feuillet au directeur?
Avant de le détacher du carnet?
5. Quand a-t-il dit au directeur d'aller à la banque?
Avant de lui donner le chèque?

X *Etudiez ces phrases:*

Mon papa veut que	vous veniez chez nous.
Je veux que	vous habitiez toujours avec nous.
	vous achetiez une voiture neuve.
	vous lui donniez beaucoup d'argent.
	vous ne fumiez plus.

Revision

XI Ce qui, ce que, ce dont

Modèle
Qu'est-ce qu'il a dit?
— Je ne sais pas ce qu'il a dit.

1. Qu'est-ce qu'il y a dans ce sac?
— Je ne sais pas ...
2. Qu'est-ce qu'ils avaient décidé de faire?
— Vous rappelez-vous ...?
3. Qu'est-ce qu'elle a chanté?
— Je ne sais pas ...
4. De quoi a-t-il parlé?
— Je ne sais pas ...
5. De quoi se moquait-il?
— Je ne peux pas me rappeler ...
6. Qu'est-ce qui est arrivé?
— Pouvez-vous me dire ...
7. Qu'est-ce qu'il voulait faire?
— Demandez-lui ...
8. Qu'est-ce qu'il y a dans votre porte-monnaie?
— L'agent lui a demandé ...

9. Qu'est-ce que vous avez vu au cinéma hier?
   — Est-ce que je pourrais vous demander ...?
10. Qu'est-ce que vous auriez fait si vous aviez perdu votre chemin?
    — Mon ami voudrait bien savoir ...
11. De quoi vous plaignez-vous tant?
    — Dites-moi ...

Le nouvel appartement

(Philippe Ledru et Henriette Bonnet viennent de se marier. Ils ont trouvé un appartement dans un vieil immeuble, rue de Vaugirard, près du Luxembourg. Ils ont invité leurs meilleurs amis Georges et Lydie Tuffaut (déjà mariés depuis trois ans) à souper chez eux. Il est 8h. du soir.)

Henriette: Ah, voilà quelqu'un qui sonne. Ça doit être Georges et Lydie. Va vite leur ouvrir, chéri.
(Les Tuffaut entrent. Il pleut à verse, et ils sont mouillés.)
Henriette: Ah, quel mauvais temps! Donnez-moi vos imperméables et le parapluie. Je les mettrai dans la baignoire pour qu'ils sèchent. Comment ça va?
Lydie: Très bien merci. Enfin vous avez trouvé un bel appartement. Les pièces sont très grandes. Vous avez eu de la chance.
Henriette: Jusqu'à un certain point, oui. La demeure est vieille, et il y a beaucoup de réparations à faire. Par exemple il va falloir remplacer toute l'installation électrique. L'électricien m'a dit que les fils sont très vieux et qu'on risque un incendie.
Lydie: Oh, mon Dieu. Ça va coûter cher.
Henriette: Oui, et la plupart des interrupteurs sont cassés. Mais viens voir la cuisine.
Lydie: Ah, tu as déjà acheté tous les appareils électriques. Voilà une cuisine tout à fait moderne dans un vieil appartement.
Henriette: Oui, c'est vrai. Regarde mon chauffe-eau à gaz. Ça chauffe très vite, et s'il y avait une panne d'électricité, j'aurais toujours de l'eau chaude. D'ailleurs nous allons faire installer le chauffage central. Nous avons obtenu la permission du propriétaire.
Lydie: Vous êtes millionnaires!
Henriette: Mais non, nous avons emprunté tout l'argent à mon grand-père.

Lydie: Je vois que vous avez acheté une machine à laver automatique.
Henriette: Oui, ça marche très bien. Mais retournons dans la salle de
séjour. Nos maris seront déjà en train de boire quelque chose, et je suis
sûre que tu as soif.
Lydie: Oui. Tu es très gentille.

XII 1. Est-ce que les Ledru étaient mariés depuis longtemps?
2. Quand Henriette a entendu sonner, comment savait-elle que
c'étaient les Tuffaut?
3. De quoi les Tuffaut se sont-ils servis pour se protéger contre la
pluie?
4. Qu'a dit Lydie à Henriette au sujet de leur nouvel appartement?
5. Le bâtiment était-il d'une construction récente?
6. Pourquoi fallait-il remplacer l'installation électrique?
7. Qu'est-ce que Lydie a d'abord remarqué en entrant dans la
cuisine?
8. Qu'est-ce qu'Henriette a dit au sujet de son chauffe-eau? (*style
indirect*)
9. Les Tuffaut avaient-ils assez d'argent pour payer le chauffage
central?
10. Qu'est-ce que c'est que le Luxembourg? Où se trouve-t-il?
(*Regardez la carte de Paris*)

XIII *Rédaction*
Faites la description d'un appartement ou d'une maison que vous
connaissez.

Leçon 11

L'entraînement d'un champion

(*Jazy, âgé de vingt ans, est déjà champion des 1500 mètres. En route pour les Jeux Olympiques de Melbourne, il partage une chambre d'hôtel avec Alain Mimoun, 36 ans, champion de marathon.*)

A Los Angeles il y eut une escale de 48 heures et Mimoun m'invita à partager sa chambre dans l'immense hôtel où nous étions descendus.

Je rangeais mes affaires, comme toujours, avec beaucoup de soin. Lui, assis bien droit sur le bord de son lit, me regardait faire sans dire un mot. J'étais terriblement gêné. Je sentais ce regard dans mon dos. Je voulus siffloter pour prendre une contenance, rien ne sortit de mes lèvres.

Lorsqu'il n'y eut plus rien dans ma valise, la voix du Vieux s'éleva.

— C'est bien, petit. Tu es soigneux. Il faut être soigneux et mieux que cela encore, maniaque. Combien de paires de pointes as-tu prises ?

Je fus tout fier de pouvoir répondre :

— Deux paires. Des pointes longues en cas de pluie, des courtes en cas où la piste serait dure.

— Fais voir !

Je m'approchai et lui tendis les deux paires de chaussures. Il les regarda très attentivement et dit sans me regarder :

— Les plus longues sont neuves !

— Oui, je les mettrai pour ma course élémentaire. Je les garde exprès.

Il redressa la tête et planta son regard dans le mien.

— Tu es fou ? Mettre les chaussures neuves pour la compétition ? Jamais, tu entends ! Tu me feras le plaisir de les essayer dès les premiers jours de notre arrivée. Tu trotteras au moins dix minutes avec. Si elles ne te font pas mal, tu les quitteras, tu enlèveras bien toute la terre ; dedans tu mettras du papier journal roulé en boule et tu n'y toucheras plus jusqu'au jour de ta course. Si elles te gênent un tant soit peu tu en demanderas d'autres et tu les essaieras. Il faut que tu aies des chaussures

92

parfaites. Tu ne dois pas les sentir aux pieds. Ensuite tu changeras les lacets. Les lacets vendus avec les chaussures ne valent rien. Je t'en donnerai, que j'achète pour moi. Puis tu chercheras des bouchons et tu en enfonceras un sur chacune des pointes, pour ne pas déchirer les affaires dans ton sac, ou ne pas te blesser en fouillant dedans, compris?

— Oui.

— Tu dois être minutieux. Maintenant les courses se gagnent ou se perdent d'un cheveu. Tu ne dois pas laisser la plus petite chose au hasard. Tiens, regarde.

Il ouvrit une petite valise. A l'intérieur il y avait à peu près huit paires de chaussures de marathon, une douzaine de paires de socquettes, plusieurs slips de formes différentes, plusieurs maillots et flottants et quelques mouchoirs de fil blanc.

— Deux heures avant le départ du marathon, je choisirai exactement ce qui conviendra en fonction du temps. Si je ne gagne pas le marathon c'est que mes vieilles jambes ne le pourront pas. Mais ce ne sera pas ma faute. Je me suis entraîné mieux que personne, je suis un régime alimentaire très strict, tu verras. Mon corps sera prêt, mon esprit aussi, mes affaires également. N'oublie jamais cela. Maintenant allons dormir. Demain matin je te réveillerai à 5h. 30. Bonne nuit.

Je n'osais bouger dans mon lit, de peur de déranger Mimoun. J'étais complètement abasourdi et admiratif. Un peu fatigué par le voyage, je m'endormis vite en me demandant pourquoi il fallait se lever le lendemain à 5h. 30.

Quand Alain me réveilla, il était 5h. 29. Je le regardai. Il était en flottant, déjà douché et rasé.

— Vite, fais ta toilette, dit-il, puis mets un survêtement et des chaussures d'entraînement. Dépêche-toi.

— Où allons-nous?

— Nous entraîner.

— On n'attend pas d'être à Melbourne?

Il se retourna, le regard noir, furieux, la moustache agressive. Je n'oublierai jamais ce regard. Il m'empoigna par le col du survêtement et me parla dans le nez.

— Mais qui es-tu? Un international? C'est ça un coureur international? Ça pose des questions pareilles? Tu ne sais donc pas que l'entraînement doit être quotidien? A tout prix, quoi qu'il arrive, et

93

n'importe où, tu dois courir chaque jour, tu entends ? Chaque jour! Si tu arrêtes l'entraînement vingt-quatre heures tu perds en fait trois ou quatre jours. Si tu ne cours pas tu régresses d'un jour ou deux. Tu perds donc cela, plus ce que tu n'as pas fait ce jour-là. Retiens bien ça, petit. Si tu veux être autre chose qu'une «danseuse», tu dois t'entraîner chaque jour, tu m'entends ? Chaque jour. N'oublie jamais. Maintenant, allons-y!

Je demandai timidement:

— Où allons-nous nous entraîner ? Il répliqua de mauvaise humeur:

— J'ai dit hier soir à tous les dirigeants qu'ils étaient des incapables et des imbéciles. Figure-toi que notre hôtel est en plein centre de la ville; le stade et le parc le plus proches sont à 7 ou 8 kilomètres, donc impossible d'y aller. Nous allons courir ici.

— Comment ici ?

— Ici dans l'hôtel, dans les couloirs, dans les escaliers. Tu as vu, il y a des tapis partout, donc ça ne nous fera pas mal aux jambes. Allez, suis-moi!

Avant d'avoir bien saisi, j'avais pris l'escalier et suivais sa mince silhouette de trotte-menu un peu penchée sur la gauche. Et c'est ainsi qu'en une heure nous avalâmes, sous l'œil stupéfait du personnel et des clients de l'hôtel, une bonne douzaine de kilomètres à travers les longs couloirs doucement éclairés.

J'ai compris ce jour-là ce qu'était vraiment la course à pied et ce que réclamait une carrière de champion; de la minutie, de la volonté et du fanatisme. Je n'ai jamais oublié la leçon de Mimoun! Jamais.

(d'après) Michel Jazy, *Mes victoires, mes défaites, ma vie,*
Raoul Solar Editeur

I   1. Combien de temps les deux coureurs ont-ils dû rester à Los Angeles ?

2. Qu'est-ce que Mimoun a invité Jazy à faire ?

3. Pourquoi Jazy était-il gêné en rangeant ses affaires ?

4. Qu'a-t-il essayé de faire pour donner l'impression qu'il n'était pas gêné ?

5. Est-ce qu'il a pu siffloter ? Qu'est-ce qui est arrivé ?

6. Pourquoi appelait-on Mimoun «le Vieux» ?

7. De quoi celui-ci a-t-il félicité Jazy ?

8. Quels souliers Jazy mettrait-il s'il faisait beau ?

9. Et s'il pleuvait ?
10. Qu'est-ce que Jazy a fait quand Mimoun lui a dit de lui montrer les deux paires de chaussures ?
11. Quand Mimoun a-t-il dit: «Les pointes longues sont neuves!» ? (Après ...)

II
1. Pourquoi ne faut-il pas mettre des chaussures neuves pour une compétition ?
2. Pendant combien de temps faut-il les essayer ?
3. Que faut-il faire pour retenir la forme des chaussures ?
4. Que doit faire le coureur si ses chaussures lui font mal ?
5. Pourquoi faut-il avoir des chaussures parfaites dans une compétition ?
6. Pourquoi faut-il avoir des lacets parfaits ?
7. Comment Jazy a-t-il obtenu de meilleurs lacets ?
8. Qu'est-ce qui arriverait probablement si Jazy oubliait de mettre des bouchons sur chacune des pointes ?
9. Combien de paires de chaussures y avait-il dans la valise de Mimoun ?
10. Quelle est la différence entre une socquette et une chaussette ?
11. De quelle couleur étaient les mouchoirs ?

III
1. Qu'est-ce que c'est qu'un marathon ? Pourquoi ce nom ?
2. Pourquoi Mimoun avait-il apporté tant de vêtements ?
3. Mentionnez deux choses que Mimoun avait faites pour se préparer pour le marathon.
4. Après s'être couché, qu'est-ce que Jazy a fait pour ne pas déranger Mimoun ?
5. Est-il resté longtemps éveillé ?
6. Qu'est-ce que Mimoun avait déjà fait avant 5h.30 ?
7. Qu'a-t-il dit à Jazy de faire ?
8. Pourquoi est-il devenu tout à coup furieux ?
9. Qu'est-ce qui arriverait, selon Mimoun, si Jazy ne s'entraînait pas tous les jours ?
10. Pourquoi Mimoun a-t-il dit aux dirigeants qu'ils étaient des imbéciles ?
11. Où les deux coureurs auraient-ils voulu s'entraîner ?

IV 1. Où fallait-il donc s'entraîner, puisque le stade était si loin?
2. Quel avantage y avait-il à courir sur des tapis?
3. De quelle taille était Mimoun?
4. Combien de kilomètres ont-ils fait à l'heure?
5. Qu'est-ce que c'est que le personnel d'un hôtel?
6. Et les clients?
7. Qu'est-ce que le personnel et les clients étaient surpris de voir?
8. Quelle leçon Jazy avait-il apprise ce jour-là?
9. De quelles qualités Mimoun a-t-il fait preuve?
10. Qu'est-ce que c'est que les Jeux Olympiques?
11. Quand les derniers Jeux ont-ils eu lieu? Et où?
12. Et les prochains Jeux? Quand auront-ils lieu? Où?

V *Vocabulaire*

[a] faire escale (dans un hôtel) = descendre dans un hôtel (*usually applied only to ships*)

gêné	= embarrassé
siffloter	= siffler doucement
exprès	= dans une intention spéciale, *on purpose*
tant soit peu	= *in the slightest degree*
enfoncer	= *to stick*
un flottant	= un survêtement très large
convenir	= *to suit*
un régime alimentaire	= *diet*
abasourdi	= stupéfait
empoigner	= saisir
quotidien	= tous les jours
à tout prix	= *at all costs*
quoi qu'il arrive	= *whatever happens*
regresser	= reculer
un trotte-menu	= qui trotte à petits pas
avaler	= *to swallow*
la minutie	= *care over details*
la volonté	= *will-power*

[b]	boucher	fier	le soin	vouloir
	déboucher	la fierté	soigneux	la volonté
	un bouchon		soigneusement	

	un lacet	s'entraîner	baisser ⎫	
	enlacer	l'entraînement	redresser ⎬ la tête	

	un regard	n'importe	où
	regarder		quand
			comment
			quoi

VI *Exprimez autrement:*

[a] Il planta son regard dans le mien.
Il n'y eut plus rien dans ma valise.
Il faut que tu aies des chaussures parfaites.
L'entraînement doit être quotidien.

[b] *Etudiez ces phrases négatives:*
Pour ne pas déchirer tes affaires.
Pour ne pas te blesser.
Rien ne sortit de mes lèvres.
Je n'osais bouger.
Je n'ai jamais oublié la leçon. Jamais.
Il n'y eut plus rien dans ma valise.

VII *Dictée*

1. Je mets des pointes longues en cas de pluie, des pointes courtes s'il fait beau.
2. Si elles te gênent un tant soit peu tu en essaieras d'autres. Dépêche-toi.
3. Il faut que tu aies des chaussures parfaites.
4. Tu poses des questions pareilles?
5. L'entraînement doit être quotidien.
6. Je compris ce que réclamait une carrière de champion: de la minutie, de la volonté et du fanatisme.
7. Les lacets que tu as apportés ne valent rien.

8. Quelles chaussures as-tu mises pour la compétition? — J'ai mis celles que j'ai achetées à Paris la semaine dernière.
9. Les deux paires qu'il m'a montrées étaient toutes neuves.
10. Les questions que tu m'as posées ne sont pas très intelligentes.

VIII *Modèle*
Tu dois mettre des chaussures parfaites.
— Il faut que tu mettes des chaussures parfaites.

1. Tu dois les essayer avant la compétition.
2. Jazy doit courir chaque jour.
3. Tu dois trotter au moins 5 minutes.
4. Nous devons nous lever à 5h. 30.
5. Je dois suivre un régime strict.
6. Ils doivent faire douze kilomètres dans les couloirs.
7. Nous devons avoir les meilleurs vêtements possibles.
8. Tu dois être minutieux...

IX *Rédaction*
Dans une lettre à un(e) ami(e) vous expliquez que vous vous entraînez pour une course. A pied ou de natation? Quand, de quelle longueur? Quels vêtements (et quelles chaussures) prenez-vous? Pourquoi? Qu'est-ce que vous faites chaque jour pour vous entraîner? Quelles précautions prenez-vous la veille de la course, et le jour même? Suivez-vous un régime alimentaire strict? etc.

Revision

X *Modèle*
Marie a 24 ans. Jean a 20 ans. (Marie)
— Marie est plus âgée que Jean.

1. Richard a dix ans. Sa sœur a quinze ans. (Richard)
2. Monsieur Ledoux pèse 80 kilos. Sa femme pèse 60 kilos. (lourd)
3. M. Ledoux mesure 1m. 70. Son fils mesure 1m. 40. (grand)
4. Ma famille a deux voitures. La vôtre en a trois.
5. Jacques a mangé trois œufs. Son frère en a mangé trois aussi.
6. Ce livre coûte huit francs. Celui-là aussi. (cher)

7. Le français est assez difficile à apprendre. Le russe est très difficile.
8. Dieppe est à 160 kilomètres de Paris. Marseille est à 800 kilomètres. (éloigné)
9. Cette voiture a été fabriquée en 1968. Celle-là en 1970. (vieux)
10. Denise est belle. Marguerite est très belle.

XI *Les sports et les récréations*
1. Quels sont les sports principaux qu'on pratique dans votre école ?
2. Quel est votre sport favori ?
3. Pour le rugby, quelle forme le ballon a-t-il ?
4. Et pour le football ?
5. Combien de temps dure une partie de football (ou de hockey) ?
6. Comment se sent-on au bout d'une longue course ?
7. Quels sont les avantages et les inconvénients du cinéma et de la télévision ? Lequel préférez-vous ?
8. Qu'avez-vous fait pendant les vacances de Pâques ?
9. Comment avez-vous passé la journée de Noël ?
10. Quelle sorte de livres préférez-vous ? Pourquoi ?
11. Nommez un romancier que vous aimez. Quel est son meilleur livre ? Faites un court compte-rendu de ce livre.
12. Que signifie *faire de l'équitation* ?
13. Quelle est la course d'automobiles la plus connue d'Europe ?
14. Quelle est la course de cyclistes la plus renommée d'Europe ? Dites ce que vous en savez.
15. Quel est le sport d'hiver que vous préférez ?
16. Quand est-il dangereux de patiner ?
17. A quoi sert un téléférique ?
18. Quand on fait l'ascension d'une montagne quels dangers court-on ?
19. Connaissez-vous une station de sports d'hiver en France ?

Comment faire un soufflé

(*Lydie Tuffaut et Henriette Ledru causent après le dîner.*)

Lydie: Votre soufflé est excellent. Je n'ai jamais pu réussir à faire un bon soufflé. Vous seriez bien aimable de me donner votre recette.

Henriette: Avec plaisir. Il faut d'abord chauffer le four.

Lydie: Votre four a-t-il un thermostat ?

Henriette: Oui, naturellement, et je le mets à 150.

Lydie: Ensuite, que faites-vous ?

Henriette: Je fais fondre un peu de beurre dans une casserole sur feu doux, et j'ajoute un peu de farine.

Lydie: Et après ?

Henriette: Je place la casserole à côté du feu et j'ajoute peu à peu du lait pour faire une sauce.

Lydie: Y mettez-vous d'abord les jaunes d'œuf ou le fromage ?

Henriette: Du fromage que j'ai râpé; puis j'ajoute les jaunes.

Lydie: Et les blancs d'œuf ?

Henriette: Les blancs, je les bats dans un bol jusqu'à ce qu'ils soient très fermes, et je les verse dans la composition, en les incorporant par petites quantités.

Lydie: Est-ce qu'il faut remplir le moule à soufflé ?

Henriette: Il ne faut remplir le moule qu'a moitié, autrement le soufflé déborderait.

Lydie: En tout, combien de temps faut-il pour faire le soufflé ?

Henriette: Une heure dix; 25 minutes pour la préparation et 45 minutes pour la cuisson. Il faut éviter d'ouvrir le four trop souvent, et il faut servir le soufflé dès qu'il est prêt, c'est-à-dire, il faut attendre que tout le monde soit à table, car autrement il retomberait.

Lydie: Je vous remercie infiniment, et je tâcherai de suivre exactement vos renseignements.

XII Hier Mme Tuffaut a fait un soufflé. Décrivez tout ce qu'elle a fait. «D'abord elle est entrée dans la cuisine et elle a cherché toutes les choses nécessaires...»

Leçon 12

Récit de l'occupation

(*En novembre 1942 les Alliés envahirent l'Afrique du Nord et les Allemands occupèrent tout de suite le reste de la France.*)

Ce même mois de l'occupation totale, j'étais donc venu me fixer à Montsaunès, village situé sur la hauteur, à un quart d'heure de Salies. Le souvenir d'un ami colonial qui repose au cimetière m'avait attiré là. Je pensais que l'exil me serait moins pénible dans cette demeure où il avait vécu.

Dans la sombre pièce où nous nous tenions le soir, près d'un grand feu de bois, j'allais pourtant connaître d'inoubliables heures de joie, penché sur la radio, messagère d'espoir. Depuis le onze novembre, elle n'apportait plus que de bonnes nouvelles, comme si le Destin lui eût choisi cette date prophétique pour détourner son cours. Le cœur battant, nous attendions le signal.

C'est là que j'ai appris la victoire de Stalingrad, la reprise de Kharkov, de Kiev, de Sébastopol, le recul de Rommel en Libye, la libération de Tunis, le débarquement en Sicile, la chute de Rome, l'effondrement de Mussolini...

Certains jours, quand le communiqué nous laissait en suspens, l'inquiétude me poussait le coude tandis que j'écrivais et, dans le cours de la journée, je retournais à mon poste pour chercher la voix de Londres dans les ondes brouillées. Dans mon ermitage je n'avais rien à craindre : le photographe[1] était loin. J'écoutais les nouvelles et, réconforté, reprenais ma page.

Je ne m'arrêtais que sur la fin de l'après-midi, quand je n'en pouvais plus. Plutôt que de descendre au bourg, je partais à travers champs, suivi de mes personnages, et continuais à travailler le nez au vent. Cette

---

[1] un espion

promenade sans but me ramenait toujours aux mêmes endroits: le tournant de route d'où l'on découvre les Pyrénées crêtées de neige, le petit pont qui franchit la Garonne rapide et tournoyante, le bas du coteau planté de hautes vignes que le crépuscule transforme en un verger de croix. Y revenir sans cesse n'épuisait pas ma joie, car c'est un des plus beaux paysages de France.

Parfois, pourtant, le vent d'ouest me poussait vers Salies, par le chemin qui longe la carrière: il n'était plus alors question de rêver.

A tout instant, on m'abordait:

— Eh bien ? les événements ?

Chacun devait espérer que je promettrais la fin de la guerre pour le mois suivant. Je renseignais les uns, rassurais les autres, persuadais les hésitants. C'était ma façon de servir. Quand on ne peut plus écrire ce qu'on pense, on se console en le disant.

Souvent, à Montsaunès, je recevais d'émouvantes visites: jeunes de la Résistance, israélites traqués, réfugiés hors-la-loi. Ils me confiaient leurs espoirs, me confessaient leurs craintes. «Nos papiers ne sont pas en règle... Je suis requis pour le travail en Allemagne... Comment faire pour passer en Espagne ?» Il fallait un conseil pour chacun.

Je les retrouvais, ces amis inconnus, à la poste ou chez l'épicier. On se saluait d'un clin d'œil, on échangeait deux mots: «Je vous rendrai votre journal...» Ces feuilles clandestines qui circulaient de main en main.

Ainsi, de boutique en boutique, j'atteignais la place centrale et la large avenue bordée de platanes qui fait l'orgueil des Salisiens. L'été les baigneurs s'y promènent; l'hiver y paissent les moutons. Le photographe avait là son studio, à quelques pas de l'établissement thermal. Franchement, les portraits en vitrine ne donnaient guère envie d'entrer.

— Surtout, ne riez pas, me recommandait-on. Vous pouvez être sûr qu'il vous guette...

(d'après) Roland Dorgelès, *Carte d'identité*, Albin Michel

I 1. Pourquoi l'auteur s'était-il installé à Montsaunès ?
   2. En quel mois ?
   3. Que faisait-il probablement de temps en temps quand il passait près du cimetière ?
   4. Pourquoi était-il si heureux d'écouter la radio ?

5. Comment la pièce était-elle chauffée?
6. Est-ce que les nouvelles étaient toujours très mauvaises?
7. Qu'est-ce qui s'était passé le 11 novembre 1942 en Afrique du Nord? Et en France?
8. Qui a remporté la victoire de Stalingrad? Où est cette ville?
9. Qui était Rommel?
10. Quelle armée l'a fait reculer?

II
1. A quel pays appartenait la Tunisie à cette époque-là? Et maintenant?
2. Que veut dire *la chute de Rome*?
3. Qui était Mussolini? En quelle année est-il mort? (*en toutes lettres*)
4. Pourquoi l'auteur était-il quelquefois inquiet?
5. Pourquoi retournait-il de temps en temps écouter la radio dans le cours de la journée?
6. Que faisait-il après avoir écouté les nouvelles?
7. Quand s'arrêtait-il normalement d'écrire? Pourquoi?
8. A quoi pensait-il pendant ses promenades à la campagne?
9. Quelles plantes poussaient en bas du coteau?
10. Quel fruit donnent-elles?
11. Pourquoi l'auteur aimait-il beaucoup cette promenade?

III
1. Quand l'auteur allait-il de temps en temps vers Salies?
2. Qu'est-ce qu'on lui demandait souvent au cours de cette promenade?
3. Que faisait-il pour servir son pays?
4. Pourquoi ne pouvait-il plus écrire ce qu'il pensait?
5. Quelles espèces différentes de gens lui rendaient visite?
6. Pourquoi?
7. Comment Dorgelès a-t-il pu les aider?
8. Pourquoi ces visites étaient-elles émouvantes?
9. De quoi parlait-on devant l'épicerie?
10. De quoi les Salisiens sont-ils fiers?
11. Pourquoi n'avait-on guère envie d'entrer chez le photographe?

IV
1. Où se trouvent les Pyrénées?
2. Nommez d'autres montagnes françaises. Où se trouvent-elles?
3. Le village de Montsaunès se trouve-t-il dans la vallée?
4. A quelle distance de Salies se trouve-t-il? (1 km.)
5. Que signifie l'occupation totale de la France, par rapport à la deuxième guerre mondiale?
6. Qu'est-ce qui est arrivé le 11 novembre 1918?
7. Que veut dire *Un ami colonial*?
8. Qu'est-ce que c'est qu'un cimetière?
9. Quelle était la profession de Dorgelès?
10. Qu'est-ce que c'est que la Résistance?
11. Et un réfugié?
12. Et un verger?
13. Et le crépuscule?

V
1. Rome est la capitale de l'Italie.
   Et Bonn? Madrid? Stockholm? Edimbourg? Moscou? Pékin? Tokyo? Copenhague? Ottawa? Washington?
2. Quelles langues parle-t-on dans ces pays?
3. Comment appelle-t-on les habitants de ces pays?
4. De quel fleuve l'auteur parle-t-il?
5. Nommez trois autres fleuves français. Où se jettent-ils dans la mer?
6. Comment appelle-t-on celui qui cultive les vignes?
7. Et l'endroit où on les cultive?

VI *Vocabulaire*

[a]
inoubliable	= qu'on n'oublie jamais
l'effondrement	= la chute
un bourg	= un gros village
un but	= *purpose, aim*
un coteau	= une petite colline
aborder quelqu'un	= lui parler, lui poser des questions
les événements	= les incidents (de la guerre)
un israélite	= un juif
traqué	= chassé

une feuille clandestine = un journal imprimé et distribué secrètement en violation des lois (des Allemands)
la carrière = endroit où l'on extrait la pierre
l'établissement thermal = bâtiment où l'on trouve les eaux minérales
l'orgueil = la fierté, *pride*
guetter = épier, *to spy*
le recul = la retraite
un platane = *plane-tree*
paître = manger l'herbe, brouter

[b]
demeurer	oublier	se baigner
une demeure	inoubliable	un baigneur

craindre	conseiller	espérer	débarquer
la crainte	un conseil	l'espoir	le débarquement
		l'espérance	

libérer	reculer	inquiet
la libération	un recul	l'inquiétude

un photographe	une vigne	cligner de l'œil	haut
une photographie	un vigneron	(en) un clin d'œil	la hauteur
	un vignoble		

un roman	la confiance	large	long
un romancier	la défiance	la largeur	la longueur

[c] *Etudiez:*
de main en main   de ville en ville
de temps en temps   de haut en bas
de jour en jour

VII [a] *Traduisez en anglais:*
Elle n'apportait plus que de bonnes nouvelles.
Je ne m'arrêtais que sur la fin de l'après-midi.
Je n'en pouvais plus.
Les portraits ne donnaient guère envie d'entrer.

[b] *Exprimez autrement:*
je reprenais ma page, il n'était plus question de rêver, parfois, pourtant, un endroit, pénible, la crainte, tandis que, franchir, aborder, une demeure

VIII *Rédactions*
[a] Imaginez une visite rendue à l'auteur par un réfugié. Comment Dorgelès a-t-il pu aider son visiteur?
[b] Racontez une histoire de la Résistance que vous connaissez.

IX [a] *Etudiez ces phrases:*
Nous attendions le signal.
J'écoutais les nouvelles.
Ils cherchaient la voix de Londres.
Les réfugiés demandaient des conseils.
Il payait son journal clandestin.
Il regardait les photos dans la vitrine.

[b] *Comparez:*
de bonnes nouvelles
d'inoubliables heures
d'émouvantes visites
avec:
des nouvelles intéressantes
des heures interminables
des visites inattendues

X *Dictées*
[a] «Cette promenade sans but ... un des plus beaux paysages de France.»
[b] «Ainsi, de boutique en boutique ... ne donnaient guère envie d'entrer.»

XI *Traduisez en anglais:*
«Parfois, pourtant, le vent d'ouest ... Vous pouvez être sûr qu'il vous guette.»

XII *La France* (2)

1. Que savez-vous de Jeanne d'Arc?
2. Et d'Henri IV?
3. Et de Louis XIV?
4. Et de la Révolution Française?
5. Qu'est-ce que Napoléon Ier a fait pour la France en plus de ses victoires?
6. Quand a-t-il été finalement battu? A quelle bataille?
7. Que savez-vous de Napoléon III?
8. Et de la IIIe République?
9. Et de la première guerre mondiale?
10. Et du général de Gaulle?

XIII 1. Si vous vouliez faire un soufflè, quels ingrédients vous faudrait-il?
2. Si vous trouviez un porte-monnaie dans la rue, qu'est-ce que vous en feriez?
3. Si j'avais l'intention d'aller en vacances à l'étranger pendant une quinzaine, que devrais-je faire avant mon départ?
4. Si vous héritiez de beaucoup d'argent, que feriez-vous?
5. Si vous aviez dîné au restaurant et que vous aviez laissé tout votre argent à la maison, que feriez-vous?
6. Si vous demeuriez en Russie, quelle langue parleriez-vous?
7. Si vous étiez né en Alsace en 1900 quelle langue auriez-vous apprise à l'école? Pourquoi?
8. Qu'arriverait-il si vous arriviez en retard à l'école?
9. Que feriez-vous si vous étiez infirmier(ère)?
10. Ou si vous étiez garçon de restaurant?

Lectures historiques (5)

La Troisième République (1870–1940)
[b] La guerre de 1914 à 1918
Cette guerre terrible qui a fait dix millions de morts, dont un million et demi de Français, se divisa en trois parties:

1. L'invasion allemande, arrêtée sur la Marne, septembre 1914, par le général Joffre.
2. La guerre des tranchées, 1915–1918.
3. L'attaque finale, juillet 1918, menée par le général Foch.

On parle encore de la bataille de la Marne où l'on a réquisitionné les taxis de Paris pour renforcer les troupes qui repoussèrent les Allemands de Paris; et de la bataille de Verdun qui dura cinq mois. «Ils ne passeront pas» fut l'ordre du jour, proclamé par le général Joffre.

On parle encore de Georges Clemenceau, qui fut appelé au pouvoir à l'âge de 76 ans en 1917 quand la situation était devenue menaçante. Autoritaire et féroce, on l'appelait «Le Tigre». Il rendit visite aux soldats et remonta leur moral; il organisa la victoire. Au traité de Versailles, en 1919, la France regagna l'Alsace et la Lorraine.

Leçon 13

Le poids de la gratitude

(*Un bédouin, Mahmoud, venait de sauver la vie à un officier français, le capitaine Quantin, qui se noyait dans un fleuve. Celui-ci a offert une récompense à Mahmoud, qui l'a refusée.*)

Nous autres, Occidentaux, nous ne savons pas supporter patiemment le poids de la reconnaissance. Deux jours plus tard, remis de mes émotions, j'achetai certain cheval fort passable et le fis parvenir à Mahmoud avec un message amical. Puis, le cœur en repos, je m'en allai à mes affaires.

Une semaine venait de passer quand, un matin, on m'annonça qu'un bédouin me demandait audience! Ce fut Mahmoud qui parut.

— Je suis heureux de te saluer, lui dis-je. As-tu reçu le cheval?

Il répondit, l'air sombre:

— Je l'ai reçu. Merci!

Je lui serrai la main et lui offris une cigarette. Nous fumâmes. Puis Hamami ouvrit la bouche.

— Puis-je te demander quelque chose? fit-il.

Je lui répondis aussitôt:

— Tu m'as sauvé de l'eau. Tu es mon bienfaiteur. Je te considère comme mon père et ma mère et te donnerai ce que tu voudras.

Il baissa la tête et dit avec calme:

— Peux-tu me donner deux brebis?

— Tu auras les deux brebis.

Maamar reçut des ordres. Une heure plus tard Mahmoud partit en poussant devant lui deux brebis point trop maigres.

Huit jours passèrent et je commençais, faut-il l'avouer, à oublier parfois mon bienfaiteur, quand je le vis reparaître, un beau matin. C'est surtout le matin qu'il se manifeste et prend l'offensive.

— Salut, Mahmoud, lui dis-je avec une amicale familiarité. Les brebis sont-elles en bonne santé ?

Mahmoud fit oui de la tête, et s'accroupit sur la natte de mon bureau. Il y passa deux heures. Après quoi je lui dis :

— Désires-tu donc quelque chose, Mahmoud ?

Il remua la tête de haut en bas.

— Eh bien, parle.

Alors, laconiquement :

— Nous avons besoin d'un âne.

Je lui fis répéter cette phrase. Nulle erreur. Il voulait un âne. On peut donner un âne à un homme qui vous a sauvé la vie. Le soir même, Hamami partit avec son âne.

Alors les choses se précipitèrent. Hamami revint dès le lendemain. Il devait aller à Sfax pour plaider devant le magistrat. Pouvais-je lui donner l'argent du voyage ?

Il reçut l'argent et reparut une heure plus tard. Il exigeait, avec une calme insistance, une lettre de recommandation pour le magistrat.

A compter de ce jour, les visites de Mahmoud se succédèrent si rapidement que j'en conçus de l'inquiétude. Hamami emportait tantôt de l'argent, tantôt un animal, tantôt du grain. Un jour, il partit avec mon phonographe et s'il n'obtint pas la machine à coudre, c'est que la gratitude humaine a des bornes.

— Mahmoud, lui dis-je enfin avec une pointe d'humeur, tu m'as sauvé la vie, c'est entendu. Et quand j'ai voulu te récompenser, tu n'as rien accepté. Pourquoi, maintenant, ne laisses-tu plus passer une heure sans réclamer quelque présent ?

Il souleva ses lourdes paupières, me regarda pendant une seconde avec un trouble sourire et dit cette parole fort juste :

— Non, je ne voulais rien. Mais c'est toi qui as commencé.

Que vous dire de plus ? La récolte n'a pas été bonne. Au début de l'hiver, j'ai vu Mahmoud arriver avec ses animaux, ses enfants et ses femmes. Il m'a dit, tout simplement :

— Si tu veux, je serai ton serviteur.

Il est mon serviteur. Je nourris toute la tribu. Mon traitement n'y suffira bientôt plus.

N'importe! Hadj Mahmoud Hamami est mon bienfaiteur, l'homme qui m'a sauvé la vie. Hier, il m'a demandé une armoire à glace. Je lui ai répondu:

— «Mahmoud, j'attends le prochain orage. J'irai me jeter dans le fleuve et je tâcherai de m'en tirer tout seul. Comme ça, je ne te devrai plus rien.»

Il n'a même pas sourcillé.

(d'après) Georges Duhamel, *Le dernier voyage de Candide*,
Nouvelles Editions Latines

I 1. Pourquoi le capitaine Quantin était-il reconnaissant envers Mahmoud?
  2. Qu'est-ce que Mahmoud a demandé au capitaine comme récompense le jour même de son sauvetage?
  3. Pourquoi le capitaine a-t-il acheté un cheval deux jours plus tard?
  4. Pourquoi avait-il alors le cœur en repos?
  5. Quand Mahmoud est revenu une semaine plus tard, qu'est-ce que le capitaine lui a demandé? (*style indirect*)
  6. Qu'a fait le capitaine après lui avoir serré la main?
  7. Pourquoi Mahmoud était-il revenu chez le capitaine?
  8. Qu'est-ce que le capitaine lui a demandé lors de sa visite suivante? (*style indirect*)
  9. De quoi Mahmoud avait-il besoin?
  10. Pourquoi le capitaine a-t-il fait répéter à Mahmoud la phrase: «Nous avons besoin d'un âne?»
  11. Qu'est-ce que Mahmoud avait fait pendant les deux heures précédentes?

II 1. Qu'est-ce que Mahmoud a demandé le lendemain? (*2 choses*)
  2. Pourquoi?
  3. Pourquoi le capitaine a-t-il commencé à s'inquiéter?
  4. Mahmoud avait refusé toute récompense au début. Comment a-t-il expliqué le fait qu'il réclamait tant de cadeaux par la suite?
  5. Qu'a-t-il demandé qu'il n'a pas obtenu? Pourquoi?
  6. Qu'est-ce que le capitaine a dû faire pendant l'hiver entier?

7. Qu'est-ce que Mahmoud a demandé pour finir au capitaine?
8. Qu'est-ce que le capitaine a l'intention de faire pendant le prochain orage?
9. Est-ce qu'il était ingrat, à votre avis? Pourquoi (pas)?
10. Qu'est-ce que vous auriez fait à sa place?

III 1. Dressez une liste des choses que Mahmoud a demandées au capitaine.
2. Qu'est-ce que c'est qu'un Occidental?
3. Quel en est le contraire?
4. Nommez cinq pays de l'Occident et leurs habitants.
5. Nommez trois pays de l'Orient et leurs habitants.
6. Dans quel pays habitent les Tunisiens?
7. Où se trouve leur pays?
8. A quoi sert un phonographe?
9. Et une machine à coudre?
10. Et une armoire à glace?
11. Qu'est-ce que c'est qu'un bédouin?

IV 1. Nommez trois jeux auxquels vous savez jouer et trois auxquels vous ne savez pas jouer.
2. Dites quelles langues vous savez parler et nommez trois langues que vous ne savez pas parler.
3. Savez-vous jouer d'un instrument de musique? Duquel?
4. Nommez un bruit que vous ne pouvez pas supporter. Et une douleur.

V *Vocabulaire*

[a]

maigre	≠ gras
s'accroupir	= s'asseoir sur ses talons (*heels*)
une natte	= une espèce de tapis en paille entrelacée
laconiquement	= brièvement
plaider	= défendre sa cause devant les juges
exiger	= demander avec insistance, réclamer
tantôt — tantôt	= une fois — une autre fois
une borne	= une limite
une paupière	= *eyelid*

un sourcil	= *eyelash*
ne pas sourciller	= rester impassible
la récolte	= *harvest*
le traitement	= le salaire, l'argent que l'on reçoit pour son travail
tâcher	= essayer
aussitôt	= tout de suite

[b]

le poids	récolter	parler	récompenser
peser	la récolte	une parole	une récompense

nourrir	amical	reconnaissant
la nourriture	l'amitié	la reconnaissance

lever la tête	la tâche	patient
baisser la tête	tâcher	patiemment

VI *Etudiez ces phrases:*

[a] Je le vis | partir avec deux brebis.
Je l'ai vu | reparaître le lendemain.
            | repartir avec un âne.
            | arriver avec toute sa famille.

cf. Je fis parvenir un cheval à Mahmoud.
Je lui fis répéter la question.
Je le laissai partir avec deux brebis.
Je l'entendis venir avec toute sa famille.

[b] J'ai besoin | de deux brebis.
Il avait besoin | d'un âne.
               | d'argent.
               | d'un phonographe.

[c] De quoi a-t-on besoin pour:
pêcher, chasser, faire du ski, faire du thé, faire du camping, écouter un disque, labourer un champ?

VII *Dictée*
1. On m'a annoncé qu'un bédouin me demandait audience.
2. Les choses se sont précipitées.
3. Les visites se sont succédées rapidement.

4. Il exigeait une lettre de recommandation pour le magistrat.
5. J'ai conçu de l'inquiétude.
6. Il n'a pas reçu la machine à coudre.
7. Il a soulevé ses lourdes paupières.
8. La récolte n'a pas été bonne.
9. Je lui ai fait répéter cette phrase. Nulle erreur.
10. «J'irai me jeter dans le fleuve et je tâcherai de m'en tirer tout seul.»
11. Il a fumé la cigarette que je lui ai offerte.
12. Les brebis que je lui avais données étaient bien grasses.

VIII *Etudiez ces phrases et traduisez-les en anglais:*
Je le fis parvenir à Mahmoud.
Nulle erreur.
N'importe.
Salut!
Je ne te devrai plus rien.
Mon traitement n'y suffira bientot plus.
Que vous dire de plus?
Il n'a même pas sourcillé.
Il venait de lui sauver la vie.
Une semaine venait de passer.

IX *Rédaction*
Faites un court résumé de l'histoire.

X Le capitaine a dit: 1. Tu m'as sauvé de l'eau.
2. Je te donnerai ce que tu voudras.
3. Tu auras les deux brebis.
4. J'irai me jeter dans le fleuve.

Mahmoud a dit: 5. Nous avons besoin d'un âne.
6. Je ne voulais rien. C'est toi qui as commencé.
7. Si tu veux, je serai ton serviteur.

Le capitaine a
demandé: 8. As-tu reçu le cheval?
9. Les brebis sont-elles en bonne santé?
10. Désires-tu donc quelque chose?

Mettez au discours indirect:
Le capitaine a dit que ... (1–4)
Mahmoud a dit que ... (5–7).
Le capitaine a demandé si ... (8–10)

Revision

XI Quelles facilités sont offertes par:
1. une auberge de jeunesse?
2. une agence de voyages?
3. une compagnie d'assurances?
4. une banque?
5. une bibliothèque?
6. un garage?
7. un syndicat d'initiative d'une ville?
8. un supermarché?
9. un poste de pompiers?
10. la police?

XII Qu'est-ce que c'est qu'un moissonneur, un vendangeur, un laboureur, un pompier, un matelot, un médecin vétérinaire, un facteur, un receveur, un coureur, un concierge?

Emplois de vacances

(*Un café dans une ville universitaire française. C'est en novembre au commencement d'un nouveau trimestre. Deux étudiants, Georges et Michel, se rencontrent et parlent de leurs aventures pendant les grandes vacances.*)

Georges: Bonjour, Michel. Tu as l'air bien portant. Tout s'est bien passé, alors, pendant les vacances? Tu as été guide, n'est-ce pas?

Michel: Oui, pour l'Agence Europe.

Georges: Alors, raconte-moi ce que tu as dû faire. Tu as eu de la chance de pouvoir visiter tant de pays. Tu t'es bien amusé?

Michel: Pas toujours. Dans un groupe de 30 voyageurs il y en a toujours quelques-uns qui vous embêtent. J'ai dû contrôler les billets, l'arrivée et le départ chaque jour, j'ai dû compter les bagages en arrivant à chaque hôtel, et surtout j'ai dû servir d'intermédiaire entre les voyageurs et le personnel des hôtels. Il y a eu des discussions assez violentes quelquefois sur la nourriture, sur la question des bains, sur le service, etc.

Georges: Oui, il va sans dire qu'il y a toujours des gens difficiles, même désagréables. Mais tu as fait la connaissance de tant de pays étrangers. Lesquels?

Michel: D'abord, la Belgique, à Bruxelles. Ensuite l'Allemagne où nous avons passé quelques jours à Heidelberg et à Fribourg. Puis la Suisse à Lausanne. De là nous sommes passés en Italie par le nouveau tunnel, près de Chamonix. En Italie nous avons visité Rome, Florence, Venise, et nous sommes revenus par Paris. C'était bien intéressant, mais très fatigant. Et toi, Georges, tu as travaillé dans une ferme en Normandie, près de Caen, n'est-ce pas? Pourquoi as-tu choisi de faire cela?

Georges: Pour être en plein air et pour mieux connaître la région de Caen.

Michel: Mais c'est un vrai travail d'Hercule, n'est-ce pas, celui de fermier?

Georges: Pas autant qu'autrefois. Mais quand même, au bout de la première semaine j'étais exténué et j'ai dû rester couché pendant toute la journée du dimanche, au grand amusement du fermier et de sa famille. Après cela je m'y suis habitué et cela m'a plu tellement que l'année prochaine je vais travailler dans une ferme dans le Languedoc. Mais en tout cas, je choisirai une ferme complètement mécanisée.

XIII 1. Est-ce que Michel était guide professionnel?
2. Quels sont les devoirs d'un guide, selon Michel?
3. Quels sont les inconvénients du métier de guide?
4. Nommez un avantage.
5. Où se trouve exactement Lausanne?
6. Qu'est-ce qu'on peut faire d'intéressant à Chamonix?
7. Que signifie *un vrai travail d'Hercule*?
8. Pourquoi le travail d'un fermier n'est-il pas aussi dur qu'autrefois?
9. Pourquoi le fermier s'est-il bien amusé?
10. Où se trouvent Caen et le Languedoc?

XIV *Rédactions*

[a] Si vous avez travaillé pendant les vacances, racontez ce que vous avez fait.

[b] Racontez un incident intéressant qui vous est arrivé ou une promenade intéressante que vous avez faite.

Leçon 14

Sauvetage dans la neige

(*Un jeune médecin raconte comment il a été appelé de nuit au cours d'une tempête de neige dans une ferme où était un paysan gravement blessé. Il y est arrivé à pied et a vu tout de suite que la seule chance de sauver le blessé était de le transporter à l'hôpital d'Aurillac. Un parent du malade a aidé le médecin à l'enrouler dans une couverture et à le porter jusqu'au traîneau.*)

Quand ce fut fini l'homme prit la lanterne et ouvrit la porte; un vent glacé pénétra aussitôt, et parut chasser d'un seul souffle énorme la molle tiédeur du bétail. A peine fus-je hors de la maison que je suffoquai, saisi par le froid, assourdi par le sifflement incessant du vent, et je dus m'arrêter. Mais l'homme tirait déjà le traîneau par la corde, courbé en deux par l'effort; je me mis à tirer près de lui.

Nous avancions sans paroles; d'ailleurs, nous n'aurions même pas pu nous comprendre à travers les mugissements de la tempête. Mais, lorsque le vent, parfois, s'apaisait on n'entendait plus que le craquement de la neige sous les patins et sous nos pieds.

En arrivant à la grange où nous avions laissé l'auto, j'étais haletant, épuisé, j'avais envie de pleurer de fatigue et de souffrance, Mon épaule, coupée par la corde, me faisait mal, mes yeux, mon nez, mes lèvres, mes joues me brûlaient; je ne sentais plus mes doigts paralysés. J'aurais voulu pouvoir me laisser tomber dans la paille sèche, m'y faire un trou, ne plus bouger.

Mais l'homme, sans perdre de temps, s'était mis à enlever la couverture gelée, et je dus m'agenouiller près du blessé, sortir mes mains des gants, essayer de ranimer mes doigts insensibles pour pouvoir faire, avant de repartir, un rapide examen. Le pouls était redevenu inquiétant, et, sans reprendre haleine, il fallut tout de suite préparer l'auto, y allonger tant bien que mal le malade, gratter le pare-brise pour enlever la glace, et, les yeux écarquillés dans le noir, repartir sur la route incertaine avec la perpétuelle terreur de m'enfoncer dans quelque trou recouvert de neige poudreuse.

J'avais espéré m'arrêter à Peyrac et remettre le blessé entre les mains du garagiste qui le mènerait dans sa propre auto jusqu'à l'hôpital d'Aurillac, comme il le faisait habituellement pour les cas urgents. Mais, quand je fus arrivé sur la grand-place, l'état du malade avait encore empiré. Il n'était plus question de perdre une demi-heure à sonner chez le garagiste pour le tirer de son lit, lui faire sortir sa voiture, y transporter le mourant. J'avais commencé, il me fallait aller jusqu'au bout.

Nous repartîmes pour 50 kilomètres de verglas, de vent glacé et de nuit, mais, lorsque nous arrivâmes dans la plaine, subitement, le vent cessa sa lamentation perpétuelle et je vis devant mes phares la surface lisse de la route et, à travers la campagne, les lumières d'Aurillac; il me sembla que tout redevenait facile et merveilleux, que je venais d'entrer dans le printemps.

— Eh bien! dit avec un petit sifflement l'interne de garde dès qu'il eut jeté un coup d'œil sur le blessé, il était temps!

(d'après) A. Soubiran, *Les hommes en blanc*, Editions Kent-Segep
(avec l'autorisation de l'auteur)

I
1. Pourquoi le jeune médecin a-t-il été appelé à une ferme?
2. Pourquoi, à votre avis, le médecin n'est-il pas allé en voiture à la ferme?
3. Qu'est-ce qu'il fallait faire pour sauver le blessé?
4. Est-ce que le médecin était seul pour porter le blessé jusqu'au traîneau?
5. Pourquoi a-t-on enroulé le malade dans une couverture?
6. Quand l'homme a-t-il ouvert la porte? (Après ...)
7. Pourquoi le médecin a-t-il dû s'arrêter un moment, après être sorti de la ferme?
8. Qu'est-ce qu'il a aidé le parent du blessé à faire?
9. Pourquoi ne parlaient-ils pas en tirant le traîneau?
10. Pourquoi sont-ils allés à la grange?
11. Où le médecin avait-il mal en arrivant à la grange?
12. Pourquoi avait-il mal à l'épaule?
13. Dans la grange, qu'est-ce qu'il aurait voulu faire au lieu de repartir pour l'hôpital? Pourquoi?

14. Qu'est-ce que son compagnon a fait tout de suite, après être entré dans la grange?
15. Dans la grange, qu'est-ce que le médecin a dû faire avant de pouvoir faire un examen du blessé? Pourquoi?

II 1. Pourquoi, en examinant le blessé, le médecin a-t-il décidé de repartir tout de suite pour l'hôpital?
2. Qu'est-ce qu'ils ont dû faire avant de repartir?
3. Pourquoi ont-ils dû gratter le pare-brise?
4. Quel nouveau danger rendait le voyage dangereux?
5. Que faisait normalement le garagiste à Peyrac quand on lui apportait un cas urgent?
6. Pourquoi ce soir-là aurait-on perdu une demi-heure chez le garagiste?
7. Pourquoi ne fallait-il pas perdre une demi-heure?
8. Qu'est-ce que le médecin a donc décidé de faire?
9. Quand le médecin a-t-il cessé de s'inquiéter?
10. Qu'est-ce que c'est qu'un interne de garde dans un hôpital?
11. Pourquoi l'interne de garde a-t-il sifflé en voyant le blessé?

III *Vocabulaire*

[a]

un traîneau	= une petite voiture sans roues qui glisse sur la neige
la tiédeur	= cf. l'eau tiède (*lukewarm*)
je suffoquai	= je perdis la respiration
assourdir	= rendre sourd
courbé	= *bent*
mou (molle)	= le contraire de «dur»
d'ailleurs	= *moreover, in any case*
s'apaiser	= se calmer (cf. la paix)
le pouls	= *pulse*
le pare-brise	= protège le chauffeur du vent
écarquillé	= grand ouvert
enfoncer	= aller au fond
empirer	= devenir pire
tant bien que mal	= aussi bien que possible
le verglas	= couche de glace mince et glissante

les phares = les grandes lampes de l'auto
lisse = *smooth*
l'interne de garde = le médecin qui reste de garde pendant la
nuit

[b] souffrir   parler   mugir
la souffrance   la parole   le mugissement

craquer   siffler   la poudre
le craquement   le sifflement poudreux

souffler   haletant = hors d'haleine, de souffle
un souffle énorme   reprendre haleine

IV [a] *Exprimez autrement:*
il n'était plus question de (perdre une demi-heure), une tempête,
aussitôt, épuisé, parfois, s'agenouiller, le bétail, subitement
[b] Relevez les dix parties du corps mentionnés dans le texte.

V *Faites des phrases:*
[a] J'ai dû | m'arrêter à cause du vent.
tirer le traîneau.
oublier le froid.
m'agenouiller près du blessé.
faire un rapide examen du blessé.
repartir pour Aurillac.

[b] J'avais envie de | pleurer de fatigue.
J'aurais voulu | me laisser tomber dans la paille.
ne plus bouger.

[c] Mon épaule | me faisait mal.
Mon nez

Mes yeux | me faisaient mal.
Mes lèvres
Mes joues

[d] Ils s'étaient mis | à | enrouler le blessé dans une couverture.
Je l'avais aidé | le porter jusqu'au traîneau.
tirer le traîneau.
enlever la couverture gelée.
préparer l'auto.

[e]

| Il n'a pas voulu perdre | une demi-heure beaucoup de temps | à | sonner chez le garagiste. lui faire sortir sa voiture. y transporter le mourant. |

[f] sans parler   sans perdre de temps
    sans reprendre haleine sans attendre le garagiste

[g] Je n'aurais pas pu guérir le blessé à la ferme.
    Il n'aurait pas pu tirer le traîneau tout seul.
    Nous n'aurions pas pu nous comprendre.

VI *Modèle*

Mon épaule me faisait mal.
J'avais mal à l'épaule.

1. Mon nez me faisait mal.
2. Leurs yeux leur faisaient mal.
3. Mon oreille gauche me faisait mal.
4. Ses joues lui faisaient mal.
5. Sa lèvre supérieure lui faisait mal.
6. Ma tête me faisait mal.

VII *Etudiez ces phrases:*

Dès qu'il eut jeté un coup d'œil sur le malade, il décida de repartir aussitôt.

| Aussitôt qu' Après qu' | il fut arrivé sur la grande route, le vent cessa de souffler. |

| Quand Lorsqu' | il eut examiné le blessé, il siffla. il fut arrivé à Aurillac, il vit les lumières de la ville. |

| A peine | eut-il ouvert la porte, qu'il suffoqua. fut-il entré dans la grange, qu'il dut examiner le blessé. |

VIII *Rédactions*

[a] Faites un court résumé de cette histoire en 100 mots.
[b] Pendant une promenade à bicyclette vous avez trouvé quelqu'un malade au bord de la route. Racontez l'incident et ce que vous avez fait pour l'aider.

IX *Traduisez en anglais à partir de:* «Nous avancions sans paroles» *jusqu'à* «ne plus bouger.»

X *Dictée*
1. Nous nous sommes mis à tirer le traîneau, courbés en deux par l'effort.
2. Son épaule avait été coupée par la corde.
3. Ils ont allongé le blessé dans l'auto qu'ils avaient laissée dans la grange.
4. La couverture qu'il avait enlevée était déjà gelée.
5. Les deux hommes étaient épuisés et souffraient beaucoup.
6. Ils sont repartis sur la route incertaine, les yeux écarquillés dans le noir.
7. Ils avaient peur de s'enfoncer dans quelque trou recouvert de neige poudreuse.
8. Le vent avait cessé sa lamentation perpétuelle.
9. Quand ils sont arrivés à l'hôpital, l'interne a sifflé en examinant le malade.

Revision

XI *Des bienfaiteurs de l'humanité*

Quel service a-t-il (elle) rendu à l'humanité ou à son pays? ou quel acte courageux a-t-il (elle) fait?

Le docteur Schweitzer, Pasteur, Mme Curie, Blériot, Lindbergh, Fleming, Sir Francis Chichester, Mermoz, Sir Winston Churchill, le général de Gaulle, Clemenceau, Gagarine, Lincoln, Gandhi?

XII *La ville (ou le village)*
1. Où se trouve la mairie de votre ville?
2. Quel est le chemin le plus court pour aller d'ici à la mairie?
3. Combien d'habitants a votre ville (village)?
4. Combien de cinémas y a-t-il? Lequel en est le meilleur? Pourquoi?
5. Où peut-on aller se baigner dans la région?
6. A quelle distance cette ville est-elle de la mer?

7. Quel est le meilleur bâtiment (ou le meilleur endroit) de la ville, à votre avis ?

8. Par quels moyens de transport votre ville est-elle desservie ?

9. Nommez une usine de la région. Qu'est-ce qu'on y fabrique ?

10. Connaissez-vous d'autres industries de la région ?

11. Quels sont les divertissements principaux qu'on y offre ?

12. Qu'est-ce qu'on peut voir et apprendre au musée municipal ?

13. Combien de fois par mois allez-vous à la bibliothèque municipale ? Qu'est-ce qu'on peut y faire ?

14. Y a-t-il beaucoup de parcs dans votre ville ? Lequel en est le plus beau ?

15. Combien de temps faut-il pour aller de votre maison jusqu'à la gare ? Expliquez quel chemin il faut prendre.

Accident de ski

Lydie: Bonjour, Jacques. Tu as la jambe dans le plâtre ? Qu'est-ce qui s'est donc passé ?

Lydie: Bonjour, Jacques. Tu as la jambe dans le plâtre, n'est-ce pas ? Qu'est-ce qui s'est donc passé ?

Jacques: Je faisais du ski à Grenoble. C'est tout.

Lydie: Mon Dieu, mais tu en fais depuis plus de dix ans ! Je croyais que tu étais expert.

Jacques: Je le suis, en effet. C'était un accident. Une jeune fille est tombée juste devant moi. En essayant de l'éviter j'ai touché l'un de ses skis. Quant à elle, elle n'avait rien.

Lydie: Quel malheur pour toi !

Jacques: Oui, et quand je suis arrivé à l'hôpital j'ai trouvé une queue de 30 personnes qui s'étaient cassé quelque chose. On ne s'étonne pas que les médecins soient si habiles. Il paraît que chaque week-end il y a toujours une telle queue.

Lydie: Pendant combien de temps est-ce que tu auras la jambe dans le plâtre ?

Jacques: Oh, environ six semaines.

Lydie: Je me demande pourquoi la jeune fille est tombée ? Peut-être que la piste n'était pas bonne ?

Jacques: Mais si, chez nous on aplatit la neige avec de gros bulldozers. Il y avait un peu de neige sur la surface, et les conditions étaient donc excellentes. C'est seulement au printemps quand la neige commence à fondre qu'il est difficile et même dangereux de faire du ski. En tout cas, moi, j'espère recommencer dans un mois.

Lydie: Tu es enragé, mon cher Jacques. A bientôt.

Jacques: A bientôt, Lydie.

XIII 1. Qu'est-ce qui est arrivé à Jacques?
   2. Est-ce qu'il faisait du ski pour la première fois?
   3. Comment l'accident est-il arrivé?
   4. Est-ce que Jacques a fait mal à la jeune fille?
   5. Pourquoi a-t-il dû attendre assez longtemps à l'hôpital?
   6. Pourquoi les médecins étaient-ils si habiles, selon Jacques?
   7. De quoi se sert-on pour aplatir la neige?
   8. Quand est-il dangereux de faire du ski?
   9. Pourquoi Lydie a-t-elle dit à Jacques qu'il était enragé?
   10. Où se trouve Grenoble? Cherchez des renseignements sur cette ville.

Leçon 15

Les «Coureurs»

(*Deux jeunes Parisiens, Broudier et Bénin, se sont rendus à Nevers en chemin de fer (232 km.). Partis de Nevers à neuf heures du soir, à vélo, ils ont passé la nuit dans un petit village et repris la route le lendemain matin. Ils ont bien déjeuné et bien bu et puis ils se sont remis en route sous un soleil brûlant d'août.*)

Ils arrivèrent à un croisement de routes, au bas d'un petit coteau qu'il leur fallait gravir. Deux où trois maisons se plaisaient là. Au-dessus d'une porte, il y avait une branche de sapin.

Les bicyclettes mises à l'ombre, ils entrèrent dans un cabaret.

Un homme était assis à une table, près de l'une des deux fenêtres. Ils s'installèrent près de l'autre. L'homme les regarda, leur fit un salut et parut ne plus s'occuper d'eux.

Soudain l'homme qui buvait seul prit la parole:

— Il ne doit pas faire froid en bicyclette?

— Ah! non!

— Vous venez de loin?

— Nous venons de Paris.

— De Paris? Vous êtes partis quand alors?

— Ce matin.

— Ce matin? De Paris, ce matin? Il y a au moins quatre-vingts lieues.

— Ah! déjà?

— Quatre-vingts lieues! Quatre-vingts lieues passées! Pour sûr qu'il n'y a pas loin de trois cent cinquante kilomètres!

— Nous avons bien marché, fit Broudier d'un ton modeste.

— Je ne m'étonne plus d'avoir si soif! dit Bénin en vidant son verre.

— Dommage que je sois presque dégonflé à l'arrière, dit Broudier. Ça nous retardera.

— Vous ne savez pas, demanda Bénin, si nous sommes encore loin de Montbrison ?

— De Montbrison ? Il faut des heures en chemin de fer.

— Ah! nous pensions y dîner ce soir.

L'homme s'absorba dans une réflexion critique. Puis :

— Vous êtes des coureurs ?

— C'est moi Jacquelin, dit Broudier. Mon ami, c'est Santa y Cacao, le champion de l'Amérique latine.

Il but une gorgée et reprit, obligeamment :

— Nous nous entraînons pour le record des mille kilomètres en vingt-quatre heures.

Et Bénin ajouta, avec un accent brésilien :

— C'est plus dur qu'on ne pense.

L'homme ne répondit plus. Il se ramassait dans un effort d'admiration. Il avait les yeux écarquillés et la bouche ouverte. Il pensait : «Je ne verrai pas deux fois dans ma vie des hommes pareils.»

Broudier se leva et dit à Bénin :

— Mon vieux Santa, je crois qu'il est temps. Si nous ne voulons pas trop nous fatiguer...

Bénin se leva aussi. Ils dirent :

— Au revoir!

L'homme attendit respectueusement qu'ils eussent franchi la porte. Alors il quitta vite sa place et sortit sur la route. Il ne voulait pas manquer le spectacle de leur départ.

— Comme ils vont manger cette côte-là! se disait-il. C'est une chose qui vaut la peine d'être vue.

Bénin et Broudier, ayant amené leurs machines au milieu de la chaussée, les enfourchèrent avec lenteur. Et les roues commencèrent à grimper la côte.

Bénin, amolli par cette halte, haletait un peu. Mais il grimpait tout de même proprement, à une allure de touriste.

Broudier se sentit couvert de sueur dès le deuxième coup de pédale. Il zigzagua quelques mètres.

L'homme, planté sur la route, regardait de tous ses yeux.

Broudier cria :

— Hé! Bénin! Je descends!

Il mit pied à terre.

127

Bénin fit de même, et attendit Broudier.

Quand Broudier l'eut rejoint, ils repartirent d'un pas fraternel, d'une main poussant leur machine, et de l'autre s'essuyant le front.

(d'après) Jules Romains, *Les copains*, © Editions Gallimard

I 1. De qui s'agit-il dans cette histoire?
   2. Qu'est-ce que les deux amis avaient fait la veille?
   3. A quelle distance de Paris est Nevers?
   4. Et Montbrison?
   5. Comment les deux amis ont-ils fait la plupart du chemin de Paris jusqu'au cabaret?
   6. Pourquoi sont-ils entrés dans le cabaret?
   7. Il y avait un homme assis à une table près de la fenêtre. Qu'a-t-il fait en les voyant entrer?
   8. Pourquoi l'homme a-t-il été étonné d'entendre qu'ils étaient partis de Paris le matin même?
   9. Selon Broudier, quelle distance allaient-ils essayer de parcourir en vingt-quatre heures?
   10. Quelle impression les deux amis voulaient-ils donner à l'homme?

II 1. Pourquoi Bénin a-t-il parlé avec un accent brésilien?
    2. Pourquoi l'homme est-il sorti sur la route?
    3. Quel temps faisait-il?
    4. Qu'ont-ils fait, après avoir grimpé pendant quelques mètres?
    5. Qu'ont-ils fait, après être descendus de vélo?
    6. Que faisaient-ils avec les mains?
    7. Imaginez la réaction de l'homme, en les voyant descendre si vite.
    8. Les jeunes gens ont menti quatre fois. Relevez trois mensonges.
    9. Qu'est-ce que c'est qu'un «coureur»?
    10. Qu'est-ce que c'est que le «Tour de France»?

III *Vocabulaire*

[a] un coteau   = une petite colline
    un sapin   = *fir*
    gravir   = grimper
    un cabaret   = un café
    la côte   = la pente
    une gorgée, cf. une bouchée, une poignée, une brassée

écarquillé	= grand ouvert
il entendait ne pas manquer	= il ne voulait pas manquer
la chaussée	= la route
enfourcher un vélo	= monter
amollir	= rendre mou (molle)
une allure	= façon de marcher
la sueur	= la transpiration, *perspiration*
une lieue	= environ 4 km.
s'entraîner	= se préparer pour une course difficile
pareil	= semblable, *similar*

[b] retarder   saluer   gonfler ⎫ un pneu
     en retard   un salut   dégonfler ⎭

haleter   s'étonner   lent
être hors d'haleine   l'étonnement   lentement
                                        la lenteur

   mentir   obligeant
un mensonge   obligeamment

[c] *Apprenez:*

un frein	une roue
un guidon	une vitesse
un porte-bagages	une pédale
une selle	une lampe

IV *Donnez le contraire de:*

Ils arrivèrent à un cabaret.
Ils y entrèrent.
au bas d'une colline
au-dessus de l'arbre
à l'ombre
près de la fenêtre
mou (molle)
la lenteur
dégonfler
vider

V *Dictée*

«L'homme attendit respectueusement ... quelques mètres.»

VI *Modèle*

Ayant amené	leurs machines au milieu de la route ils
Après avoir amené	les enfourchèrent.
Après qu'ils eurent amené	

1. Ayant bien déjeuné, ils se remirent en route.
2. Arrivés au cabaret, ils descendirent.
3. Les bicyclettes mises à l'ombre, ils entrèrent dans le cabaret.
4. Etant entrés dans le cabaret, ils s'installèrent près d'une fenêtre.
5. S'étant installés à une table, ils commandèrent une boisson.
6. Après avoir vidé leurs verres, ils sortirent.
7. Après qu'il eut zigzagué quelques mètres, Broudier mit pied à terre.
8. Après avoir rejoint son ami, Broudier s'essuya le front.
9. Après s'être essuyé le front, il se sentit beaucoup mieux.

VII [a] *Etudiez ces phrases et traduisez en anglais:*

Il parut ne plus s'occuper d'eux.
Il entendait ne pas manquer le départ.
Il attendit qu'ils eussent franchi la porte.
Dommage que je sois dégonflé à l'arrière.

[b] *Traduisez en anglais:*

«Ce matin? De Paris? ... C'est plus dur qu'on ne pense.»

VIII *Rédaction*

Vous avez fait une promenade à bicyclette à la campagne ou au bord de la mer. Racontez tous les incidents de la promenade.

IX *Faites des phrases:*

Dommage que | vous soyez resté(e) chez vous hier soir.
| vous n'ayez pas pu me rencontrer dimanche dernier.

Nous aurions pu | voir un bon film.
| voir un match intéressant.
| jouer au tennis.
| jouer aux échecs.
| rencontrer mes amis au café.
| faire de l'équitation.
| faire de la natation.
| assister à un beau concert.
| écouter de beaux disques.

Revision

X Jean Dubois est collectionneur de timbres-poste.

Il a | 96 timbres français.
| 45 „ anglais.
| 3 „ chinois.
| 27 „ espagnols.
| 1 „ japonais.
| 3 „ italiens.
| 2 „ hollandais.
| 1 „ danois.
| 26 „ allemands.
| 3 „ portugais.

[a] *Complétez:* *(nationalités)*

Il a	donc beaucoup de	timbre(s)	.....
Il n'a	plusieurs		.....
	qu'un seul		.....
	très peu de		.....
	pas de		.....
	autant de		x que y.

[b] Combien de timbres français a-t-il?
Combien de timbres japonais a-t-il?
Combien de timbres suisses a-t-il?

[c] De quels pays proviennent ses timbres?

XI *La France (3)*

1. Quelle est la valeur actuelle de la livre sterling en francs français ?
2. Qu'est-ce que c'est qu'un département ?
3. Et un préfet ?
4. Nommez deux fromages et deux vins français.
5. Nommez quelques différences entre le métro parisien et celui de Londres.
6. Nommez deux aéroports en France. Où se trouvent-ils ?
7. Que savez-vous de la Comédie Française, du Louvre, et des Invalides ?
8. Nommez un musicien et un peintre français célèbres. Que savez-vous de chacun d'eux ?
9. Nommez deux hommes (ou femmes) de science français(es). Qu'est-ce qu'ils (elles) ont découvert ?
10. Connaissez-vous un grand homme politique français de ce siècle ? Qu'est-ce qu'il a fait pour la France ?

Lectures historiques (6)

La deuxième guerre mondiale

A cause de la crise économique mondiale, en 1930, Hitler put établir sa dictature en Allemagne. Il créa une armée immense. En 1938 il s'empara de l'Autriche et puis de la Tchécoslovaquie. Enfin, en 1939, il envahit la Pologne. La France et l'Angleterre lui déclarèrent la guerre. Cette guerre se divisa en cinq parties.

1. La «drôle de guerre» — jusqu'au 10 mai 1940.
   Les troupes françaises s'abritaient derrière la ligne Maginot; et les Allemands se préparaient.

2. L'invasion et l'occupation.
   En mai 1940 les Allemands envahirent la Hollande et la Belgique, firent un trou dans le front français, et en cinq semaines vainquirent la France. La plupart des Anglais s'échappèrent à Dunkerque.
   Le 18 mai, le général de Gaulle lança son appel aux Français pour qu'ils continuent la lutte.

3. La guerre mondiale 1941.
   Hitler eut beau essayer d'écraser l'Angleterre. La RAF résista à toutes ses attaques.

En juin 1941 il envahit la Russie, et son allié le Japon attaqua en décembre les bases américaines du Pacifique. Les Etats-Unis entrèrent donc dans le conflit.

En France les Résistants, les Maquisards, enfin les Forces Françaises de l'Intérieur (FFI) continuèrent la lutte.

4. La contre-attaque alliée.

En novembre 1942 les Anglais et les Américains débarquèrent en Afrique du Nord. Ils en chassèrent les Allemands et passèrent en Italie.

En janvier 1943 les Russes remportèrent la grande victoire de Stalingrad et firent reculer les Allemands.

Enfin, le 6 juin 1944, les Alliés débarquèrent en Normandie et les Français en Provence, le 15 août. Après des combats terribles dans la région de Caen ils réussirent à percer le front allemand. Ce fut le commencement de la fin. Les Allemands durent battre en retraite, harcelés continuellement par les FFI.

5. La victoire.

Le général Leclerc rentra à Paris le 25 août, et à Strasbourg le 23 novembre. Enfin le 8 mai 1945 l'Allemagne capitula.

Leçon 16

Un accident

(Villiers-Bernard, jeune Parisien, habitait au deuxième étage d'un grand immeuble à Paris. Il se plaisait de temps en temps à regarder la circulation en bas dans l'avenue de Friedland.)

Avenue de Friedland, l'autobus accélera. Déjà on apercevait la masse grise de l'Arc de Triomphe. Tout à coup apparut un taxi, qui roulait à toute vitesse.

— Mais ce chauffeur de taxi est fou, cria Villiers-Bernard, qui était assis à sa fenêtre, et il se leva pour mieux voir. En même temps il y eut un choc, des cris; l'autobus venait d'entrer en collision avec le taxi. On entendit des réclamations, des injures: tout le monde parlait en même temps.

Un agent qui s'approcha eut bien du mal à séparer les antagonistes. Encore un peu et les deux chauffeurs en venaient aux mains.

Pendant ce temps, personne ne s'occupait de la femme étendue sur la banquette et qui saignait un peu.

— Qu'est-ce qu'il y a? dit-elle, en ouvrant les yeux. Où suis-je?

Elle était à Paris, tout près de la place de l'Etoile et non pas dans un rêve où elle croyait avoir été. Elle n'avait rien. Une vitre lui avait coupé la lèvre. Elle en serait quitte pour boire avec une paille pendant quelques jours et pourrait toujours faire un procès à la compagnie des taxis. Elle n'était pas intéressante. On l'envoya à la pharmacie du coin.

Ce qui était intéressant? Les explications des deux chauffeurs, la discussion technique sur le code de la route qui s'engagea aussitôt... Mais l'agent se souvint que c'était bientôt l'heure de la relève et voulut mettre fin à la discussion. Où sont les témoins? Des témoins, il n'y en avait pas. Personne n'avait rien vu. L'agent s'impatientait. Mais si tout le monde voulait voir, personne ne voulait témoigner. Déjà les rangs des spectateurs diminuaient. Les gens s'éloignaient d'un air indifférent, en consultant ostensiblement leur montre-bracelet, avec l'air de dire: «Mon Dieu! je suis en retard!» et pressaient le pas.

Villiers-Bernard, penché à sa fenêtre, commodément accoudé, avait suivi toute la scène. Il eut pitié de l'agent et accepta de servir de témoin. Le chauffeur de taxi était dans son tort.

— Vos papiers, dit l'agent.

Villiers-Bernard sortit un passeport. L'agent prit note: «Villiers, Henri, né à Paris, le 4 janvier 1931, demeurant à Paris 16ᵉ, 9 bis, Avenue de Friedland.»

Il remit à Villiers son passeport avec un œil sévère, comme s'il l'avait arrêté pour assassinat.

— Allons, bon, se dit Villiers-Bernard, je viens de faire une idiotie. Je vais être appelé à témoigner.

Le chauffeur remonta sur son siège et la voiture s'ébranla.

(d'après) J. Nels, *Poussière du temps*, Editions du Bateau Ivre

I   1. Sur quelle place se trouve l'Arc de Triomphe? Nommez trois autres monuments parisiens.
     2. Pourquoi Villiers-Bernard s'est-il levé?
     3. Est-ce qu'il était dans l'autobus?
     4. Qu'est-ce qu'il a entendu dans la rue?
     5. Qu'est-ce qui s'était passé?
     6. Qui a essayé de séparer les deux chauffeurs? Pourquoi?
     7. Combien de passagers y avait-il dans le taxi?
     8. Personne ne s'occupait de la femme. Pourquoi?
     9. Pourquoi saignait-elle?
    10. Qu'a-t-elle demandé, en ouvrant les yeux? (*style indirect*)
    11. Que boit-on avec une paille?
    12. Pourquoi pourrait-elle faire un procès à la compagnie des taxis?
    13. Qu'est-ce qu'on lui a conseillé de faire? Pourquoi?
    14. Pourquoi n'était-elle pas intéressante?

II   1. A quoi les spectateurs s'intéressaient-ils surtout?
     2. Qu'est-ce que l'agent voulait terminer? Pourquoi?
     3. Pourquoi voulait-il des témoins?
     4. Pourquoi n'y avait-il pas de témoins?
     5. Pourquoi les spectateurs s'éloignaient-ils si vite?

6. Pourquoi ont-ils fait semblant de consulter leur montre-bracelet ?
7. Qu'est-ce que Villiers-Bernard a consenti à faire ? Pourquoi ? (*2 choses*)
8. Qu'est-ce que l'agent lui a demandé de faire ?
9. Cet accident a eu lieu en 1961. Quel âge avait Villiers-Bernard à ce moment-là ?
10. Dans quel arrondissement de Paris demeurait-il ?
11. Quelle était sa nationalité ?
12. En quel siècle était-il né ?
13. Relevez deux détails amusants de cette histoire.
14. Qu'est-ce que vous auriez fait si vous aviez été Villiers-Bernard ?
15. Est-ce que l'agent a eu raison de regarder Villiers-Bernard d'un air si sévère ? Pourquoi (pas) ?

III *Vocabulaire*

[a] une réclamation = *claim, complaint*
une injure = des paroles offensantes
saigner = perdre du sang (à cause d'une blessure, etc.)
un témoin = quelqu'un qui a vu ou entendu quelque chose
faire un procès à = *to sue*
ostensiblement = d'une manière apparente
presser le pas = marcher vite

[b] accélérer   assassiner   un coude   expliquer
l'accélération   un assassin   accouder   une explication
             un assassinat

une injure   mourir   réclamer   discuter
  injurier   un meurtrier   une réclamation   une discussion
           un meurtre

un rêve   un témoin   saigner
  rêver   témoigner   le sang

IV [a] *Expliquez autrement en français:*
accélérer, la voiture s'ébranla, les gens s'éloignaient, le code de la route, commodément, il se plaisait à regarder, aussitôt

[b] *Traduisez en anglais:*
Il eut bien du mal à les séparer.
Ils en venaient aux mains.
Elle n'avait rien.
Il était dans son tort.
Elle en serait quitte pour boire avec une paille.
L'heure de la relève.

V *Etudiez ces phrases:*

[a]

L'agent s'est	approché	de l'accident.
Les piétons se sont	approchés	des chauffeurs.
	éloignés	de la dame blessée.
		du témoin.

[b]

Personne ne s'occupait	de la femme.
	de l'agent.
	de Villiers-Bernard.

De quoi vous occupez-vous pendant vos heures de loisir?

[c] Je viens de faire une idiotie.
L'autobus venait d'entrer en collision avec un taxi.

[d] Personne n'avait rien vu.
Personne ne voulait témoigner.

[e]

Il a accepté de servir de	témoin.
	guide.
	chauffeur.

[f]

Il a eu pitié	de la dame.
	du chauffeur d'autobus.
	de l'agent.
	des témoins.

[g] Villiers-Bernard s'intéressait à tout: à la circulation, à la discussion technique, à l'agent, au chauffeur de taxi, aux spectateurs.

A quel sport vous intéressez-vous? Et à quelle matière scolaire?

137

VI *Rédactions*

[a] Le lendemain Villiers-Bernard a raconté au commissaire de police ce qu'il avait vu la veille dans la rue. Imaginez l'interrogatoire.

[b] Un accident dont vous avez été témoin.

VII Imaginez que vous êtes dans une ville que vous connaissez très bien. Vous êtes devant l'hôtel de ville. Des étrangers s'approchent de vous tour à tour et vous demandent les renseignements suivants :

— Voudriez-vous bien m'indiquer le chemin le plus court pour aller à la gare, à l'église, au garage le plus proche, au bureau de poste, à une banque ?

Vous répondrez, par exemple :

— Certainement, monsieur, pour arriver à la gare (vous prendrez la troisième rue à droite ; vous irez jusqu'au deuxième carrefour, où vous tournerez à gauche. Vous verrez la gare à 300 mètres, à droite, etc.).

VIII *L'automobilisme*

Dans quelles circonstances est-il nécessaire de : changer une roue, freiner, mettre les feux clignotants, faire marcher l'essuie-glace, faire venir la police, faire venir un garagiste, acheter de l'essence, vérifier des pneus, allumer les phares, s'arrêter au plus vite ?

IX *Le transport*

1. Quels sont les moyens de transport en commun dans votre ville et dans votre région ?
2. Et à Paris ?
3. Quand est-ce qu'on va au bureau de renseignements de la gare ?
4. Qu'est-ce qu'il faut regarder pour se renseigner sur les heures des trains ?
5. Quand est-ce qu'on prend un billet d'aller et retour ?
6. Qu'est-ce que c'est qu'un compartiment non-fumeurs ? Pourquoi y a-t-il de tels compartiments ?
7. Qu'est-ce que c'est que la consigne ? Quels sont ses avantages ?
8. Et un chariot ?
9. Quelle est la différence entre un rapide et un train omnibus ?
10. Quand est-ce qu'on tire le signal d'alarme dans un train ?

11. Est-ce que vous venez à l'école le matin à pied ?
12. La dernière fois que vous êtes parti(e) en vacances, où êtes-vous allé(e) ? Comment ?
13. Que veut dire *un embouteillage* ?
14. Et un passage clouté ?
15. Qu'est-ce qu'il faut faire quand on vient de monter dans un autobus ?
16. Que veut dire *faire le plein* dans un garage, ou dans une station-service ?
17. Quand faut-il changer la roue d'une voiture ?
18. Quels sont les avantages et les inconvénients des voyages en avion ?
19. Qu'est-ce qu'il faut faire quand on débarque dans un pays étranger ?
20. Quels sont les problèmes de la circulation dans une grande ville ?

Lectures historiques (7)

Depuis 1945

En 1946 on organisa la IVᵉ République qui dura jusqu'en 1958.

Après la guerre les Français ont fait un travail énorme pour réparer les ruines. La production industrielle a beaucoup augmenté, l'agriculture s'est en grande partie modernisée; la vie est devenue beaucoup plus confortable pour tout le monde, et surtout pour la ménagère (inventions pour la cuisine, etc.), la population a beaucoup augmenté (aujourd'hui elle dépasse 50 millions d'habitants), grâce peut-être aux allocations familiales et à la fondation de la sécurité sociale en 1946.

Cependant la vie politique n'était pas très stable. La rivalité entre les partis politiques renversait souvent le Ministère. C'est pourquoi, en 1958, le général de Gaulle fut rappelé au pouvoir. On a fondé la Vᵉ République, avec une nouvelle constitution, qui accorde beaucoup plus de pouvoir au président. Le général de Gaulle a réussi à réunir la France, mais malgré tous ses efforts elle a perdu, comme les autres pays européens, son empire d'outre-mer, surtout l'Indochine, l'Algérie, le Maroc et la Tunisie.

La France est devenue en 1957 membre du Marché Commun, dont le but est de supprimer les droits de douane et d'augmenter la co-opération entre les «Six».

Leçon 17

Le sac perdu

(*Voici un extrait du sixième volume des* Hommes de bonne volonté *de* Jules Romains. *Dans ce volume,* Les humbles, *Romains décrit la vie difficile des pauvres gens. M. Bastide vient de perdre son poste. Sa femme revient un jour, confuse et distraite, des magasins.*)

Soudain, Mme Bastide, pâlissant, dit d'une voix affaiblie:
— Mon sac! Louis, tu n'a pas vu mon sac?
Elle se leva, fit le tour des pièces du logement, revint:
— Tu n'as pas remarqué si je l'avais tout à l'heure? Tu ne m'as pas vu le poser quelque part?
Elle continuait à chercher. Louis cherchait aussi. Parfois elle s'arrêtait et, le visage concentré, s'efforcait de reconstituer tous les mouvements, tous les changements de place qu'elle avait pu faire depuis sa dernière sortie. Etait-elle sûre au moins qu'elle l'avait en arrivant?
Il lui vint une bouffée de joie:
— Que je suis bête! Si je ne l'avais pas eu, je n'aurais pas pu entrer, puisque mes clefs sont toujours dans mon sac.
Là-dessus, l'angoisse recommença plus fort, diminuant encore la place de l'espérance.
— Mais non, c'est vrai. J'avais laissé mes clefs chez la concierge, pour le cas où passerait le contrôleur du gaz...
— Tu as peur d'avoir perdu ton sac, maman?
— Oui, mon petit, j'ai bien peur.
— Mais où ça?
— Je n'en ai aucune idée. Je ne suis allée que chez Luce, où il y avait une réclame de charcuterie. Je l'avais au moment de payer, puisque mon argent était dedans. Est-ce que je l'ai laissé tomber ensuite, ou est-ce qu'on me l'a volé? Je suis distraite, vois-tu, depuis quelques jours.

140

Louis, qui avait longtemps retenu sa question, demanda:

— Il y avait beaucoup de choses dans ton sac, maman?

— Tais-toi, mon petit. Il y avait d'abord mon porte-monnaie de cuir vert avec un peu de monnaie. Il y avait surtout un billet de cinquante francs que j'y avais mis l'autre jour, et que je n'avais pas encore entamé. Un billet de cinquante francs! Louis, les yeux agrandis, considérait devant lui, dans le vide, l'énormité de la somme. Et il était trop terrifié pour dire un mot.

(Quelques jours plus tard, Louis alla dire au curé que sa mère avait perdu son sac et 50 francs. Le curé savait déjà que le père Bastide avait perdu son emploi et il était désolé. Il décida de donner 50 francs à Mme Bastide. Il expliqua à Louis qu'il venait de recevoir une lettre d'une dame qui confessait qu'elle avait volé un sac quelques jours auparavant. Elle avait rejeté le sac avec l'intention de garder l'argent. Cependant elle avait eu une crise de conscience et voulait rembourser l'argent volé. Louis et sa mère acceptèrent cette explication et Mme Bastide s'en alla chez le curé exprimer sa reconnaissance. Celui-ci eut à son tour sa crise de conscience, ne pouvant se décider s'il avait commis un péché ou non.)

(d'après) Jules Romains, Les hommes de bonne volonté,
Librairie Flammarion

I   1. De qui s'agit-il dans cette histoire?
2. Pourquoi Mme Bastide était-elle confuse et distraite?
3. Pourquoi a-t-elle pâli?
4. Qu'est-ce qu'il y avait dans le sac?
5. Qu'est-ce qu'elle a fait d'abord pour le retrouver?
6. Qu'est-ce qu'elle a demandé à son fils? (*style indirect*)
7. Quels efforts de mémoire a-t-elle faits?
8. Qu'est-ce qu'elle n'aurait pas pu faire sans clefs?
9. Il lui vint une bouffée de joie. Pourquoi?
10. Qu'est-ce qu'elle avait cependant fait des clefs à cette occasion?
11. Pourquoi?
12. Que ferait la concierge si le contrôleur du gaz arrivait en l'absence de Mme Bastide?

II
1. Chez qui Mme Bastide était-elle allée ce jour-là ? Pourquoi ?
2. Pourquoi était-elle sûre qu'elle avait laissé son sac chez Luce ?
3. Qu'est-ce qui a donc pu arriver au sac ? (*2 possibilités*)
4. Pourquoi Louis avait-il si peur ?
5. Que fait un contrôleur du gaz ?
6. Quelle espèce de viande peut-on acheter dans une charcuterie ?
7. Comment s'appelle celui qui travaille dans une charcuterie ?
8. Que signifie *une réclame de charcuterie* ?
9. Quelle est la différence entre un porte-monnaie et un sac ?
10. Un curé est un prêtre catholique. Comment appelle-t-on un prêtre protestant ?

III
1. Pourquoi, à votre avis, Louis est-il allé chez le curé lui raconter ce qui s'était passé ?
2. Pourquoi le curé était-il désolé ?
3. Pourquoi a-t-il inventé l'histoire de la lettre ?
4. Pourquoi la dame avait-elle probablement rejeté le sac, d'après le curé ?
5. Pourquoi avait-elle probablement décidé de ne plus garder le sac ?
6. Pourquoi Mme Bastide et Louis ont-ils accepté cette explication ?
7. Imaginez ce que Mme Bastide a dit au curé pour exprimer sa reconnaissance
8. A votre avis, le curé a-t-il eu tort ou raison d'inventer la lettre ?
9. Qu'est-ce que vous auriez fait vous-même si vous aviez été à sa place ?
10. Comment appelle-t-on celui qui n'a pas d'emploi ?

IV *Vocabulaire*

[a]
le logement	= *lodging*
s'efforcer de	= essayer de
reconstituer	= se rappeler
une bouffée	= *sudden feeling*
là-dessus	= *thereupon*
l'angoisse	= inquiétude profonde, douleur

une réclame   = un appel à la publicité pour vendre quelque
                   chose
entamer   = commencer (à dépenser)
rembourser   = rendre
tout à l'heure   = *either "just now" or "presently".* Which one
                   here?
un péché   = une faute très grave, une transgression de la loi
                   divine

[b] pâlir   = *to grow pale*
    cf. blanchir, rougir, jaunir, noircir
    agrandir   = le contraire de diminuer

        employer   l'espérance   le chômage
        un emploi   l'espoir   un chômeur
                     espérer

        pécher   perdre
        un péché   la perte

Revision
[c] Faites une liste de dix magasins, des vendeurs et de ce qu'ils
    vendent, p. ex., un charcutier vend du porc dans une charcuterie.

V *Etudiez ces phrases:*

[a] M. Bastide vient de perdre son emploi.
    Le curé venait de recevoir une lettre.

[b] Je suis distraite depuis quelques jours.
    Elle lui dit qu'elle était distraite depuis quelques jours.

[c] Je n'en ai aucune idée.
    Je ne suis allée que chez Luce.

[d] Si je n'avais pas laissé mes clefs chez la concierge, je n'aurais pas
    pu rentrer.

[e] Il était trop terrifié pour dire un mot.
    Il était trop jeune pour comprendre.
    Il était assez intelligent pour se rendre compte de l'énormité de
    la perte.

VI *Rédactions*

[a] *Imaginez une suite différente de cette histoire:*
Le sac est retrouvé. Où? Comment? Par qui? La joie des Bastide.

[b] Votre mère est revenue à la maison. Elle a perdu son sac. Imaginez une conversation où vous l'interrogez sur ses mouvements. Quand a-t-elle vu son sac pour la dernière fois? Qu'est-ce que vous proposez de faire pour le retrouver?

VII *Dictée*

1. Sa femme était confuse et distraite.
2. Elle s'est arrêtée pour réfléchir.
3. Elle s'est efforcée de reconstituer tous ses mouvements.
4. Si elle ne l'avait pas eu, elle n'aurait pas pu entrer.
5. Elle avait laissé ses clefs chez la concierge.
6. Elle n'était allée que chez Luce.
7. Il y avait d'abord le porte-monnaie de cuir vert avec de la monnaie.
8. Louis, les yeux agrandis, considérait l'enormité de la somme.
9. La lettre que le curé avait reçue contenait une confession.
10. Mme Bastide s'en est allée chez le curé exprimer sa reconnaissance.

VIII *Traduisez en anglais:*
«Soudain Mme Bastide ... depuis quelques jours.»

Revision

IX *Modèle*
Je ne vais pas acheter ce livre parce qu'il coûte trop cher.
S'il coûtait moins cher, je l'achèterais.

1. Elle ne peut pas porter cette valise, parce qu'elle est trop lourde.
2. Je ne veux pas apprendre cette langue: elle est trop difficile.
3. Nous n'allons pas prendre cette route: elle est trop longue.
4. Pourquoi ne voulez-vous pas venir au cinéma?
   — Je suis trop occupé.

5. Je ne peux pas raccommoder cette robe: je n'ai plus de coton.
6. Il ne veut pas jouer au tennis: il est trop fatigué.
7. Je ne veux pas aller me baigner: l'eau est trop froide.
8. Il ne peut pas conduire une moto: il est trop jeune.

X *La vie de tous les jours et l'école*
1. A quelle heure vous êtes-vous levé(e) ce matin?
2. Qu'est-ce que vous avez fait dans la salle de bain?
3. Qu'est-ce que vous prenez d'habitude au petit déjeuner?
4. Qu'est-ce que vous avez mis dans votre serviette ce matin avant de venir à l'école?
5. Comment êtes-vous venu(e) à l'école?
6. Combien d'élèves y a-t-il dans votre école?
7. Combien de matières présentez-vous aux examens cette année? Lesquelles?
8. A quelle matière scolaire vous intéressez-vous le plus?
9. Combien de fois par semaine avez-vous un cours de français?
10. A quoi sert un magnétophone dans l'enseignement des langues vivantes?
11. Pour quels cours y a-t-il des laboratoires?
12. Où prend-on le déjeuner à l'école?
13. Qu'est-ce que vous avez pris hier au déjeuner?
14. Qu'est-ce que vous avez déjà appris aujourd'hui?
15. Qu'est-ce que vous avez fait hier soir entre quatre et six heures?
16. Quels devoirs allez-vous faire ce soir?
17. Quels vêtements portez-vous quand vous faites de la gymnastique?
18. En France on a congé le jeudi au lieu du samedi. Que pensez-vous de ce système?
    Quelle sorte d'école fréquentez-vous?
20. Quel est votre passe-temps favori à la maison?

XI Quelle langue auriez-vous apprise si votre pays de naissance avait été:
la France, le Japon, les Etats-Unis, le Brésil, la Chine, le Danemark, l'Italie, l'Allemagne, l'Espagne, la Suède, la Belgique, la Suisse?

Le progrès moderne

Au 20ᵉ siècle il y a eu des progrès techniques énormes, le développement de l'avion et de l'automobile, la radio, la télévision, la découverte de l'énergie atomique, l'exploitation de l'électronique et de l'automation dans l'industrie. On a même pu voyager jusqu'à la lune. Dans la médecine on a réussi à vaincre certaines maladies.

Mais ce même progrès a aussi amené à sa suite des inconvénients et des souffrances.

L'énergie atomique, qui aurait pu aider énormément le travail des hommes, a été utilisée jusqu'ici surtout pour fabriquer des bombes.

Les produits chimiques sont employés de plus en plus pour «préparer» la nourriture. On dit que l'alimentation moderne devient de plus en plus dangereuse à la santé, qu'elle est responsable de nombreuses maladies.

Et voici des problèmes que pose le développement énorme des villes:

1. Celui de la circulation — il faut souvent des heures pour arriver au travail.
2. Celui de l'atmosphère — l'air des grandes villes est rempli de fumée, de vapeurs d'essence, etc. Tout cela est très nuisible à la santé.
3. Celui du bruit — il devient de plus en plus difficile de dormir, ou même de travailler, au milieu d'une ville. Ce bruit amène des maladies nerveuses.

Il faut bien que les hommes soient maîtres de leurs inventions.

SECTION B

Part I Reading Comprehension: questions in French and English

1 Une famille bien unie

Les trois sœurs et leurs bien-aimés passaient toutes leurs soirées en famille à cambrioler les magasins du 16e arrondissement. C'était vraiment une belle famille bien unie. Entre beaux-frères et belles-sœurs jamais la moindre querelle. On s'aimait et l'on adorait se recevoir, aller l'un chez l'autre.

Malheureusement on aimait aussi beaucoup aller chez les autres, sans y être invité. C'est comme cela que l'on est devenu cambrioleur et que l'on a fini par former la plus redoutable association de casseurs du 16e arrondissement.

Maxine, Paulette et Marie-Claire, trois sœurs d'origine gitane, parlaient avec amour de leurs hommes respectifs. Pierre, chômeur, avait épousé Paulette quelques jours à peine après l'avoir rencontrée. Un vrai coup de foudre. Pour Maxine, Richard, garagiste, était le plus attentionné des époux. Quant à Jean-Paul, chauffeur de camions, il était fiancé depuis quatre mois à Marie-Claire.

Le soir, après un bon repas, toute la famille partait à l'aventure. Et l'on cambriolait: une teinturerie, des magasins de chaussures, un tailleur pour dames, des salons de coiffure, une pharmacie, et infiniment d'autres.

A l'abri, on se distribuait équitablement les rouleaux d'étoffe, les chaussures, les billets de banque, et l'on examinait les carnets de chèques. C'était la spécialité des femmes, leur domaine réservé. Elles en tirèrent plus de cinquante, jusqu'à ce que les policiers de la première Brigade eussent enfin rencontré l'équipe entière à l'œuvre. La plupart du butin fut récupéré. En attendant de vendre tranquillement les marchandises dérobées, les trois gitanes les avaient dissimulées dans les

149

caves de leur immeuble sous d'énormes tas de charbon. C'est là que les policiers les ont récupéreés.

La petite famille est maintenant sous les verrous, sauf Paulette, qui attend un bébé et se retrouve seule, bien seule.

(d'après) *France-Soir*

Vocabulaire

un arrondissement	= une division administrative de la ville de Paris
une gitane	= une bohémienne, *gipsy*
la foudre	= *thunder*
un rouleau d'étoffe	= *roll of cloth*
une équipe	= *team*
un verrou	= *bolt*

I *Répondez en français:*

1. Que faisaient tous les soirs les membres de cette famille?
2. Quand sortaient-ils le soir? Avant de dîner?
3. Qu'est-ce qui est arrivé un soir, pendant qu'ils étaient à l'œuvre?
4. Qu'est-ce que les cambrioleurs avaient l'intention de faire des marchandises dérobées?
5. Qu'est-ce qui est enfin arrivé à la petite famille?
6. Quel était le lien de parenté entre Richard et Maxine?
7. Et entre Pierre et Marie-Claire?
8. Est-ce que les trois sœurs étaient mariées?
9. Depuis combien de temps Jean-Paul était-il fiancé?
10. Pourquoi va-t-on au salon de coiffure?
11. Expliquez ce que c'est que «le butin».

II *Answer in English:*

1. Why does the writer call the family *une famille bien unie*?
2. Name five shops which received the professional attention of these experts.
3. What did they do first when they came back from their nightly employment?
4. Where did they hide the stolen goods?

5. What stolen goods are specifically mentioned?
6. What did the women do with the cheques they had found?
7. Did the police recover all the stolen property?
8. What were the normal daily occupations of the three men at this time?
9. How can one tell which town they lived in?
10. Had Peter waited a long time before marrying Paulette? What comment does the writer make?

2   L'évasion du prince Louis-Napoléon

(Cet incident a eu lieu en 1846; le prince est prisonnier depuis six ans.)

Il prépara son évasion...

L'entreprise semblait folle. Les chambres du prisonnier étaient situées près du donjon, au fond de la cour. Il devait, pour sortir du fort, descendre son escalier, passer devant les deux policiers, Dupuis et Isaly, traverser la cour et, avant de franchir la porte et le pont jeté sur le fossé, affronter non seulement les factionnaires, mais le poste de trente hommes, commandés par un sergent, qui jour et nuit montaient la garde.

Une seule circonstance heureuse: on faisait à ce moment quelques réparations dans l'appartement du prince. Trois ouvriers maçons allaient et venaient dans la forteresse. Les travaux, d'ailleurs, touchaient à leur fin.

Le 25 mai, à l'aube, Louis-Napoléon se lève, passe une chemise de grosse toile, un pantalon et une blouse bleue, met ses pieds nus dans des sabots. Il coupe ses moustaches, se rougit les joues et le nez, coiffe une casquette salie, une perruque noire que Thélin s'est procurée à Saint-Quentin et, la pipe à la bouche, sur l'épaule une planche, il descend l'escalier.

Au tournant il croise un ouvrier. Il maîtrise un mouvement instinctif de recul et passe. En bas, le voici face à face avec l'un des policiers qui le regarde. Il le heurte légèrement avec sa planche. L'autre grommelle, l'attention distraite. Le prince traverse la cour, arrive au poste. Le sous-officier de garde, assis dehors sur un banc, lit une lettre. Louis, par malchance, laisse tomber sa pipe, qui se brise. Il se baisse pour en ramasser les morceaux. Le sergent lève un instant le front, puis se remet à lire. A la porte, du côté de l'intérieur, le factionnaire dévisage le faux maçon. Il sourit. C'est un Alsacien, nommé Stebach, à qui le prince a parlé quelques jours plus tôt et offert des cigarettes. Louis passe. La seconde sentinelle, sur le pont-levis, détourne la tête. Louis passe, forçant ses genoux à ne pas trembler. A dix mètres du fossé, deux ouvriers le hèlent en riant. Il ne répond pas. «Sacré Bertrand!» disent-ils, croyant reconnaître un de leur camarades. Il continue de marcher sans hâter le pas.

Il suit d'abord le rempart, puis, par le faubourg de Saint-Sulpice, presque désert, gagne la grande route...

Il attend, assis sur le talus de la route, sa planche jetée derrière lui dans un champ. Une voiture paraît: Thélin, enfin, dans un cabriolet qu'il a loué à Ham et qui doit les conduire à Saint-Quentin. Louis monte près de lui. Son front est ruisselant.

Avant d'atteindre Saint-Quentin, il quitte sa blouse, prend les habits bourgeois apportés par son valet. Ensuite il descend du cabriolet et s'en va à pied sur la route, tandis que Thélin cherche dans la ville une autre voiture et un cheval frais.

A trois heures, ils atteignent sans encombre Valenciennes. Le chemin de fer part de là pour Bruxelles. Pas de train avant cinq heures. Ils patientent dans la gare. Un employé, ancien gendarme, reconnaît Thélin. Il s'approche et, familier, demande des nouvelles de Ham, bavarde, enfin sans soupçon s'éloigne. Le train arrive; ils montent. Le soir, ils sont à Bruxelles.

Au fort, on ne s'aperçut de la fuite que fort tard, grâce à Conneau. Le docteur avait placé dans le lit de Louis un mannequin coiffé d'un foulard. Quand le commandant Demarle vint comme chaque matin faire sa visite, on lui dit que le prince, souffrant, avait pris médecine et dormait. L'officier se présenta de nouveau dans la journée. Le docteur l'écarta par diverses ruses. Mais à sept heures, il reparut:

— Je veux voir le prince, dit-il; s'il dort encore, j'attendrai son réveil.

Conneau sentit qu'il n'admettrait plus d'excuse. D'ailleurs il était si tard... Le commandant entra dans la chambre obscure et s'assit près du lit. Un roulement de tambour retentit dans la cour pour annoncer une relève. La forme étendue sur le lit ne bougea point.

L'officier se pencha:

— Docteur, je ne l'entends pas respirer!

Il souleva la couverture, vit le mannequin et retomba sur sa chaise:

— Je suis perdu d'honneur, s'écria-t-il, le prince s'est échappé!

— Bah! dit Conneau, vous avez fait votre devoir. J'en témoignerai, et le prince même, si vous devez subir un reproche.

— Un reproche! Ma carrière est brisée!

— Le prince vous récompensera quand il sera empereur, dit Conneau tranquillement.

Demarle, rouge de colère, se leva. Il ne partageait pas cet optimisme.

(d'après) Octave Aubry, *Napoléon III*, Fayard Editeur

Vocabulaire

le donjon	= *keep*
franchir	= traverser
le fossé	= *ditch*
l'aube (*f.*)	= première lueur du jour
la toile	= le drap, *cloth*
un sabot	= chaussure faite de bois
une perruque	= coiffure de faux cheveux
croiser	= rencontrer
maitrîser	= contrôler, gouverner
heurter	= frapper
un factionnaire	= une sentinelle
dévisager	= regarder fixement
héler	= *to hail*
le faubourg	= *suburb*
le talus	= *bank*
un cabriolet	= une voiture tirée par un cheval
sans encombre	= sans difficulté
un mannequin	= *dummy*
un foulard	= une écharpe
souffrant	= malade

I *Répondez en français:*

1. Pourquoi Louis-Napoléon a-t-il choisi ce moment pour son évasion?
2. En quoi le prince s'est-il déguisé le 25 mai?
3. Combien de personnes a-t-il rencontrées en sortant? Lesquelles?
4. Quel a été, à votre avis, le moment le plus angoissant de l'évasion?
5. Citez deux phrases qui révèlent l'inquiétude profonde du prince.
6. Comment son valet Thélin a-t-il aidé son maître à s'évader?
7. Qu'est-ce que Louis-Napoléon a fait dans le cabriolet?
8. Combien de temps ont-ils dû attendre le train de Bruxelles?
9. Est-ce que l'employé de chemin de fer à Valenciennes a reconnu les deux hommes?
10. Pourquoi ont-ils dû être inquiets quand il s'est approché d'eux?
11. Comment le docteur Conneau a-t-il aidé le prince à s'évader?
12. Quelle excuse a-t-il offerte au commandant pour le tenir à l'écart?
13. Quelle a été la réaction du commandant en voyant le mannequin?
14. Comment Conneau a-t-il essayé de le soulager?

II *Answer in English:*

1. Why did the enterprise seem mad?
2. Why was it essential to attempt the escape at this moment?
3. How did Louis-Napoléon disguise himself as a workman?
4. Was his disguise successful? What proof can you offer?
5. Why was he particularly anxious when he met Stebach?
6. What did he do when he arrived at the main road?
7. How many times did the commandant come to see the prince?
8. What finally aroused his suspicions?
9. Had the commandant done his duty? Give reasons for your answer.
10. What qualities of character had the prince revealed in this incident?

3 Le rossignol de classe

A 5h.30, dans le silence studieux, pendant que notre maître lisait son journal, on entendit une timide roulade, comme une sorte de prélude, d'un rossignol qui s'échauffe la gorge.

L'étude entière fut prise tout à coup d'un zèle visible. Bénézech et Gambier, qui jouaient aux dames sur leur banc, cachèrent le damier de carton sous le pupitre, et ouvrirent au hasard des livres de classe. Lagneau abandonna Buffalo Bill, et je feuilletai fiévreusement mon dictionnaire latin-français.

Pour le sérieux, la palme revenait à Berlaudier lui-même. Entouré de crayons de couleur, la gomme dans une main, un compas dans l'autre, il copiait la carte de France sur un atlas grandement ouvert, avec une attention qui paraissait tendue à l'extrême.

M. Payre n'avait même pas levé les yeux.

Alors, tandis que Berlaudier, la tête penchée et le coude en l'air, tirait un trait noir le long d'une règle, un long trille s'éleva, s'enfla, puis s'effaça. Toutes les têtes se baissèrent.

M. Payre, l'air parfaitement indifférent, et sans un regard de notre côté, se leva, descendit de sa chaire, et, d'un pas de promeneur, alla se pencher sur le devoir de Lambert; il nous tournait le dos, et fit à voix basse quelques remarques...

L'oiseau avait repris son souffle, et se mit soudain à rossignoler. M. Payre nous présentait encore son dos: il parlait à Galubert, qui l'écoutait, la face levée, avec le plus vif intérêt et une gêne visible, car le chant de l'oiseau le troublait.

Mais M. Payre ne l'entendait toujours pas. Cette indifférence énerva Berlaudier; il regarda le dos de M. Payre, et secoua la tête en manière de protestation, comme s'il lui reprochait de ne pas jouer son rôle et de se dérober à ses obligations.

Puis, il lança coup sur coup trois roulades qui avaient le ton d'un défi, et les fit suivre d'une longue plainte désolée... M. Payre quitta Galubert, lui donna une petite tape d'encouragement sur l'épaule, puis, à pas lents, se dirigea vers nous, pensif...

Il s'engagea dans notre allée, et se pencha soudain sur la carte de Berlaudier.

— Quelle est cette carte ? lui demanda-t-il.

Berlaudier, sans mot dire, lui montra l'atlas, comme s'il pensait avec Napoléon, qu'un petit croquis vaut mieux qu'un long discours. M. Payre insista :

— Qui vous a donné ce devoir ?

Berlaudier ouvrit de grands yeux, et, par sa mimique exprima bêtement qu'il n'en savait rien.

— Comment ? dit M. Payre, vous ignorez le nom de votre professeur de géographie ? Comment s'appelle-t-il ?

Lagneau intervint aussitôt, et dit :

— C'est M. Michel.

— Ce n'est pas à vous que je parle ! dit M. Payre.

Il reprit en main le cartographe, et le regardant en pleine figure, dit avec force :

— Quel est le nom de votre professeur ?

Berlaudier ne pouvait plus reculer, et, dans un effort désespéré, il dit :

— Meufieu Mifel.

— Fort bien, dit M. Payre. Crachez ce que vous avez dans la bouche !

Je craignis, pendant une seconde, que Berlaudier ne s'étouffât en essayant d'avaler l'oiseau : il était devenu cramoisi. Toute l'étude le regardait...

— Dépêchez-vous, tonna M. Payre, ou je fais appeler Monsieur le Censeur.

Berlaudier, terrorisé, enfonça le pouce et l'index dans sa bouche, en tira le disque, et le posa sur le pupitre.

M. Payre le regarda un instant, et dit (comme s'il faisait une conférence sur les instruments de musique) :

— Cet appareil est remarquable, mais il n'est pas aussi moderne qu'on pourrait le croire. J'en possédais un moi-même lorsque j'étais élève de cinquième, au collège d'Arles... Il fut malheureusement saisi par mon maître d'étude, qui s'appelait M. Grimaud. Et savez-vous ce que fit M. Grimaud ?

Ce disant, il regardait fixement le pauvre Berlaudier, comme s'il en attendait une réponse.

— Vous ne le savez pas, reprit M. Payre, mais vous devriez vous en douter. Eh bien, M. Grimaud non seulement me confisqua ce précieux instrument, mais il m'infligea une consigne entière, une consigne du dimanche. Par respect pour la mémoire d'un honnête homme, je me vois

156

obligé de vous traiter comme il me traita. Vous viendrez donc passer la journée au lycée toute la journée de dimanche prochain... Je pense que M. le Surveillant Général[1] mettra votre instrument en bonne place dans son petit musée d'instruments criminels.

(d'après) Marcel Pagnol, *Le temps des secrets*, Editions Pastorelly

Vocabulaire

un rossignol	= *nightingale*
une étude	= salle de travail pour les élèves
jouer aux dames	= *to play draughts*
s'enfler	= augmenter en volume
un défi	= une provocation
un croquis	= *sketch*
cramoisi	= d'un rouge foncé
une conférence	= *lecture*
se douter	= soupçonner
une consigne	= défense de sortir de l'école
un cartographe	= quelqu'un qui fait des cartes géographiques

I *Répondez en français:*

1. Que faisaient Bénézech, Gambier et Lagneau avant d'entendre la première roulade du rossignol ?
2. Qu'ont-ils fait en l'entendant ?
3. Quelle impression voulaient-ils donner ?
4. Et Berlaudier, qu'a-t-il fait pour donner la même impression ?
5. Est-ce que M. Payre a paru se fâcher en entendant le trille ? Qu'est-ce qu'il a fait ?
6. Combien de fois a-t-on entendu le chant du rossignol ?
7. Qu'est-ce que M. Payre a demandé à Berlaudier quand celui-ci lui a montré l'atlas ? (*style indirect*)
8. Pourquoi Berlaudier a-t-il hésité à répondre ?
9. Pourquoi M. Payre a-t-il défendu à Lagneau d'intervenir ?
10. Quelle question a-t-il posée deux fois à Berlaudier ? (*style indirect*)

[1] Le Censeur et le Surveillant Général sont responsables de la discipline dans un lycée.

11. Qu'est-ce qu'il a ordonné à Berlaudier de faire?
12. Comment M. Payre a-t-il puni le pauvre Berlaudier?
13. Que signifie *rossignoler*?
14. Cherchez des renseignements sur Arles. (*Ecrivez quelques phrases*)

II *Answer in English:*
1. Why did Bénézech and Gambier suddenly pretend to be working hard?
2. What did Berlaudier pretend to be doing?
3. What effect did the first musical sounds appear to have on M. Payre?
4. What was Berlaudier doing when the long trill was heard?
5. Why was Galubert so embarrassed?
6. What was Berlaudier's reaction when M. Payre appeared so indifferent?
7. Why did Lagneau intervene?
8. Why did M. Payre insist on making Berlaudier speak?
9. What was Marcel Pagnol (the author) afraid of when Berlaudier tried to speak?
10. How did Berlaudier get rid of the "*rossignol*"?
11. What did M. Payre say about the instrument?
12. What did M. Grimaud do with M. Payre's instrument?

4 Le ménage de Pierre et Marie Curie

(*En 1898 Pierre et Marie Curie ont annoncé l'existence d'un corps nouveau, le radium. Pourtant il leur a fallu quatre années de recherches difficiles pour isoler le radium pur. Ils ont consacré leur vie entière à sa découverte. «Malgré les difficultés de nos conditions de travail, a écrit Marie, nous nous sentions très heureux. Nos journées s'écoulaient au laboratoire — quand nous avions froid, une tasse de thé chaud, prise auprès du poêle, nous réconfortait. Nous vivions dans une préoccupation unique, comme dans un rêve.»*)

*Cet extrait, tiré de la biographie de Marie Curie, écrite par sa fille Eve,
nous décrit la vie de ces deux savants, et leur dévouement au travail
scientifique.*)

Les fenêtres de l'appartement du 24, rue de la Glacière, où s'installe le
jeune ménage en octobre, donnent sur les arbres d'un vaste jardin. C'est
le seul charme d'un logis qui manque singulièrement de confort.

Marie et Pierre n'ont rien fait pour orner ces trois chambres exiguës.
Ils ont même refusé les meubles offerts par le docteur Curie. Chaque
canapé, chaque fauteuil serait un objet de plus à épousseter le matin, à
astiquer les jours de nettoyage. Marie ne peut pas. Elle n'a pas le temps!
D'ailleurs, à quoi bon un canapé, un fauteuil, puisque d'un commun
accord les Curie ont supprimé les réunions et les visites? L'importun
qui grimpe quatre étages et vient troubler les époux dans leur repaire
est définitivement rebuté en pénétrant dans le bureau conjugal aux murs
nus, meublé d'une bibliothèque et d'une table de bois blanc. Au bout
de la table se trouve la chaise de Marie. A l'autre bout, la chaise de
Pierre. Sur la table, des traités de physique, une lampe à pétrole, un
bouquet de fleurs. Rien de plus. Devant les deux chaises, dont aucune
n'est pour lui, devant les regards poliment étonnés de Pierre et Marie, le
plus audacieux ne peut que fuir...

L'existence de Pierre est tendue vers un seul idéal: faire de la recherche scientifique, auprès d'une femme bien-aimée qui, elle aussi, vit pour
la recherche scientifique. L'existence pour Marie est plus dure, parce
qu'à la hantise du labeur s'ajoutent les humbles et fatigantes besognes
des femmes. Marie ne peut plus négliger la vie matérielle, comme à
l'époque de ses études à la Sorbonne. Et son premier achat, au retour des
vacances, a été un cahier de comptes noir qui porte sur la couverture, en
lettres d'or, ce grand mot: DEPENSES.

Pierre Curie gagne maintenant cinq cents francs par mois à l'Ecole
de Physique. En attendant que le diplôme d'agrégation permette à
Marie d'enseigner en France, les cinq cents francs sont l'unique
ressource du couple.

Ce serait très bien, avec cette somme; un ménage modeste peut vivre
décemment, et Marie a appris à être économe. Le difficile est de faire
tenir en vingt-quatre heures l'écrasante besogne d'une journée. Marie
passe la majeure partie de son temps au laboratoire de l'Ecole, où on lui

a ménagé une place. Le laboratoire, c'est le bonheur! Seulement, il y a, rue de la Glacière, un lit à faire, un parquet à balayer. Il faut que Pierre ait des habits en bon état et que ses repas soient convenables. Et pas de bonne...

Alors Marie se lève très tôt pour aller au marché et, à la fin du jour, revenant de l'Ecole au bras de Pierre, elle entre avec son époux chez l'épicier, chez le laitier. Où est le temps où l'insouciante Mlle Sklodowska ignorait les étranges ingrédients avec lesquels on compose le bouillon? Marie Curie met son point d'honneur à les connaître! Dès que son mariage a été décidé, l'étudiante a été en cachette demander des leçons de cuisine à la vieille Mme Dluska et à Bronia. Elle s'est exercée à faire cuire un poulet, des pommes de terre frites. Elle prépare loyalement de sains repas pour Pierre — l'indulgence même, et si distrait qu'il ne s'aperçoit même pas de ce grand effort.

Un puéril amour-propre stimule Marie. Quelle mortification serait la sienne si sa belle-mère française demandait quelque jour, devant une omelette manquée, ce que l'on peut bien apprendre aux jeunes filles de Varsovie! Elle lit et relit son livre de recettes de cuisine et l'annote consciencieusement en marge, décrivant en des termes d'une rigueur scientifique ses essais, ses échecs et ses réussites.

Elle invente des plats qui demandent peu de soins, que l'on peut laisser cuire tout seuls, durant les heures passées à l'Ecole. Mais la cuisine, c'est aussi difficile que la chimie, aussi mystérieux! Comment faire pour que le macaroni «n'attache» pas? Faut-il mettre à l'eau froide ou à l'eau chaude le bœuf bouilli? Quel est le temps de cuisson des haricots verts? Devant son fourneau, Marie, les joues en feu, pousse de profonds soupirs. Il était plus simple, jadis, de se nourrir de pain beurré et de thé, de radis et de cerises!

Petit à petit, elle grandit en sagesse ménagère. Le réchaud à gaz qui, plusieurs fois, s'est permis de calciner un rôti, connaît maintenant ses devoirs. Avant de sortir, Marie règle la flamme avec une précision de physicienne, puis, jetant un dernier regard inquiet sur les casseroles qu'elle confie au feu, elle ferme la porte du palier, dégringole les étages et rattrape son mari pour faire avec lui le chemin de l'Ecole.

Dans un quart d'heure, penchée sur d'autres cornues, elle réglera, du même geste soigneux, la hauteur de flamme d'un «bec de laboratoire».

(d'après) Eve Curie, *Marie Curie*, © Editions Gallimard

Vocabulaire

s'écouler	= passer
un poêle	= fourneau ou appareil de chauffage
réconforter	= fortifier
le dévouement	= *devotion*
un logis	= un appartement
orner	= décorer
exiguë	= très petit
un canapé	= un sofa
épousseter	= ôter la poussière
astiquer	= faire briller
un importun	= quelqu'un qui arrive sans être attendu
le repaire	= lieu de retraite pour les bêtes sauvages
rebuter	= *to rebuff, put off*
la hantise	= l'obsession
une besogne	= un travail
l'agrégation	= examen très difficile. Le diplôme d'agrégation permet d'enseigner dans les classes supérieures d'un lycée, et surtout dans les Facultés.
le bouillon	= le potage
Bronia	= la sœur de Marie
Madame Dluska	= une amie polonaise
l'amour-propre	= *self-respect*
un échec	= *failure*
calciner	= brûler
une cornue	= *retort, in chemistry*
jadis	= auparavant
un radis	= *radish*
Varsovie	= *Warsaw*

I *Répondez en français:*
1. Décrivez l'ameublement de la salle de séjour.
2. Pourquoi ont-ils refusé les meubles offerts par le père de Pierre?
3. Pourquoi ne voulaient-ils pas recevoir de visiteurs?
4. Pourquoi les rares visiteurs n'avaient-ils pas envie de rester chez les Curie? (*2 raisons*)

5. Pourquoi la vie de Marie était-elle plus difficile que celle de son mari ?
6. Quel a été le premier achat de Marie en revenant de la lune de miel ? Pourquoi l'a-t-elle acheté ?
7. Qu'est-ce que Marie était obligée de faire comme ménagère ? (*Mentionnez au moins 4 choses différentes*)
8. Pourquoi a-t-elle voulu devenir bonne cuisinière ? (*2 raisons*)
9. Quels efforts a-t-elle faits pour en devenir une ?
10. A-t-elle toujours réussi ? Justifiez votre réponse.
11. De quelle nationalité était-elle ? Comment le savez-vous ?

II *Answer in English:*
1. What was the chief advantage of the flat where they lived ?
2. Why did they regard sofas and armchairs as useless objects ?
3. What was their sole aim in life ?
4. What contrast is made between Marie's present life and when she was a student ?
5. Why was Marie anxious to succeed in the *agrégation* examination ?
6. When did she buy her vegetables and milk ?
7. What did she first learn how to cook ? From whom ?
8. What was Pierre's reaction to her culinary efforts ? Why ?
9. What kind of dishes did she invent ?
10. Give two of the problems she met in her cooking.
11. What was she thinking of when she sighed ?
12. What apparatus did she use for cooking ?

5 Le sixième diamant (1)

«Aux diamants, moi ?» dis-je. Je n'en revenais pas. Je n'avais que dix-sept ans, je sortais du lycée, et c'était la première fois que je travaillais, engagée à titre temporaire chez Richardson, le plus grand joaillier de Vancouver pour aider à la vente pendant le «coup de feu» de Noël. Le rayon des diamants était le centre, le cœur du magasin, où l'on vendait les pierres précieuses.

Pourtant le chef du personnel était sérieux:

— Vous vous en êtes bien tirée au rez-de-chaussée (pour ne vexer personne, c'est ainsi que l'on appelait le sous-sol, où la maison daignait vendre des broches et des bracelets plaqués or à une clientèle moins riche), et nous avons besoin d'une remplaçante aux diamants. Vous irez là-haut demain matin.

Cet emploi à la bijouterie était pour ma mère et moi d'une importance capitale. Ma mère était veuve et nous avions beaucoup de peine à vivre. Mes études terminées, j'avais passé l'été et l'automne à me présenter dans des magasins ou des bureaux. Finalement, j'avais trouvé cet emploi chez Richardson, en grande partie grâce au joli petit ensemble bleu marine que maman m'avait tricoté.

Dans ce sous-sol — que j'avais vite appris à appeler «le rez-de-chaussée» — une découverte m'attendait: j'avais trouvé ma voie. Peu importait ma mauvaise orthographe et mon absence d'adresse manuelle. L'important, c'était que, à condition d'écouter les gens et de découvrir ce qu'ils avaient envie d'acheter, j'étais capable de vendre quelque chose et que cela me plaisait. Au bout d'une semaine, la directrice du rayon me faisait des compliments; à la fin de la deuxième semaine, elle se séparait de moi en disant:

— Vous savez, c'est un honneur. En règle générale, nous gardons ici le personnel temporaire et nous envoyons là-haut les gens qui font partie de la maison. Le chef du personnel a besoin d'une jeune fille capable de se déplacer rapidement d'un comptoir à l'autre, une fille gentille, qui ne traînasse pas. Bonne chance!

J'avais pour tâche d'épousseter et de disposer les bijoux, de donner un coup de main à l'atelier et surtout de faire toutes les commissions. Mon travail me passionnait. J'adorais ce grand et beau magasin, tout scintillant.

A mesure que Noël approchait, nous connaissions des heures de plus en plus fiévreuses et agitées. Une seule chose me tourmentait: la pensée qu'en janvier je serais exilée de ce paradis et, de nouveau, tristement en quête de travail. Or, par miracle, ayant surpris çà et là quelques bribes de conversation, j'eus le sentiment que peut-être, après tout, il n'en serait pas ainsi. Un après-midi, j'entendis le grand patron dire au chef de rayon:

— Parlez-moi un peu de la petite commissionnaire... Elle me plaît. Toujours de bonne humeur...

Tout en m'éloignant, je saisis une partie de la réponse du chef:

— Oui, c'est une bonne petite. J'avais l'intention de proposer qu'on la garde...

Je n'entendis plus rien, mais c'en était assez! Ce soir-là, je rentrai le cœur en fête.

La journée du lendemain débuta mal et continua de même. En courant pour attraper mon autobus, j'éclaboussai mes bas, et Mlle Allan, qui exigeait une tenue irréprochable, me dit d'aller en acheter une autre paire. A mon retour, j'appris que Mildred, l'autre commissionnaire, ayant une violente migraine, avait été renvoyée chez elle. Nous étions à une semaine de Noël, et tout le personnel était sur les dents. L'après-midi je passai mon temps à faire des paquets, à courir à toutes jambes, à répondre aux appels.

(à suivre)

Vocabulaire

un joaillier	= un bijoutier
daigner	= *to condescend*
plaqué(s) or	= *gold-plated*
la voie	= le chemin
l'adresse (*f.*)	= *skill*
traîner	= *to dawdle*
épousseter	= enlever la poussière
un atelier	= lieu où travaillent des ouvriers, des artistes, etc.
des bribes (de conversation)	= quelques mots détachés
un rayon	= *department in shop*
éclabousser	= couvrir de taches de boue
exiger	= demander
la tenue	= *dress*

I *Répondez en français:*
1. Que vend-on dans une joaillerie?
2. Comment l'héroïne de cette histoire a-t-elle réagi à la nouvelle qu'elle allait travailler «aux diamants»?
3. Est-ce qu'elle occupait un poste permanent à ce moment-là?
4. Pourquoi l'avait-on engagée?
5. Avait-elle vite trouvé cet emploi?

6. Pourquoi ne voulait-elle pas le perdre? (*2 raisons*)
7. Pourquoi l'avait-on envoyée au rayon des diamants? (*2 raisons*)
8. Est-ce qu'elle allait être vendeuse au rayon des diamants? Que devait-elle y faire?
9. Est-ce que le travail diminuait à l'approche de Noël?
10. Pourquoi Mlle Allan lui a-t-elle dit d'aller acheter des bas?
11. Que faisait Mildred comme travail?
12. Pourquoi était-elle absente ce matin-là?
13. Où a-t-on mal quand on a une migraine?
14. Qu'est-ce que l'héroïne a fait l'après-midi?

II *Answer in English:*
1. When the girl cried, «Aux diamants, moi?» how long had she already been working at this jeweller's shop?
2. Was she an experienced salesgirl?
3. Explain *le coup de feu de Noël.*
4. What had helped a great deal to obtain this post?
5. What was on sale in the basement?
6. Why was it an honour for her to be sent to the diamond counter?
7. What has one to do in order to become a good salesgirl?
8. What was she especially afraid of?
9. Why did she suddenly become happy?
10. Explain *Tout le personnel était sur les dents.*

6 Le sixième diamant (2)

A quatre heures Mlle Allan, la vendeuse, m'appela:
— La bague de cocktail en brillants et émeraudes qui se trouve dans la dernière vitrine, dit-elle.

Tout en m'acquittant rapidement de cette commission, je levai les yeux, la bague à la main, et aperçus un individu qui se tenait debout devant la rangée des vitrines intérieures. Il était grand, blond, âgé d'une trentaine d'années, mais ce fut son expression qui me frappa. C'était en quelque sorte le résumé de ce qu'exprimaient tant de visages autour de nous à cette époque de crise économique: l'air amer, furieux, désorienté. Son complet de bonne coupe, devenu misérable, montrait qu'il faisait partie de ceux qui, par milliers, s'étaient préparés à une carrière dans laquelle il n'y avait plus aucun débouché.

J'éprouvai un vif sentiment de pitié, mais j'avais bien autre chose en tête et je ne tardai pas à l'oublier complètement.

Quelques minutes plus tard, la sonnette de Mlle Allan résonnait de nouveau:

— Maintenant, le clip assorti à la bague, dit-elle d'un ton qui signifait: Et au galop!

Le clip en question se trouvait au premier rang de la vitrine! Pour l'atteindre, il fallait grimper sur un tabouret, puis se pencher avec précaution par-dessus tous les objets exposés. Au moment où je me redressais, dans ma précipitation, j'accrochai avec une de mes manches, un plateau de solitaires. Le plateau bascula, je fis un mouvement brusque pour le retenir, mais six magnifiques bagues roulèrent sur le sol.

Le chef de rayon, ému et agité, se précipita à mon secours. Je sentis qu'il ne m'en voulait pas; il savait que j'avais été toute la journée sur les nerfs.

— Vite! fit-il. Ramassez-les et remettez le plateau en place!

A genoux, sur le sol, je balbutiai à travers mes larmes:

— Mais monsieur, Mlle Allan m'attend... Qu'est-ce que je vais faire?

— J'y vais, petite, répondit-il. Mais ramassez-moi ces bagues!

Fiévreusement j'en ramassai cinq, que je remis en place. Impossible de retrouver la sixième... Je crus qu'elle avait glissé entre la vitrine et la fenêtre. Je contournai rapidement le comptoir pour regarder. Rien... Du coin de l'œil, je vis alors, à quelques pas de moi, le grand blond qui se dirigeait doucement vers la porte, et, brusquement, j'eus la conviction qu'il avait pris cette bague, car, un instant auparavant, il se trouvait exactement à l'endroit où elle avait pu rouler. Je le rattrapai au moment où il avait la main sur la poignée de la porte.

— Pardon, monsieur..., dis-je.

Il se retourna et, pendant un instant qui me parut une éternité, nous restâmes sans mot dire, tandis que je cherchais éperdument un moyen de sauvegarder cette chance d'avenir qui m'était apparue à la bijouterie Richardson. Renverser un plateau de bijoux n'était pas recommandé,

166

mais on me le pardonnerait. Egarer une bague est inadmissible. Et pourtant, si je créais un incident et dénonçais cet homme — à tort ou à raison — ce ne serait guère mieux.

— Quoi donc? dit-il.

Ce qu'il venait de faire pouvait avoir pour moi des conséquences catastrophiques. Cependant, j'eus l'intuition qu'il n'était pas entré dans le magasin avec l'intention de voler, mais seulement peut-être pour y trouver un peu de chaleur ou l'illusion de temps meilleurs.

— Quoi donc? répéta-t-il.

Soudain, je compris ce que je devais faire. Maman m'avait toujours dit que la plupart des gens ont un fond de bonté. Fixant, droit devant moi, la rue où le brouillard s'épaississait, je dis:

— C'est ma première place. Ce n'est pas facile de trouver du travail en ce moment...

Il me regarda longuement, puis son visage s'éclaira d'un gentil sourire.

— C'est bien vrai, répondit-il... Mais je suis sûr que vous réussirez très bien où vous êtes. Permettez-moi de vous souhaiter bonne chance!

Il me serra la main.

— A vous aussi, bonne chance! murmurai-je, tandis qu'il sortait et disparaissait dans le brouillard.

Puis, me retournant, j'allai remettre à sa place le sixième diamant.

(d'après) Nora Piper, *Sélection du Reader's Digest*

Vocabulaire

amer	= *bitter*
désorienté	= *lost, bewildered*
un débouché	= *outlet*
un solitaire	= diamant détaché et monté seul
basculer	= *to see-saw*
il ne m'en voulait pas	= il ne me blâmait pas
éperdument	= d'une manière agitée
sa chance d'avenir	= sa chance d'obtenir un emploi permanent
égarer	= perdre
à tort ou à raison	= *rightly or wrongly*
s'éclairer	= *to light up*

I *Répondez en français:*

1. Qu'est-ce que c'est que le chômage?
2. A quelle époque du 20ᵉ siècle y a-t-il eu beaucoup de chômage en Amérique?
3. A 4h., qu'est-ce qu'on a dit à la jeune fille de faire?
4. Pourquoi le jeune homme était-il probablement malheureux?
5. Pourquoi l'a-t-elle vite oublié?
6. Qu'est-ce que Mlle Allan a demandé à la jeune fille de faire un peu plus tard?
7. Expliquez comment les six bagues ont pu rouler par terre.
8. Qu'est-ce que le chef de rayon lui a ordonné de faire?
9. Qu'a-t-il fait pour l'aider?
10. Combien de bagues a-t-elle retrouvées?
11. Où a-t-elle rattrapé le monsieur? Pourquoi l'a-t-elle suivi?
12. Pourquoi voulait-elle à tout prix retrouver la sixième bague?
13. Qu'a-t-elle expliqué au jeune homme? (*style indirect*)
14. Qu'est-ce qu'il lui a répondu? (*style indirect*)
15. Pourquoi lui a-t-il serré la main?
16. Quel temps faisait-il dehors?

II *Answer in English:*

1. What errand was the young girl fulfilling when she caught sight of the young man?
2. How does she describe his expression?
3. And his dress?
4. What conclusions does she draw about him?
5. Why had he probably come into the shop?
6. Why was it difficult to reach the clip?
7. Why wasn't the department head angry with her when he saw the diamonds fall?
8. Why did she suddenly think that the young man had taken the sixth diamond?
9. What would probably happen if she had lost it?
10. Why did she suddenly realise what she must do?
11. Was the young man angry with her? Give reasons for your answer.

7 Le parachute du navigateur

(*Un jeune Français, Simon, s'est engagé pendant la guerre dans la Royal Air Force et s'entraîne au Canada.*)

Il s'agissait d'une épreuve de navigation de nuit, d'une extrême simplicité. L'exercice se faisait sur un avion spécialement équipé pour le vol de nuit, un vieil Anson, sur lequel je n'avais jamais volé.

Les moteurs ronflèrent et nous décollâmes...

Au bout de quelque temps, je devins conscient d'une certaine gêne. Soudain, j'en compris la raison. Pris de panique, je mis la main à la hauteur de mes épaules, de ma poitrine, de ma ceinture. J'avais oublié de prendre mon parachute. Naturellement, je ne m'inquiétais pas pour moi-même. Mon esprit mathématique me renseigna tout de suite : j'avais une chance sur cinq millions d'être appelé à me servir de mon parachute justement ce soir-là. Non, ce n'était pas le danger qui me préoccupait. C'était beaucoup plus grave. En oubliant mon parachute, je m'étais rendu coupable d'une impardonnable négligence. C'est une règle absolue de la Royal Air Force que tout personnel navigant doit se munir d'un parachute. Ma faute était élémentaire, fondamentale, fantastique. Si mon examinateur s'en apercevait, je pourrais dire adieu à toutes mes ambitions. D'ailleurs, un coup d'œil de l'examinateur à cet instant me persuada que mes pires craintes étaient fondées : car il venait de m'envelopper d'un regard significatif, cherchant évidemment autour de moi où j'avais pu cacher mon parachute, et la vérité avait dû éclater à ses yeux.

Malgré mon agitation, je continuai à accomplir mécaniquement mes tâches de navigateur. Je calculais la direction des vents, je les transmettais par radio au pilote... Et, tout le temps, je sentais le regard de l'examinateur qui me transperçait. Mais à ma confusion s'ajouta bientôt une nouvelle cause d'inquiétude. Le temps devenait de plus en plus mauvais. Bientôt notre route nous conduisit en pleine couche de nuages. La température était très basse, l'humidité relative très élevée. Au bout de quelques minutes, le bord de l'aile commença à givrer. Je fus le premier à le noter et je voulus donner l'alarme, mais une considération m'en empêcha : l'Anson n'avait pas de dégivreur. Si je mettais le pilote au courant, il déciderait sans doute de rentrer immédiatement.

Nous passerions à nouveau dans une couche d'air à la température dangereuse. Il deviendrait peut-être nécessaire d'abandonner l'avion en vol!

Je me tus. Mais, au bout de quelques secondes, ce fut le radio qui donna le signal. Le pilote, après avoir consulté l'examinateur, décida de rentrer immediatement à la base. J'avoue que je me trouvais dans un état voisin de la panique absolue mais je continuai à accomplir mes tâches.

De temps à autre, le pilote me passait une indication sèche, vitesse-air, température, altitude, et je réagissais automatiquement, conscient vaguement qu'il ne s'agissait plus d'un examen, mais que, de ma navigation, pouvait en dernière analyse dépendre le sort de l'équipage.

Notre période de danger ne dura sans doute pas plus de dix minutes. Nous sortîmes des nuages pour retrouver le ciel pur de notre départ. Il me fallut quelques secondes pour fixer notre position.

A l'heure que j'avais calculée, nous nous posions à la base. L'appareil roula lentement au sol, puis s'arrêta devant le hangar de la section de navigation. L'examinateur sortit après moi. Il me sourit:

— Je parie, me dit-il, que vous n'avez pas dû vous sentir très rassuré; nous avons traversé un sale moment, et, au fond, nous aurions mieux fait de ne pas décoller du tout, étant données les prévisions météorologiques sur notre route. Mais enfin on peut toujours sauter en parachute. Votre navigation a été plus qu'honorable, compte tenu des circonstances.

«Félicitations d'usage», pensai-je, «avant le coup de grâce» (notre examinateur passait pour être féroce).

Mais ce qu'il me dit ne fut pas ce que j'attendais.

— D'autre part, continua-t-il, je n'aime pas féliciter les gens, mais je dois vous tirer mon chapeau. Votre préparation au vol était parfaite. Je vois que vous aviez soigneusement étudié les caractéristiques de l'appareil sur lequel vous alliez voler. Ce n'est pas souvent que l'on rencontre un esprit méthodique. Je puis bien vous dire que vous êtes le seul élève que j'ai rencontré qui sache qu'il n'est pas nécessaire pour le navigateur, dans l'Anson modèle IV, d'emporter son parachute, puisqu'un parachute de sécurité se trouve enclos sous son siège.

Alfred Max, *Bleu RAF*, Julliard Editeur

Vocabulaire

une épreuve	= un examen
la gêne	= l'inquiétude
coupable	= *guilty*
se munir de	= obtenir, se procurer
givrer	= couvrir d'une couche de glace
un dégivreur	= quelque chose qui enlève la givre
le sort	= le destin, *fate*
le coup de grâce	= un coup qui donne la mort ou la ruine

I *Répondez en français:*
1. Que fait un navigateur d'avion?
2. Pourquoi Simon faisait-il ce vol de nuit?
3. Pourquoi a-t-il été pris de panique?
4. Pourquoi ne s'inquiétait-il pas trop pour lui-même?
5. Quelle était la faute impardonnable qu'il avait commise?
6. Qu'est-ce qu'il craignait surtout?
7. Pourquoi était-il sûr que l'examinateur se rendait déjà compte de son erreur?
8. Qu'est-ce qui était arrivé au bord de l'aile? Pourquoi?
9. Qu'est-ce que l'équipage aurait été forcé de faire si le givrage avait continué?
10. Qu'est-ce qui serait arrivé au navigateur s'il avait été nécessaire d'abandonner l'avion? Pourquoi?
11. Pourquoi le pilote a-t-il cependant décidé de rentrer à la base?
12. Pourquoi ne s'agissait-il plus d'un examen?
13. Pourquoi avaient-ils tous passé un sale moment?
14. De quoi l'examinateur a-t-il d'abord félicité le navigateur?
15. Pourquoi n'était-il pas nécessaire de porter un parachute dans cet avion?

II *Answer in English:*
1. What did Simon do in order to check that he had no parachute?
2. Did he believe that he was in any serious personal danger? Why (not)?
3. What was the real cause of his anxiety?
4. Soon there was another cause for anxiety. What was this?

5. Why did the edges of the wings begin to ice up?
6. Why couldn't the pilot de-ice the wings?
7. What would the pilot decide to do, if Simon told him about the ice on the wings?
8. Why would it be dangerous to go back immediately?
9. What information did the pilot pass to Simon from time to time?
10. When did Simon manage to fix the aircraft's position?
11. What should have prevented them from setting out on this flight, in the examiner's opinion?
12. Why did the examiner think that Simon's preparation for the flight had been perfect?

8 Duck-hunting

Read carefully the following passage, which is not to be translated. Then answer in French the questions below. The Past Historic should not be used in your answers.

Ce matin-là, Robert et sa femme Amélie avaient l'intention d'aller à la chasse pour la première fois. Quand le réveille-matin sonna, Robert arrêta la sonnerie, sauta du lit, alla jusqu'à la fenêtre et tira les rideaux. Le jour n'était pas levé, mais le ciel était plein de neige. Robert ouvrit la fenêtre et le vent entra dans la chambre.

Le froid éveilla sa femme.

— Ferme la fenêtre! dit-elle.

— Lève-toi, répondit-il. Les canards sont arrivés hier, tu sais. Ils dorment encore, mais ils s'envoleront avec le jour. Il faut nous dépêcher.

— Vas-y tout seul! Moi je suis trop fatiguée. Et puis, j'ai tellement froid. Est-ce que tu vas fermer la fenêtre, oui ou non?

— Non! Ferme-la toi-même si tu veux. Comme cela tu devras te lever. D'ailleurs, c'est toi qui as proposé hier que nous allions à la chasse ce matin.

— Je ne veux plus...

Et elle referma les yeux.

— Je vais préparer les fusils, dit Robert. Il passa dans la pièce voisine et s'occupa pendant un quart d'heure à nettoyer les fusils que son père leur avait donnés.

Quand il revint dans la chambre, Amélie était assise sur le lit. Ses cheveux étaient peignés, et une cigarette brûlait dans le cendrier sur la table de toilette.

— Petite menteuse! dit Robert. Tu m'as dit que tu étais trop fatiguée pour te lever, et te voilà presque prête à partir!

Il souriait de bonheur. Amélie lui rendit son sourire.

— Je vais faire le café, dit-elle.

Robert se coucha sur le lit et alluma une cigarette. Il l'entendit descendre l'escalier, puis écouta les bruits qui montaient de la cuisine. Il remarqua que la fenêtre était encore ouverte; il se leva et alla la refermer. Quand il descendit le café était prêt et le pain en tranches fumait en grillant devant le feu. Ils mangèrent avec beaucoup de plaisir.

Quand Robert et sa femme partirent, tout était silencieux dans la ferme voisine. Le coq n'avait pas chanté. Ils portaient le fusil en bandoulière et marchaient vite sans parler.

Juste comme ils arrivaient à la vallée, deux gros oiseaux la traversaient d'un vol lent. Robert tira. L'un des oiseaux tomba doucement, dans un pré; l'autre poursuivit son vol et se perdit dans le ciel toujours noir.

1. Quel temps faisait-il ce matin-là?
2. Qu'est-ce qui a réveillé Robert, et comment a-t-il réveillé sa femme?
3. Pourquoi Robert et sa femme se sont-ils levés de si bonne heure ce matin-là?
4. Pourquoi Amélie ne voulait-elle pas se lever?
5. Pourquoi Robert a-t-il refusé de refermer la fenêtre?
6. Qu'est-ce qu'Amélie a fait pendant que Robert était dans la pièce voisine?
7. Pourquoi Robert a-t-il dit «petite menteuse» à sa femme quand il est rentré dans la chambre?
8. Qu'est-ce que Robert a fait avant de suivre sa femme dans la cuisine?

9. Qu'est-ce qu'Amélie a fait dans la cuisine?

10. Est-ce qu'ils ont eu du succès avant le jour? Comment le savez-vous?

Associated Examining Board, June 1969, Ordinary Level

9 Un million inattendu

Read carefully the following passage. Do not translate it.

Nicole Bouzeille, debout près de la grille, acheva d'arroser les fleurs. Puis elle rentra dans la maison pour préparer le souper, le même que tous les samedis: un potage en sachet et des pâtes. Son fils Michel grognerait! Il grognait toujours depuis qu'il fréquentait ce Patrick qui venait le chercher tous les soirs et l'emmenait sur sa moto...

Elle faisait chauffer la soupe quand elle entendit Lucien ouvrir la porte. Il tenait sous son bras un paquet soigneusement ficelé qu'il posa sur la table avec précaution. Puis il embrassa Nicole. Il ouvrit le tiroir de la table, en tira le couteau à pain et scia les ficelles. Il écarta le papier. Des liasses de billets apparurent.

— Qu'est-ce que c'est? balbutia Nicole.

— Tu vois bien! Il y en a là pour un million de francs. Depuis des années je prends des billets de la Lotèrie... eh bien, cette fois j'ai gagné. Mais attention! Pas un mot! A personne!

— Même pas à Michel?

— Non, dit-il, surtout pas à Michel. Il vient de perdre sa place et il est à court d'argent. C'est la faute de ce Patrick.

— Où vas-tu mettre tout cet argent? demanda-t-elle.

— Dans notre chambre... jusqu'à lundi... j'irai le verser à la banque, dès qu'elle sera ouverte.

— Il n'y a rien qui ferme à clef ici! Ce n'est pas prudent, Lucien. Tu aurais dû attendre jusqu'à lundi pour te faire payer.

Il y eut un bruit de pas dans le vestibule. Nicole ouvrit le tiroir du buffet et Lucien y déposa le paquet. Il était temps, car Michel entrait.

— On mange? lança-t-il, Patrick doit venir me chercher.

— Cinq minutes, dit Nicole.

Michel alluma une cigarette. Soudain un coup d'avertisseur retentit dans la rue. C'était Patrick. Il savait que les parents de Michel ne l'aimaient guère. Et il n'entrait jamais. Michel se leva d'un bond.

— Et ton souper! dit Nicole.

Mais Michel, déjà, se précipitait pour sortir. Un instant plus tard les deux garçons disparurent sur la moto.

Answer in French the questions 1 to 9 below.

Answers must be concise, but should include all relevant information, written in complete sentences.

Each answer must suit the tense of the question and you must not use the Past Historic tense.

e.g. Q: Pourquoi Michel grognerait-il?

> *A: Le repas était le même tous les samedis* or *Il n'aimait pas le potage en sachet et les pâtes.*

1. Qu'est-ce que Nicole faisait avant de rentrer dans la maison?
2. Qu'est-ce que Michel et Patrick feraient ensemble ce soir-là?
3. Pourquoi Lucien avait-t-il emballé le paquet avec tant de soin?
4. Pour quelles raisons Lucien a-t-il ouvert le tiroir de la table?
5. Comment Lucien était-il parvenu à posséder une si grosse somme?
6. Pourquoi Lucien a-t-il conseillé à sa femme de ne rien dire à personne?
7. Pourquoi n'avait-il pas versé l'argent à la banque? Et où l'a-t-il caché?
8. Patrick était-il un ami de toute la famille?
9. Qu'est-ce que Michel a fait au lieu de manger son souper?

Joint Matriculation Board (Alternative Syllabus), June 1968

10 A peasant accused of murder

Read carefully the following passage. Then, without translating it, answer in French the questions following it. (The Past Historic tense should not be used in your answers.)

La porte s'était ouverte. Deux gendarmes avaient paru, conduisant un grand garçon de vingt-cinq à trente ans. C'était Cabuche, le garde-forestier, qu'on était allé chercher de très bonne heure ce matin-là, dans sa forêt. Et le voilà devant le juge d'instruction, exaspéré des accusations qu'il ne comprenait pas. Les gendarmes s'étaient retirés sur un signe du juge, et l'interrogatoire commença.

— Vous êtes Jean Cabuche?

— Vous le savez très bien, puisque vous me connaissez depuis des années. J'ai travaillé pour vous.

— Savez-vous de quel crime vous êtes accusé?

— On ne me l'a pas dit, mais on en a assez causé. Tout le monde sait ce qui s'est passé.

— Alors, dit le juge, il s'agit du président Petitpas, qui a été tué. Et vous, vous avez crié publiquement que vous le tueriez?

— Ah, ça, oui, je l'ai dit souvent.

La surprise arrêta le juge. Comment? Les accusés essaient toujours de cacher les menaces qu'ils ont faites! Après quelques instants, il reprit ses questions.

— Qu'avez-vous fait pendant la nuit du 14 au 15 février?

— Je me suis couché de très bonne heure. J'étais un peu malade. C'est mon cousin qui a fait mon travail le soir.

C'était vrai. On avait déjà interrogé le cousin.

— Eh bien, dit le juge, voici ce que je pense: vous vous êtes couché à sept heures, vous avez attendu le départ de votre cousin, puis vous vous êtes relevé, vous êtes venu ici, à la gare, où vous avez pris le train de huit heures. Tout le monde sait que le président prenait toujours ce train-là. Vous l'avez tué dans son compartiment spécial, et vous l'avez jeté par la portière...

— C'est fou! cria le paysan. D'abord, j'ai dit que je détestais le président. Si je l'avais tué, je le dirais, ça aussi. J'en serais trop fier pour le cacher. Et puis, qui m'a vu prendre le train? Qui m'a vu rentrer?

Le juge se leva, ouvrit lui-même la porte de la petite pièce voisine, et appela Jacques, qui entra tout de suite.

— Reconnaissez-vous cet homme? lui dit le juge.

Jacques avait déjà dit à la police que l'homme qu'il avait vu était petit, qu'il avait une grande barbe.

— Je ne peux pas en être sûr. Je ne l'ai pas très bien vu dans la nuit. Mais je pense que non. Il est trop grand: et la barbe que j'ai vue?

— C'est ridicule, dit Cabuche au juge. Vous ne savez rien. Vous m'avez choisi comme victime parce que j'ai fait cinq ans de prison.

Evidemment, Cabuche commençait à se sentir plus à l'aise. Il avait dit vrai. Tout d'abord, le juge avait pensé :
— C'est Cabuche. Il a déjà tué une fois!
Et c'est pour cela qu'il avait cherché Cabuche tout de suite, et non à cause de la description que Jacques lui avait donnée, et qui était, à vrai dire, assez vague.

1. Quand Cabuche est entré, qu'est-ce que le juge a fait avant de commencer l'interrogatoire?
2. Comment Cabuche savait-il de quel crime il était accusé?
3. Qu'est-ce qui a surpris le juge?
4. Pourquoi avait-on interrogé le cousin de Cabuche?
5. Qu'est-ce que le juge pensait que Cabuche avait fait pendant la nuit du 14 au 15 février?
6. Comment Cabuche a-t-il essayé de prouver son innocence?
7. Pourquoi le juge a-t-il appelé Jacques?
8. Pour quelles raisons Jacques n'a-t-il pas reconnu Cabuche?
9. Pourquoi Cabuche a-t-il commencé à se sentir plus à l'aise?
10. Quelles raisons y a-t-il de croire que Cabuche avait tué le président, ou qu'il ne l'avait pas tué?

Associated Examining Board, June 1968

11   An untimely breakdown

Read the following passage carefully. Do not write a translation, but answer the questions printed beneath it.

Les deux jeunes gens descendirent du train et se dirigèrent vers la sortie de la gare. Pas de voiture! Sans attendre ils se mirent en route pour Dunes, courbés sous le poids de leurs sacs.
— Où donc est Martine? gronda Daniel. Elle nous a bien écrit :
«Ne vous inquiétez surtout pas. Dunes est situé à quatre kilomètres du village, mais nous serons à la gare, père et moi, avec la voiture.»

— Hé! regarde là-bas! Une voiture en panne! Et voilà Martine qui vient nous aider à porter nos sacs!

Quelques minutes plus tard, les trois jeunes gens échangeaient une vigoureuse poignée de main. Aussi grande que les deux garçons, Martine était déjà très bronzée.

— Je suis désolée, pour vous deux! Avouez que ce n'est vraiment pas de chance! expliqua-t-elle. Une panne stupide à moins d'un kilomètre du village. Et nous étions déjà un peu en retard, père et moi! Avec cette chaleur, vous devez être fatigués, vos sacs sont lourds. Papa est très vexé!

— Il a tort, répliqua aimablement Michel. Une petite promenade ne nous a pas fait de mal, après le voyage.

Tout en bavardant, ils repartirent vers la voiture. Monsieur Deville avait visiblement cessé de s'intéresser au moteur. La cause de la panne dépassait sans doute sa compétence. A côté du capot ouvert, il attendait, ne sachant trop quoi faire de ses mains couvertes d'huile, l'arrivée de sa fille et de ses invités.

— Je ne vous donne pas la main, dit-il, mais le cœur y est! Vous feriez aussi bien de gagner Dunes tout de suite. Martine, tu vas prévenir Martial au garage de venir me prendre en remorque.[1] Laissez donc vos sacs ici. Martial les prendra dans sa voiture en me reconduisant à la maison.

Ils reprirent la route et arrivèrent assez vite en vue de la villa. Une jolie maison blanche, à volets bleus, émergeait d'un parc d'arbustes vigoureux. Au premier étage, on apercevait des fleurs aux fenêtres. «Finiterre» offrait un aspect vraiment agréable qui plut immédiatement aux deux jeunes gens. Martine, qui les regardait du coin de l'œil, fut heureuse de les voir sourire.

— Compliments, Martine! dit sobrement Daniel.

— «Finiterre» est bien jolie! ajouta Michel.

Ils atteignirent bientôt la barrière blanche qui fermait le parc. Mme Deville, une jeune femme blonde, à qui Martine ressemblait beaucoup, apparut sur le seuil. Elle portait un petit tablier et s'essuyait les mains à un torchon de cuisine.

— Vous arrivez à pied? Que se passe-t-il, Martine? leur cria-t-elle. Il n'est rien arrivé de grave à ton père?

[1] en remorque, *in tow*

1. A quelle saison de l'année cet épisode se passe-t-il, et comment le sait-on?
2. Pourquoi Martine et son père allaient-ils au village?
3. Pourquoi Martine était-elle désolée?
4. Pourquoi Monsieur Deville ne serre-t-il pas la main aux deux jeunes gens?
5. Quelle raison a fait venir Michel et Daniel à Dunes?
6. Pourquoi Monsieur Deville a-t-il besoin de Martial?
7. Qu'est-ce qu'il y a d'agréable dans l'aspect de «Finiterre»?
8. Pourquoi Martine regardait-elle Michel et Daniel du coin de l'œil pendant qu'ils s'approchaient de «Finiterre»?
9. Qu'est-ce qui vous indique que les Deville n'ont pas de domestique?
10. Répondez aux questions de Madame Deville comme si vous étiez Martine.

Oxford and Cambridge Schools Examination Board, July 1968, Ordinary Level, Pilot scheme

12

Read carefully the following passage, which is not to be translated.

Lorsqu'ils s'arrêtèrent enfin, Michel demanda:
— Tu crois que mon frère et ma sœur sont là?
— Peut-être bien, répliqua Daniel, et ils s'approchèrent d'une fenêtre basse, où manquait une vitre, remplacée par une feuille de carton.

Michel creva le carton pour glisser le bras à l'intérieur. La fenêtre s'ouvrit aussitôt. Une fois entrés, Michel et Daniel visitèrent les trois pièces du chalet, mais en vain.

— Regardons dans la cave! chuchota Daniel.

Ils se dirigèrent vers une porte au fond du couloir, mieux éclairé, lui, par le clair de lune qui filtrait à travers les vitres de la porte d'entrée.

— Descendez deux marches, dit Daniel. Et risquez une allumette, ça vaut mieux.

La faible lumière jaune révéla un spectacle ahurissant. Une table, un fauteuil, une petite armoire et un banc de chêne s'entassaient pêle-mêle dans l'escalier.

Lorsque le déblayage de la descente fut fait, Michel ouvrit la porte du bas, très doucement et appela à mi-voix:

— Marie-France!... Yves!... vous êtes là?

Personne ne répondit.

— C'est moi, Michel! ajouta-t-il.

Un grognement étouffé lui parvint dans le noir. Daniel craqua une nouvelle allumette dont la lueur éclaira une grosse silhouette étendue sur le sol... la silhouette de M. Stanislas, bâillonné et ligoté!

— Ils sont là! s'exclama Daniel en désignant un coin de la cave.

Michel eut le temps d'apercevoir, sur un lit de vieux sacs, son frère et sa sœur étendus côte à côte, immobiles... et endormis!

Sans perdre une minute, Daniel s'occupa de M. Stanislas.

— Bande de brigands! rugit celui-ci dès que son bâillon fut enlevé. Ils vont me payer ça!

— Doucement, monsieur! recommanda Daniel. Je vais vous chercher quelque chose à boire.

Answer the following questions in French. Your answers should be *concise* but should make complete sentences, the form and tense of which should suit those of the questions. No marks will be awarded for mere copying out of sentences from the French text.

1. Qu'est-ce que les jeunes gens ont fait pour pouvoir entrer dans le chalet?
2. Qu'est-ce que Daniel a proposé de faire après la visite des trois pièces?
3. Qu'est-ce qu'on a fait pour éclairer l'escalier?
4. Comment avait-on bouché l'escalier?
5. Qui étaient Marie-France et Yves?
6. Quel bruit M. Stanislas a-t-il fait pour attirer l'attention?
7. Comment l'avait-on empêché de parler?
8. Qu'est-ce que Daniel a offert de faire pour M. Stanislas?

University of Cambridge Local Examinations Syndicate, June 1969, Ordinary Level

Part 2   Reading comprehension: questions in English

1   Youri Gagarine, 1934–1968: Le chemin du Cosmos (1)

Mercredi, 12 avril 1961

J'ai pénetré dans la cabine, qui sentait le vent des prairies. Après m'être installé dans le fauteuil, ceux qui m'accompagnaient ont refermé la trappe sans bruit. Je suis resté seul avec les instruments...

Le directeur technique a annoncé que le vol aurait lieu dans une heure et demie. Quelques minutes avant le lancement on m'a annoncé que mon visage était nettement visible sur l'écran de télévision...

Enfin le directeur technique a commandé:

— Départ!

A quoi j'ai répondu:

— Allons-y! tout est normal. Je me sens bien.

Mon regard s'est arrêté sur le chronomètre. Il était 9h.7, heure de Moscou. J'ai entendu un sifflement, puis un grondement de tonnerre qui enflait rapidement. J'ai senti que le vaisseau vibrait violemment. Enfin, lentement, très lentement, il a quitté l'installation de lancement. Le bruit n'était pas plus assourdissant que celui qu'on entend de l'intérieur de la cabine d'un avion à réaction.

Alors, les accélérations ont augmenté. J'ai senti une force irrésistible me plaquer contre mon siège. Celui-ci était disposé de façon à alléger au maximum le poids énorme qui m'écrasait, mais j'avais du mal à bouger un bras ou une jambe. Je savais que cet état ne devait pas durer longtemps, qu'il cesserait dès que le vaisseau aurait atteint son orbite.

La «Terre» m'a communiqué:

— Soixante-dix secondes depuis le décollage.

J'ai répondu:

— Je comprends: soixante-dix. Je me sens très bien. Le vol se poursuit. Les accélérations augmentent. Tout va bien.

J'avais répondu d'une voix ferme, mais en pensant: «Comment, seulement soixante-dix secondes?» Ces secondes semblaient aussi longues que des minutes...

Lorsque l'engin eut dépassé les couches denses de l'atmosphère, l'ogive de tête s'est détachée automatiquement.

Dans les hublots, j'ai vu apparaître, très loin, la surface de la Terre. A ce moment, le *Vostok* survolait un large fleuve sibérien. On en distinguait nettement les îlots et les rives couverts d'arbres, éclairés par le soleil.

— Comme c'est beau! me suis-je écrié, n'y tenant plus. Mais je me suis arrêté court: ma mission n'était pas d'admirer le paysage, mais de transmettre des informations utiles. Au même moment, la «Terre» a sollicité un communiqué.

— Je vous entends distinctement, ai-je répondu. Je me sens bien. Le vol se poursuit normalement. Je vois la Terre, une forêt, des nuages...

Les accélérations augmentaient sans cesse. Mais mon organisme s'y accoutumait peu à peu.

Un à un, les étages se détachaient. A un certain moment, j'ai pu communiquer:

— La fusée porteuse vient de se détacher, comme il avait été prévu. Je me sens bien.

(à suivre)

Vocabulaire

le lancement	= le décollage
le tonnerre	= *thunder*
enfler	= s'augmenter
le vaisseau	= le bateau, *vessel, spaceship*
assourdir	= rendre sourd
alléger	= rendre plus léger
l'engin	= *machine*
l'ogive de tête	= la capsule
un hublot	= la fenêtre, *port-hole*
un îlot	= une petite île
l'organisme	= le corps
la fusée porteuse	= *carrier rocket*
prévoir	= *to foresee*

182

1. When did the space team close the trap-door?
2. What did the technical director announce at about 7.30?
3. What sensations did Gagarin have just before the spaceship began to move?
4. How does he describe the noise as the spaceship left the ground?
5. What did he feel as the spaceship accelerated rapidly?
6. What did he find difficult to do at this stage?
7. What impression did he have of the passage of time at the beginning of his flight?
8. When did the capsule separate from the rest of the rocket?
9. What could Gagarin see through the port-hole at this time?
10. Why did he cease to admire the view?

2   Youri Gagarine, 1934–1968: Le chemin du Cosmos (2)

Le vaisseau avait atteint son orbite, la vaste route du Cosmos. Je me trouvais maintenant en état de non-pesanteur. D'abord j'ai éprouvé une sensation tout à fait nouvelle, extraordinaire. Mais bientôt je m'y suis habitué et j'ai continué à exécuter le programme établi.

Je me suis détaché du fauteuil, suspendu entre le plafond et le plancher de la cabine. Lorsque l'influence de la gravitation a commencé à disparaître, je me suis senti merveilleusement bien. Tous mes gestes sont devenus plus faciles. Je ne sentais ni mes bras ni mes jambes, ni mon corps, car ceux-ci n'avaient plus de poids.

Je n'étais ni assis ni couché. Je planais dans la cabine, comme tous les objets qui n'avaient pas été fixés. Je les regardais comme dans un rêve: le porte-cartes, le crayon, le bloc-notes...

La non-pesanteur ne modifie pas la capacité de travail de l'homme. Aussi n'ai-je pas cessé d'être actif, surveillant les appareils, regardant à travers les hublots, notant mes observations dans le journal de bord. Pour écrire, je me servais d'un crayon ordinaire. Une fois, oubliant un instant où je me trouvais, j'ai posé le crayon à côté de moi; aussitôt il

183

s'est envolé, mais je ne me suis pas soucié de le poursuivre: je décrivais ce que je voyais à haute voix, tandis qu'un magnétophone enregistrait mes paroles sur une bande étroite.

On m'a demandé, de la Terre, ce que je voyais en bas et j'ai répondu que notre planète m'apparaissait à peu près sous le même aspect que lorsque je la survolais dans un avion à réaction, à très haute altitude. Le soleil avait un éclat extraordinaire. Il était impossible de le regarder à l'œil nu, même en clignant des paupières. Il était des dizaines et, peut-être, des centaines de fois plus brillant que vu de la Terre. J'observais le ciel mais aussi la Terre. On voyait nettement la courbure de notre planète. La Terre est très belle, avec sa riche palette de couleurs. Elle est entourée d'une auréole bleu pâle.

Je n'avais ni faim ni soif. Mais conformément au programme, au moment prévu, j'ai mangé et j'ai bu de l'eau en me servant d'un distributeur spécial. Le seul ennui, c'est que je ne pouvais pas ouvrir largement la bouche.

A 10h.15 j'ai abordé l'étape finale de mon ouvrage: le retour sur la Terre...

Tout se passait à peu près comme pendant les exercices. Mais qu'allait-il arriver pendant la toute dernière phase du vol? Le moteur de freinage a été mis en marche automatiquement à 10h.25, au moment voulu. Graduellement, le *Vostok* a commencé à ralentir sa course, passant de l'orbite à la trajectoire de descente. Puis le vaisseau est entré dans les couches denses de l'atmosphère.

A 10h.55, après avoir fait le tour de notre planète, le *Vostok* s'est posé, sans encombre, au point prévu, dans un champ labouré. Les pieds sur la terre ferme, j'ai vu une femme et une fillette qui me considéraient avec curiosité. Je me suis dirigé de leur côté tandis qu'elles s'avançaient vers moi. Mais à mesure qu'elles approchaient leurs pas devenaient plus indécis. Vêtu de mon scaphandre orange vif, je leur faisais sans doute un peu peur.

— Je suis des vôtres, camarades, ami, criai-je, enlevant le casque du scaphandre.

C'était la femme du garde-forestier, et sa petite fille de six ans.

— Est-ce que vous ne venez pas du Cosmos, par hasard? m'a-t-elle demandé d'une voix incertaine.

— Figurez-vous que oui, ai-je répondu.

— Youri Gagarine! Youri Gagarine! criaient des hommes qui arrivaient du champ voisin.

Nous nous sommes embrassés comme des frères.

(d'après) Youri Gagarine, *Le chemin du Cosmos*,
Agence Littéraire et Artistique Parisienne

Vocabulaire

la non-pesanteur = état où l'on ne pèse rien
un éclat = une lumière brillante
une paupière = *eye-lid*
une auréole = *halo*
l'étape = *lap, stage*
sans encombre = sans difficulté
le scaphandre = *spacesuit*

1. What new sensation did he have when he was in orbit?
2. Describe in detail how he felt after unfastening his straps.
3. What were his three main activities?
4. What other means besides writing did he use to record his impressions?
5. What does he say about the sun?
6. What did he do to avoid being blinded by it?
7. Why was the earth so beautiful?
8. Why did he eat and drink?
   What was his chief difficulty?
9. What happened at 10.25?
10. Where did the *Vostok* land?
11. Why were the woman and child afraid? How did Gagarin become aware of this?

3 Aéro-clubs français

Leur histoire se confond avec celle de l'aviation. C'est dans les baraquements et les hangars des premiers aéro-clubs qu'ont commencé à se forger les instruments qui permettent aujourd'hui d'aller sur la lune.

Dans cette conquête, on peut dire sans chauvinisme que la France a tenu une place capitale. Le premier aéro-club du monde naquit en effet en France en 1898. Le marquis de Dion présidait cette «société d'encouragement à la locomotion aérienne» qui recueillit deux cents adhérents et beaucoup de scepticisme. L'idée pourtant était dans l'air et l'exemple français fut imité en 1901 en Grande-Bretagne, en 1907 en Allemagne, en 1911 en Italie.

En 1909, Farman gagne le «Prix des passagers» en transportant deux personnes dans les airs. C'est le début des transports aériens en commun. L' «Aéro-Club» crée alors le brevet de pilote. C'est désormais l'Association aéronautique et spaciale de France (nouveau nom de l'Aéro-Club) qui le décerne.

Pour obtenir aujourd'hui le brevet élémentaire, il faut avoir dix-sept ans, suivre un entraînement pendant vingt jours au moins, comportant un minimum de quinze heures de double commande et cinq heures seul à bord. Ces conditions réunies, le candidat pilote doit effectuer, seul, trente atterrissages, puis affronter un double examen, théorique et pratique.

C'est en espaçant chaque leçon de deux à trois jours que l'on obtient les meilleurs résultats. Pour débuter, choisissez plutôt le printemps. L'hiver, en effet, les conditions météorologiques empêchent fréquemment les vols d'avions légers, et on risque de perdre la main, entre deux leçons trop espacées. Il est évidemment indispensable d'être en parfaite forme physique; une visite médicale préalable est d'ailleurs obligatoire. Il n'y a pas d'âge limite et on ne pilote pas forcément mieux à vingt ans qu'à soixante. Nous connaissons un pilote de 78 ans qui mène avec finesse et fermeté les machines les plus modernes, et la «grand-mère volante» traverse chaque année l'Atlantique à bord d'un monomoteur.

Les jeunes gens de moins de vingt-cinq ans peuvent obtenir assez aisément des bourses; ils doivent présenter leur demande au président de leur aéro-club. Ce brevet élémentaire autorise seulement le pilote à voler autour de son aéroport de départ, sans trop s'en éloigner. Pour transporter des passagers, il doit en outre passer son brevet de pilote privé, c'est-à-dire être titulaire de la qualification de radiotéléphonie restreinte, avoir quarante heures de vol dont vingt-cinq en double commande et quinze seul à bord, dont cinq heures de voyage ayant comporté cinq atterrissages sur des aérodromes distants de plus de 50 kilomètres. Il lui faut ensuite subir un double examen théorique et pratique.

Ces dispositions nouvelles résultent d'un arrêté du 7 septembre 1967. En se montrant plus exigeantes, les autorités espèrent accroître la sécurité. Certes, l'aviation légère n'est pas plus meurtrière que la voiture. Mais la moindre imprudence peut être fatale.

Le risque le plus grave tient à la météorologie. Les pilotes privés ne sont en effet qualifiés que pour voler à vue. Surpris par le mauvais temps, ils peuvent soit perdre leur route, soit se trouver dans l'impossibilité d'atterrir sur une piste noyée dans le brouillard. Le pilotage sans visibilité (PSV) devient alors indispensable, mais cette qualification professionnelle est difficile et coûteuse. De plus, il faut équiper les appareils en conséquence. Autre cause fréquente d'accident: la visite aux amis. Le pilote décrit des cercles de plus en plus serrés à basse altitude au-dessus de la maison d'où l'on fait de grands gestes. Une seconde d'inattention, un virage mal pris, c'est le drame.

Les aéro-clubs ne manquent pas. La France en compte plus de quatre cents. On en trouve, dans la seule région parisienne, plus d'une centaine. Première à avoir popularisé la passion de l'aviation, la France demeure aujourd'hui la terre privilégiée des aéro-clubs. Elle vient en effet au second rang après les Etats-Unis, pour le nombre de ses pilotes privés (30.000) et des avions de tourisme (5.000).

(d'après) *Le nouveau guide Gault-Millau* (avril 1969),
Agence Presse-Loisirs

Vocabulaire

un baraquement	= un bâtiment destiné à abriter des soldats ou des aviateurs		
le chauvinisme	= un patriotisme exagéré		
un brevet	= un certificat		
décerner	= donner (un certificat)		
préalable	= préliminaire		
en outre	= de plus, aussi		
restreint	= limité		
un arrêté	= une loi	soit... soit	= *either... or*
accroître	= augmenter	comporter	= *to include*

1. Why does France occupy such an important place in the history of aviation?
2. What happened in 1909? (*2 events*)
3. What conditions must the candidate for the elementary certificate comply with nowadays before being allowed to fly solo? (*3 conditions*)
4. What tests has he to take after his solo flights? (*2 tests*)
5. What advice is given about flying training? (*3 points*)
6. What help can young people under 25 obtain towards reducing the expense of training?
7. What new regulations about the qualifications for a private commercial pilot came into force on 7 September 1967?
8. What do the authorities hope to achieve by these new regulations?
9. What can happen to these private pilots in bad weather?
10. What other frequent cause of accident is mentioned?

4 Naufragé volontaire

(*Alain Bombard a traversé seul l'Atlantique, dans un canot pneumatique.*)

Depuis des siècles on disait: «L'eau de mer est imbuvable. Un naufragé ne peut se nourrir des seuls produits de l'Océan. Un canot pneumatique ne tient pas la mer plus de quinze jours.» J'ai voulu démontrer qu'un naufragé sans ressources peut vivre sur la mer et tenir sur un radeau...

C'est pourquoi je me suis fait marin, et naufragé volontaire... Seul, absolument seul, pendant soixante-cinq jours... Je crois avoir montré qu'un naufragé démuni de toute provision peut trouver dans l'Océan tous les éléments dont le corps a besoin: matières azotées, matière grasses, vitamines A, B, C, D, sucres, et surtout de l'eau.

«L'eau de mer n'est pas buvable», a-t-on toujours enseigné aux marins; les cinquante-deux naufragés de la *Méduse* sont morts de soif. Or, à petites doses, l'eau de mer est supportable.

Autre liquide: l'eau de poisson. En pressant le poisson, on obtient, par kilo, de trois cents à six cents grammes de jus dessalé. Si vous
188

n'avez pas de presse à viande, vous mettez le poisson découpé en morceaux dans un linge et vous tordez. Pendant vingt et un jours, je n'ai bu que de l'eau de poisson, l'eau du ciel n'étant tombée qu'à partir du 11 novembre.

Cela suppose qu'on ait du poisson; comment pêcher sans matériel?

J'ai tordu la lame de mon couteau, je l'ai fixée au bout de l'aviron, et une superbe dorade qui guettait les poissons volants s'est laissé prendre.

Jamais je n'ai manqué de poisson. De vieux pêcheurs m'avaient pourtant dit:

— Vous n'en trouverez pas au milieu de l'Atlantique.

On m'avait prédit également:

— Un canot pneumatique se détériore en haute mer; vous ne tiendrez pas plus de dix jours.

Mon canot a tenu soixante-cinq jours. Il a fait face aux vagues de dix à vingt mètres, montant et descendant comme un bouchon... Pensez que sur les paquebots, il n'y a des embarcations que pour la moitié des passagers. Avec des canots pneumatiques, il y aurait beaucoup moins de victimes.

Deux cent mille naufragés périssent en mer chaque année. Or, cinquante mille réussissent à survivre au naufrage mais ils meurent sur leur canot.

— De faim? de soif? d'épuisement?

— Non, de désespoir. Il tue en quatre jours. Les trois ou quatre premiers jours sont les plus dangereux. Tous désespèrent en même temps.

Alain Bombard, lui, a vaincu le désespoir. Il faut qu'on inscrive sur les canots de sauvetage: «N'oubliez pas que, avec le même canot, sans vivres, un homme a vécu soixante-cinq jours en 1952.»

(d'après) Jean Toulat, article paru dans *L'Essor*, 5 avril 1953

Vocabulaire

un naufragé	= victime d'un naufrage
imbuvable	= qu'on ne peut pas boire
démontrer	= prouver
démuni de provisions	= sans provisions
le jus dessalé	= jus sans sel

matières azotées	= *nitrogenous substances*
matières grasses	= *fats*
tordre	= *to twist*
une dorade	= *swordfish*
prédire	= *to foretell*
une embarcation	= un bateau
la lame d'un couteau	= la partie en métal qui coupe
un aviron	= une rame

1. Why did Bombard call himself a *naufragé volontaire*?
2. What did he wish to prove?
3. How long did he take to cross the Atlantic?
4. How did he get water to drink?
5. Is it quite impossible to drink sea-water, in Bombard's opinion?
6. How did he catch fish?
7. What warnings did he receive from old fishermen? (*2 points*)
8. What provision is usually made for escape by lifeboat on steamers?
9. Why did he use a rubber inflatable boat?
10. How many shipwrecked people die in lifeboats each year?
11. Do they die of exhaustion, or thirst? What do they really die of?

5 Caen

Caen, ville industrielle et universitaire, située dans les plaines mollement ondulées de la Normandie occidentale, a poussé depuis la guerre
plus vite que toutes les autres villes françaises, Grenoble excepté.

Caen est la capitale régionale de la basse Normandie, qui en général
est peu industrialisée et encore très agricole, avec une population rurale
plus importante encore qu'en Bretagne. Cependant en 1946–1962 l'émigration a compté pour 110.000 habitants et n'a guère été compensée
entièrement par l'augmentation des naissances. Le gouvernement prit
donc la décision de faire de Caen un centre d'attraction régional pour
contre-balancer l'influence parisienne.

Presque entièrement abattue pendant les combats de 1944, Caen reçut des subventions importantes pour sa reconstruction à la fin des années 40, et a pris soin de rebâtir en respectant ses traditions, avec des toits en pente et de la belle pierre locale. L'université a été rebâtie avec élégance sur une colline, et le nombre de ses étudiants est passé de 800 en 1938 à quelque 10.000 en 1967. Ces éléments, ajoutés à la présence du port sur l'estuaire de l'Orne, et aux liaisons faciles avec Paris, ont fait de Caen un centre d'attraction pour les industries nouvelles.

Lorsque la Ve République fut instituée en 1958 et les «régions» créées, un jeune sous-préfet, Robert de Caumont, fut nommé pour coordonner le développement économique de la basse Normandie; il décida de faire de Caen une grande capitale. Cependant le conseil municipal, formé de Normands de tradition, s'y opposait, et l'Etat fut donc obligé de prendre la situation en main.

De Caumont, alors encore très jeune — il n'avait pas passé la trentaine — passa quatre ans en Normandie à persuader ou à effrayer des maires et des chefs d'enterprise pour les pousser à l'action et à visiter Paris pour obtenir de l'argent.

Il est rare qu'un seul fonctionnaire puisse faire autant pour toute une région. Il amena des usines nouvelles, bâtit des faubourgs neufs, et donna à cette partie pauvre de la Normandie une conscience nouvelle. Aujourd'hui l'effort d'industrialisation porte ses fruits et Caen et sa région sont en tête du pays tout entier pour la création des emplois. Il y a des usines Renault et Citroën, d'autres qui fabriquent des récepteurs de télévision, des machines électriques et de l'acier. L'émigration des jeunes a été considérablement ralentie. La population actuelle de Caen (130.000) est le double de ce qu'elle était avant la guerre.

Un des attraits supplémentaires de Caen était un niveau de salaires plus bas qu'à Paris. Le nouveau directeur d'une grande société a indiqué d'autres avantages:

— Nous avons choisi Caen parce que nous sommes obligés de rester à distance raisonnable de nos bureaux administratifs et de nos clients parisiens. L'Université sera très utile pour le développement de la recherche et rendra la ville plus agréable à habiter. Je suis ravi d'avoir quitté les embouteillages de Paris; ici, j'ai une maison, un jardin, la mer à proximité, et nous recevons des amis parisiens au week-end, et la Maison de la Culture donne beaucoup de pièces modernes, des concerts, des conférences.

Sur le plan social, la Maison de la Culture est un terrain de rencontre tout naturel entre immigrés et étudiants. Comme à Grenoble, une bonne partie du dynamisme local est due aux nouveaux venus. Les Caennais de naissance sont probablement plus traditionalistes, en général.

(d'après) John Ardagh, *La France vue par un Anglais,*
Editions Robert Laffont

Vocabulaire

ville universitaire = qui possède une université
occidental = le contraire d'oriental
mollement = doucement
ondulé = *undulating*
une subvention = un don d'argent, *subsidy*
un préfet = celui qui gouverne, qui administre un département
un fonctionnaire = *civil servant*
un faubourg = *suburb*
l'acier = métal très dur, *steel*
ralentir = rendre plus lent
un attrait = quelque chose qui attire, une attraction
le niveau = *level*
un embouteillage = quand la circulation dans les rues est bloquée

1. What is the main feature of the lower Normandy region according to the writer?
2. What does the author say about emigration in this region between 1946 and 1962?
3. Mention three factors which have helped to make Caen into an attractive centre for new industries.
4. What did Robert de Caumont decide to do in 1958?
5. How did the municipal council receive this suggestion? Why?
6. What steps did Robert de Caumont take to change this situation?
7. In what important way has the effort to industrialise the region borne fruit?
8. What kinds of factories are now to be found in the region?
9. What has happened to the population of Caen?
10. What further attractions does Caen offer to industry?
11. And to the private citizen who moves there from Paris?

6 Le petit prince et le renard

(*Antoine de Saint-Exupéry, pilote et écrivain, disparut en 1944, pendant qu'il volait au-dessus de la France occupée.*)

Saint-Exupéry imagine qu'au cours d'une panne dans le désert il rencontre un petit garçon, le petit prince, venu d'une autre planète, où il habitait seul, et où il avait trouvé une rose, qu'il croyait être la seule dans tout l'univers. Ce prince est parti à la recherche d'une amitié parfaite. Après avoir visité six planètes, il a atterri finalement sur la Terre. Il est entré dans un jardin, où il y avait des centaines de roses.

Le petit prince se dit encore: «Je me croyais riche d'une fleur unique, et je ne possède qu'une rose ordinaire...» Et couché dans l'herbe, il pleura.

C'est alors qu'apparut le renard:
— Bonjour, dit le renard.
— Bonjour, répondit poliment le petit prince, qui se retourna mais ne vit rien.
— Je suis là, dit la voix, sous le pommier.
— Qui es-tu? dit le petit prince. Tu es bien joli...
— Je suis un renard, dit le renard.
— Viens jouer avec moi, lui proposa le petit prince. Je suis tellement triste...
— Je ne puis pas jouer avec toi, dit le renard. Je ne suis pas apprivoisé.
— Ah! pardon, fit le petit prince.
Mais, après réflexion, il ajouta:
— Qu'est-ce que signifie *apprivoiser*?
— Tu n'es pas d'ici, dit le renard, que cherches-tu?
— Je cherche les hommes, dit le petit prince. Qu'est-ce que signifie *apprivoiser*?
— Les hommes, dit le renard, ils ont des fusils et ils chassent. C'est bien gênant! Ils élèvent aussi des poules. C'est leur seul intérêt. Tu cherches des poules?
— Non, dit le petit prince. Je cherche des amis. Qu'est-ce que signifie *apprivoiser*?

— C'est une chose trop oubliée, dit le renard. Ça signifie *créer des liens*...

— Créer des liens?

— Bien sûr, dit le renard. Tu n'es encore pour moi qu'un petit garçon tout semblable à cent mille petits garçons. Et je n'ai pas besoin de toi. Et tu n'as pas besoin de moi non plus. Je ne suis pour toi qu'un renard semblable à cent mille renards. Mais, si tu m'apprivoises, nous aurons besoin l'un de l'autre. Tu seras pour moi unique au monde. Je serai pour toi unique au monde...

— Je commence à comprendre, dit le petit prince. Il y a une fleur... je crois qu'elle m'a apprivoisé...

— C'est possible, dit le renard. On voit sur la Terre toute sorte de choses...

— Oh! ce n'est pas sur la Terre, dit le petit prince.

Le renard parut très intrigué:

— Sur une autre planète?

— Oui.

— Il y a des chasseurs, sur cette planète-là?

— Non.

— Ça, c'est intéressant! Et des poules?

— Non.

— Rien n'est parfait, soupira le renard.

Mais le renard revint à son idée:

— Ma vie est monotone. Je chasse les poules, les hommes me chassent. Toutes les poules se ressemblent, et tous les hommes se ressemblent. Je m'ennuie donc un peu. Mais, si tu m'apprivoises, ma vie sera comme ensoleillée. Je connaîtrai un bruit de pas qui sera différent de tous les autres. Les autres pas me font rentrer sous terre. Le tien m'appellera hors du terrier, comme une musique. Et puis regarde! Tu vois, là-bas, les champs de blé? Je ne mange pas de pain. Le blé pour moi est inutile. Les champs de blé ne me rappellent rien. Et ça, c'est triste! Mais tu as des cheveux couleur d'or. Alors, ce sera merveilleux quand tu m'auras apprivoisé! Le blé, qui est doré, me fera souvenir de toi. Et j'aimerai le bruit du vent dans le blé...

Le renard se tut et regarda longtemps le petit prince:

— S'il te plaît... apprivoise-moi! dit-il.

— Je veux bien, répondit le petit prince, mais je n'ai pas beaucoup de temps. J'ai des amis à découvrir et beaucoup de choses à connaître.

— On ne connaît que les choses que l'on apprivoise, dit le renard. Les hommes n'ont plus le temps de rien connaître. Ils achètent les choses toutes faites chez les marchands. Mais comme il n'existe point de marchands d'amis, les hommes n'ont plus d'amis. Si tu veux un ami, apprivoise-moi!

— Que faut-il faire? dit le petit prince.

— Il faut être très patient, répondit le renard. Tu t'assoieras d'abord un peu loin de moi, comme ça, dans l'herbe. Je te regarderai du coin de l'œil et tu ne diras rien. Le langage est source de malentendus. Mais, chaque jour, tu pourras t'asseoir un peu plus près...

Le lendemain revint le petit prince.

— Il eût mieux valu revenir à la même heure, dit le renard. Si tu viens, par exemple, à quatre heures de l'après-midi, dès trois heures je commencerai d'être heureux. Plus l'heure avancera, plus je me sentirai heureux. A quatre heures, déjà, je m'agiterai et je m'inquiéterai; je découvrirai le prix du bonheur! Mais si tu viens n'importe quand, je ne saurai jamais à quelle heure m'habiller le cœur... Il faut des rites.

— Qu'est-ce qu'un rite? dit le petit prince.

— C'est aussi quelque chose de trop oublié, dit le renard. C'est ce qui fait qu'un jour est différent des autres jours, une heure, des autres heures. Il y a un rite, par exemple, chez mes chasseurs. Ils dansent le jeudi avec les filles du village. Alors le jeudi est jour merveilleux! Je vais me promener jusqu'à la vigne. Si les chasseurs dansaient n'importe quand, les jours se ressembleraient tous et je n'aurais pas de vacances.

Ainsi, le petit prince apprivoisa le renard. Et quand l'heure du départ fut proche:

— Ah! dit le renard... Je pleurerai.

— C'est ta faute, dit le petit prince, je ne te souhaitais point de mal, mais tu as voulu que je t'apprivoise...

— Bien sûr, dit le renard.

— Mais, tu vas pleurer, dit le petit prince.

— Bien sûr, dit le renard.

— Alors tu n'y gagnes rien!

— J'y gagne, dit le renard, à cause de la couleur du blé.

Puis il ajouta:

— Va revoir les roses. Tu comprendras que la tienne est unique au monde. Tu reviendras me dire adieu, et je te ferai cadeau d'un secret.

Le petit prince s'en fut revoir les roses :

— Vous n'êtes pas du tout semblables à ma rose, vous n'êtes rien encore, leur dit-il. Personne ne vous a apprivoisées et vous n'avez apprivoisé personne. Vous êtes comme était mon renard. Ce n'était qu'un renard semblable à cent mille autres. Mais j'en ai fait mon ami, et il est maintenant unique au monde.

Et il revint vers le renard.

— Adieu, dit-il.

— Adieu, dit le renard. Voici mon secret. Il est très simple, on ne voit bien qu'avec le cœur. L'essentiel est invisible pour les yeux.

— L'essentiel est invisible pour les yeux, répéta le petit prince, afin de se souvenir.

— C'est le temps que tu as perdu pour ta rose qui fait ta rose si importante.

— C'est le temps que j'ai perdu pour ma rose..., fit le petit prince afin de se souvenir.

A. de Saint-Exupéry, *Le petit prince*, © Editions Gallimard

Vocabulaire

semblable	= pareil
un terrier	= un trou dans la terre
il eût mieux valu	= il aurait mieux valu
lier	= *to bind*
un lien	= *a bond*, p. ex. un lien d'amitié
gênant	= vexant, ennuyant
créer	= *to create*
un malentendu	= *misunderstanding*

1. Why is it a favourable time in the life of these two beings to make friends?
2. Explain what the fox means by the term *apprivoiser*.
3. What two kinds of living creatures interest the fox most? Why?
4. Why does the fox say: «Rien n'est parfait»?
5. What will the fox do when he hears his friend's footsteps?
6. What will remind the fox of the prince's golden hair?

7. Why have men no longer any friends?
8. Why would it be better for the prince to come at the same time, say
   4 p.m., every day?
9. Why does the fox like Thursdays?
10. What is the secret which he imparts to the prince?
11. What is the main topic of this story?

7 Quatre pas sur la lune

Mercredi, 16 juillet 1969
Enfin, après onze ans d'efforts, le monde a assisté au dénouement d'une
fantastique course entre deux fières nations, course qui sera, à la longue,
bénéfique pour l'humanité.

A 14h.32 (heure française) la fusée porteuse Saturne V s'éleva dans
le ciel: début de la plus prodigieuse aventure de tous les temps. Les
trois astronautes américains d'Apollo 11 partirent pour la lune, 104 ans
après Jules Verne. Onze minutes plus tard la capsule fut placée sur
orbite terrestre, et au bout de trois heures elle commença son long
voyage vers la lune. Chose miraculeuse, on put entendre, durant tout
le parcours, les voix qui, à travers les centaines de milliers de kilomètres, reliaient Apollo 11 au centre de contrôle à Houston. Tantôt ils
parlaient de choses sérieuses, tantôt ils s'amusaient. Aldrin, à 200.000
km. de la terre remarqua:

— La vue est magnifique. Je peux voir toutes les îles de la Méditer-
ranée. L'Angleterre est plus verte que les Baléares, qui paraissent
brunes, vues d'ici.

Quand on lui demanda comment il se sentait, il répondit:

— C'est merveilleux d'être ici. Mais j'attends avec impatience d'être
libre. Jusqu'à présent, j'ai passé mon temps à faire la cuisine, à balayer,
et à coudre, et toutes les petites choses nécessaires habituellement pour
la bonne tenue de la maison.

Après le départ pour la lune, il y eut trois jours relativement calmes,
sauf pour l'inspection du «LM» vendredi soir.

Samedi 19 juillet, le soir, le train spatial Apollo 11 fut mise sur orbite lunaire, mais ce n'était que 23 heures plus tard que le LM se détacha de la cabine en vue de sa descente sur la lune.

Enfin, le 21 juillet 1969, à l'aube, après un alunissage parfait, l'homme marcha sur la lune. Armstrong dit, avant de descendre l'échelle :

— Je vais maintenant descendre du module lunaire. C'est un petit pas pour l'homme, mais un bond de géant pour l'humanité.

Puis il fit le premier pas sur la lune. Le monde entier regardait sur ses écrans de télévision. Une ère nouvelle s'ouvrait.

Pendant près de 40 minutes d'admirables images étonnèrent le monde. La lumière crue du soleil sur cette planète sans atmosphère était clairement visible. L'ombre de l'astronaute s'allongeait comme une longue tache noire sur le champ de cailloux et de minuscules cratères. Les images transmises de là-haut, à près de 400.000 km. de distance, étaient fantastiques et semblaient appartenir à un film de science-fiction.

Aussitôt, les deux astronautes se mirent au travail. Ils ramassèrent de la poussière et des cailloux et les mirent dans une boîte ; ils placèrent des instruments scientifiques sur le sol lunaire. Ensuite ils y plantèrent le drapeau américain et c'est à ce moment que le président Nixon leur téléphona. Il dit :

— C'est certainement le coup de téléphone le plus historique qui ait jamais été donné... Pour un instant sans prix, dans toute l'histoire de l'homme, tous les peuples de notre planète sont véritablement un.

Comme tout le monde le sait, les deux astronautes réussirent à décoller de la lune, à retrouver la cabine-mère Apollo 11, à quitter l'orbite lunaire, à rentrer dans l'atmosphère terrestre et à amerrir dans l'Océan Pacifique au sud de Hawaï.

(d'après) *France-Soir*, juillet 1969

Vocabulaire

bénéfique	= *beneficial*
le parcours	= le voyage
relier	= joindre
tantôt ... tantôt	= *now ... now*
les Baléares	= les iles Baléares (Majorque, Minorque)
un alunissage	= action de descendre sur la lune

cf. atterrir, l'atterrissage, amerrir, l'amerrissage

une lumière cru(e) = *harsh light*

198

1. What happened after 11 minutes, and after about 3 hours?
2. Apart from the journey itself, what was miraculous from the ordinary man's point of view?
3. What did Aldrin see at a distance of 200,000 km.?
4. How did he spend some of his time during the journey?
5. How many days passed before the spaceship entered on its lunar orbit?
6. What did Armstrong say just before climbing down on to the moon?
7. How did ordinary people on earth know that he had walked on the moon?
8. What is said about the surface of the moon?
9. What work did the astronauts do on the moon?
10. When did the President of the USA telephone?
11. What remark did he make about humanity?
12. What hazards had the astronauts to overcome on their return journey? (*5 points*)

8 Le Languedoc

L'une des plus puissantes provinces françaises avant la Révolution, le Languedoc avait une superficie considérable et avait pour capitale Toulouse. Aujourd'hui cette province est beaucoup moins grande et a pour capitale Montpellier. Cette plaine côtière entre le Rhône et la Catalogne a un climat qui ressemble à celui de la Provence; et son sol de bonne qualité, sa population dense, sa situation aux points clés des routes vers l'Espagne et le Sud-Ouest semblent lui offrir des chances de développement extraordinaires.

La vigne est, a-t-on écrit, «la seule richesse du Languedoc et sa plus grande tragédie». Lorsque la consommation nationale de vin se mit à augmenter très vite, à la fin du 19e siècle, le Languedoc s'avisa qu'il pouvait produire, en grande quantité, sur ses coteaux ensoleillés, le vin à bon marché dont le pays avait besoin. La région produit aujourd'hui la moitié du vin ordinaire français, mais ces vignobles ne sont pas aussi lucratifs que ceux de Bourgogne ou de Bordeaux. La monoculture d'un vin à bon marché constituait une grande faiblesse pour l'économie régionale. Mais on ne pouvait rien y changer sans amener de l'eau abondante pour créer d'autres types de culture.

Philippe Lamour, romancier, homme d'action, se donna pour mission de faire revivre le Languedoc. «Nous devons sauver le désert français avant qu'il ne soit trop tard,» écrivit-il. Il forma une société qui creusa un canal principal du Rhône à Montpellier et construisit des barrages dans les Cévennes. Bientôt, un réseau de petits canaux commença à circuler entre les vignobles. Lamour et deux pionniers locaux arrachèrent leurs vignes et prouvèrent que la même superficie pouvait, plantée de pêchers ou de pommiers, rapporter six fois plus que la vigne à condition d'être bien irriguée. Les vignerons étaient invités à en faire autant, mais ils attaquèrent violemment le projet, et aujourd'hui il n'y a pas un seul vigneron qui ait encore touché à un seul pied de vigne. Jusqu'à présent, l'eau du canal est utilisée surtout dans la plaine au sud de Nîmes, où les fruits, les asperges et les tomates donnent des rendements excellents.

Malgré cet échec notable, le canal représente pourtant un extraordinaire succès technique. Plusieurs pays étrangers l'ont imité. Plus d'un tiers de la zone irrigable utilise l'eau du canal, et l'on parle déjà de la «Californie française.»

Le projet de développement touristique est dû également à Philippe Lamour, mais la décision officielle de l'appliquer, en 1962, a été prise par la Ve République. Entre l'embouchure du Rhône et des Pyrénées il y a des dizaines de kilomètres d'une belle côte sablonneuse, jusqu'alors totalement inexploitée à cause des moustiques. Le gouvernement s'avisa donc que la meilleure solution du problème de la balance touristique était de construire sur cette côte du Languedoc une chaîne de stations balnéaires populaires. D'abord il déclara la guerre aux moustiques et la gagna. Puis, en 1963, il commença à acheter des terrains aux meilleurs endroits, pour éviter la spéculation. Des sociétés privées construiront les hôtels, les villas et les casinos, mais les constructeurs sont tenus de respecter le plan d'urbanisme et celui d'architecture. On essaie aussi de contrôler les prix, et d'encourager le tourisme plus populaire. La France gagne aujourd'hui moins par les touristes étrangers que les Français en dépensent à l'étranger. Dans une dizaine d'années on prévoit que près

200

de 600.000 lits (c'est la capacité actuelle de la Côte d'Azur) auront été créés.

Le gouvernement prépare aussi la création d'un Parc national des Cévennes pour les touristes attachés autant à la montagne qu'à la vie balnéaire et il commence aussi des constructions industrielles. Mais ce qui a le plus fait revivre le Languedoc, c'est l'arrivée de plusieurs centaines de milliers de rapatriés d'Algérie. En 1962–1963 la seule ville de Montpellier en a reçu 25.000. En France, surtout dans le Midi, ces rapatriés ont montré leur courage et leur persévérance. Ils ont acheté des fermes ou des affaires tombées et en ont fait des succès. Dans le secteur de la Garonne ils ont donc beaucoup stimulé l'agriculture.

Cette double infusion — sang nouveau d'Oran et idées et finances de Paris — semble rendre prometteur l'avenir du Languedoc. De toutes les régions attardées du pays, c'est certainement celle qui change le plus rapidement.

(d'après) John Ardagh, *La France vue par un Anglais*,
Editions Robert Laffont

Vocabulaire

la superficie	= l'étendue
côtier	= qui se trouve le long de la côte
la consommation	= *consumption*
s'aviser	= trouver, découvrir
un coteau	= la pente d'une colline
un barrage	= *dam*
un réseau	= *network*
un pionnier	= *pioneer*
une asperge	= *asparagus*
un moustique	= *mosquito*
une station balnéaire	= un endroit où l'on peut se baigner, prendre les vacances sur la côte
un rapatrié	= quelqu'un qui a été renvoyé à sa patrie
attardé	= *retarded*

1. What reasons does the writer advance in support of his claim that Languedoc has exceptional chances of development?
2. «La vigne est la seule richesse de Languedoc et sa plus grande tragédie.» What explanation of this statement does the writer offer?

3. What was the first step taken by Philippe Lamour in his attempts to revive Languedoc?
4. How did he try to show the other vine-growers what could be done once the water had arrived?
5. What reaction did he get from them?
6. What did the government decide to do with the coastal area of Languedoc? Why?
7. What were the first two steps taken by the government to render this area more attractive to tourists?
8. What conditions have private building companies to accept when exploiting this area?
9. What other projects for the area has the government in mind?
10. What event above all has contributed to the rejuvenation of Languedoc? Why?

9

[a] *Do not translate the following passage, but read it carefully before answering the questions in* [b].

Ce fut une grande satisfaction pour les voyageurs quand ils virent la locomotive se mettre en tête du train. Ils allaient pouvoir continuer ce voyage si malheureusement interrompu.

A l'arrivée de la machine, Mme Aubain avait quitté la gare et s'adressant au conducteur;

— Vous allez partir? lui demanda-t-elle.

— A l'instant, madame.

— Mais ces prisonniers... nos malheureux compagnons...

— Je ne puis interrompre le service, répondit le conducteur. Nous avons déjà trois heures de retard. Si vous voulez partir, montez en voiture.

— Je ne partirai pas, répondit la jeune femme.

L'inspecteur avait entendu cette conversation. Quelques instants auparavant, il était décidé à quitter l'endroit et maintenant que le train était là, prêt à s'élancer, et qu'il n'avait plus qu'à reprendre sa place dans le wagon, une irrésistible force le rattachait au sol. Le combat recommençait en lui. La colère de l'insuccès l'étouffait, il voulait se battre jusqu'au bout.

Quelques heurs s'écoulèrent. Le temps était fort mauvais, le froid très vif. Mme Aubain quittait à chaque instant la chambre qui avait été mise à sa disposition. Elle venait à l'extrémité du quai, cherchant à voir à travers la tempête de neige, écoutant si quelque bruit se ferait entendre. Mais rien. Elle rentrait alors pour revenir quelques moments plus tard et toujours inutilement.

Le capitaine du fort ne savait quel parti prendre. Devait-il envoyer un second détachement de soldats au secours du premier ? Peut-être sacrifierait-il de nouveaux hommes avec aussi peu de chances de sauver ceux qui étaient sacrifiés tout d'abord. Mais son hésitation ne dura pas et appelant un de ses lieutenants, il lui donna l'ordre de pousser une reconnaissance dans le sud.

[b] *Answer by brief sentences in English, and in the order given, the following questions on the above passage, confining your answers to the material provided by the passage set.*

1. Why was the train driver unable to grant Mme Aubain's request ?
2. How do we know from this passage that the inspector is a determined man ?
3. Why did Mme Aubain keep walking to the end of the platform ?
4. Why was the decision that the captain of the fort had to make a difficult one ?
5. What did he do eventually ?

Southern Universities Joint Board, June 1969, Ordinary Level

10

Read carefully the passage given below, then answer in English the questions which follow it.

C'était la récréation et je me promenais avec quelques camarades. Tous ces lycéens savaient déjà ce qu'ils devaient être un jour, des banquiers, des médecins, ou des ingénieurs, ce que leurs pères étaient maintenant, ce que leurs grands-pères avaient été. Aucun d'eux n'éprouvait d'inquiétudes en pensant à l'avenir: le chemin qu'ils allaient suivre était déjà tracé. C'est moi seul que l'avenir tourmentait sans cesse; mon père n'etait que petit boutiquier de village, l'argent qu'il gagnait ne nous permettait qu'une vie bien modeste et, depuis mon entrée au lycée, quelquefois insupportable.

Le directeur se montra dans la cour. C'était toujours un événement lourd de menaces. Son regard traînait sur la foule des élèves. Lequel d'entre nous allait-il punir?

Puis il cria mon nom. Tremblant, je vins me planter devant lui.

— Vous direz à vos parents que s'ils n'auront pas payé les deux derniers trimestres de votre pension avant huit jours, nous ne pourrons plus vous garder dans notre établissement. C'est ennuyant, parce qu'au bout de cette année vous auriez certainement eu votre certificat.

Le directeur parti, je restai là, le cœur crevé. Tout le monde descendit sur moi.

— Qu'as-tu donc fait? Que t'a-t-il dit?

Je m'accusai de tout ce que peut faire un élève: la conduite peu convenable, les mauvaises notes, le bavardage en classe, les devoirs omis, le désordre de mon pupitre. Je pouvais mentir. J'avais à défendre un autre honneur que le mien.

Mais Jean Dulord, que je connaissais depuis deux ans, ne croyait guère ces histoires-là. Au souper il me fit lui dire la vérité.

— Ne t'inquiète pas, mon vieux. Je vais en parler à papa. Il n'est pas sans argent, tu sais. Tout va s'arranger.

L'argent arriva, ma pension fut payée.

A partir de ce jour-là, j'estimai Jean Dulord comme un frère. Sans son geste généreux, je n'aurais jamais pu poursuivre la carrière que j'avais choisie, celle de vétérinaire.

Marks

1. [a] What careers were the author's friends going to adopt?
   [b] What was the reason for this?   5
2. [a] State in detail in what ways the author differed from his classmates with regard to the future.
   [b] Why was this so?
   [c] What had worsened his family's financial position?   9

3. [a] What was the author told by the headmaster?
   [b] Why, according to the latter, was the situation a particularly
       unfortunate one?   8
4. [a] What was the author forced to do when questioned by his
       friends?
   [b] What specific examples can you give?
   [c] Why did the author think he was justified in lying?   9
5. What did Jean Dulord say to the author to comfort him?   4
6. [a] What effect did this event have on the author's attitude to
       Jean Dulord?
   [b] Why did he feel so grateful to Jean?   5

                                                                        (40)

Scottish Certificate of Education, April 1969, Ordinary Grade

11 Traditional preparations for the bear-hunt

*Read the following passage carefully and answer the questions on it. Write
your answers in English and include all the relevant detail you can.*

Au camp des esquimaux on attendait le retour des hommes. Ils étaient
tous partis, avec leurs chiens, tendre leurs pièges pour les renards
blancs.

Grika était resté au village. Il avait vu s'éloigner les chasseurs, la
mort au cœur. D'habitude il accompagnait son père dans cette expédition. Orsok pénétrait jusqu'aux terrains de chasse les plus éloignés, dans
le grand désert de neige, où aucun autre chasseur n'osait s'aventurer.

Mais où était son père à cette heure? Il avait été expulsé du clan pour
des raisons que Grika ignorait, et maintenant Grika était triste au milieu
des préparatifs de la grande fête qui commencerait dès le retour des
chasseurs.

Depuis quelques jours la grande hutte du chef était le domaine des
enfants. Ils y étaient tous réunis pour s'occuper de l' «Oncle Michouk».
L'Oncle Michouk était un gros ours de paille. Accroupis dans la hutte,
les garçons et les filles façonnaient chacun un morceau de l'Oncle
Michouk: le corps, les bras, les jambes, la tête, qu'ensuite on assemblait.

205

Tous les ans avant d'ouvrir la chasse aux ours, deux enfants du village étaient désignés pour emporter dans la montagne cet ours de paille. Oncle Michouk était le messager chargé de prévenir, là-haut, les ours sauvages que les hommes de Mourkvo allaient commencer leur grande battue.

L'Oncle Michouk n'avait jamais été si beau que cette année. Il ne lui manquait plus que ses yeux rouges. Ces yeux, c'étaient des pierres brillantes que les garçons iraient pêcher au fond de la rivière.

— C'est toi, Grika, dit son ami Iakou, qui les trouveras en plongeant dans la Chapkai. C'est toi qui peux rester le plus longtemps sous l'eau.

— Si le chef le permet, dit Grika.

— Pourquoi ne le permettrait-il pas ?

— Parce que je suis le fils de mon père.

1. In what part of the world do you think the scene is set ? Name three details that make you think so.
2. What were the villagers waiting for ?
3. Why had Grika remained in the village this time ?
4. What are we told of Orsok as a hunter ?
5. What was going on in the chief's hut ?
6. What was to happen to Uncle Michouk and why ?
7. What was needed to complete Uncle Michouk ?
8. How were these missing parts to be obtained ?
9. Why, according to Iakou, should Grika get them ?
10. What does Grika fear will happen and why ?

Welsh Joint Education Committee, Summer 1969, Ordinary Level

12

Read the passage given below, then answer in English the questions which follow it.

Dans quelques années, vers 1972, quinze mille employés vivront à Paris une expérience assez extraordinaire: celle de l' «American Way of Life» en plein centre d'une des plus vieilles capitales d'Europe. Ce seront ceux qui travailleront dans l'immense Tour Maine-Montparnasse, qu'on a déjà commencé à construire. Cette tour, qui aura 200 mètres de haut et cinquante-trois étages, contiendra non seulement des bureaux, mais aussi d'innombrables magasins, deux cent cinquante chambres d'hôtel, deux salles de cinéma, un théâtre, et aura mille cinq cents places de parking. Prenons l'exemple d'une secrétaire qui travaillera dans la tour. Quand elle arrivera le matin, elle commencera par garer sa voiture au sous-sol. Dans l'immense hall, elle trouvera ensuite trente ascenseurs divisés en quatre groupes. Les «A» monteront omnibus[1] jusqu'au quatorzième étage; les «B» seront express et ne s'arrêteront pas avant le quinzième, mais deviendront omnibus de cet étage jusqu'au vingt-septième; les «C» seront omnibus du vingt-huitième au trente-huitième, et les «D» du trente-neuvième au cinquantième. Il faudra donc faire très attention pour ne pas se tromper d'ascenseur avant d'entreprendre la longue montée jusqu'à son bureau!

A dix heures du matin et à quatre heures de l'après-midi, des garçons d'étage apporteront à tous les employés une boisson chaude; ce sera une véritable «pause-café» généralisée! Pendant ses heures de liberté, pour la pause de midi, par exemple, notre secrétaire pourra aller, selon son humeur, dans les restaurants, les self-services, la bibliothèque, les discothèques, la salle d'éducation physique. Mais elle pourra aussi, si elle le veut, faire ses courses, car la Tour Maine-Montparnasse sera une ville dans une ville; c'est au pied de la tour que sera construit le centre commercial avec ses cinémas, son hôtel, son théâtre, et une multitude de petites boutiques.

Sur le toit du gratte-ciel un héliport sera installé, et les hélicoptères assureront un service ultra-rapide à l'aéroport d'Orly. A l'étage au-dessous, le cinquante-troisième, un club sera réservé aux directeurs de toutes les sociétés ayant un bureau dans la tour. C'est là qu'ils pourront recevoir leurs invités distingués dans un restaurant de grande classe.

Cependant, la plus surprenante de toutes les innovations sera sans aucun doute l'aspect de cette tour à la tombée de la nuit; les constructeurs ont obtenu l'autorisation d'accrocher des enseignes lumineuses sur les façades. Une multitude de tubes de néon scintilleront comme à Broadway pour vanter, par exemple, les avantages des cigarettes mentholées ou d'une certaine marque de machine à laver!

[1] Un ascenseur omnibus s'arrête à tous les étages.

Il y a pourtant un groupe de Parisiens qui ne sera pas du tout content de voir la construction de la tour terminée. Ce sont les milliers de téléspectateurs qui demeurent au-delà de Maine-Montparnasse. On dit qu'après la construction de la tour, ils auront bien des difficultés à voir les programmes de la seconde chaîne de télévision, et que, même sur la première, ils n'obtiendront que des images brouillées. Les constructeurs de la tour, par contre, disent que tout cela est faux, et que la tour, qui sera entièrement en verre, ne représentera pas un obstacle. Qui a raison ? Impossible de le dire, car les techniciens hésitent, disant qu'on ne peut pas prévoir ce qui va se passer. L'an 1972 nous le dira!

1. What rather unusual experience is referred to at the beginning of this passage, and who will have this experience?
2. [a] What functions is the tower being designed to fulfil?
   [b] What provision is made in the building for parking cars?
3. Which lift would you take to go to the following floors:
   [a] eleventh floor;
   [b] twenty-sixth floor;
   [c] forty-fifth floor?
   Explain why in each case.
4. Who will be the only persons certain to be working in the tower at 10 a.m. and at 4 p.m. each day? What will the other occupants be doing?
5. When might the imaginary secretary in the passage do her shopping? Where will she probably do it?
6. Describe the special travel facilities which will be available between the tower and Orly airport.
7. What will occupy the fifty-third floor? Who will be entertained there, and in what way?
8. When, according to the writer, will the appearance of the tower be most striking? What reason does he give for this?
9. [a] Who will regret the completion of the tower? For what reasons?
   [b] By what two groups of people have other opinions been voiced on this matter? What are these opinions?

Scottish Certificate of Education (Alternative Examination),
April 1969

SECTION C

Passages for translation into English

1 Loss of memory

Le commissaire parlait anglais.

— Que puis-je faire pour vous, monsieur ? demanda-t-il dès que son visiteur lui eut donné son nom.

Un instant, Thomson eut l'air de ne pas savoir par où commencer. Il rougit légèrement.

— Ce que je vais vous dire peut vous paraître surprenant, déclara-t-il d'un ton hésitant. Le fait est que je n'ai d'autre recours que de m'adresser à vous, aux autorités de ce pays. Tout à l'heure, devant le Café de la Paix, j'ai eu la sensation de sortir d'un rêve. D'un cauchemar, plus exactement. Je ne me souviens pas de la raison pour laquelle je suis à Paris, ni comment j'y suis arrivé.

Le commissaire hocha la tête. Depuis qu'il occupait ce poste il avait souvent entendu de pareilles histoires.

— C'est effectivement tres désagréable, monsieur Thomson, affirmat-il en jouant avec son stylo. Mais ne croyez-vous pas qu'il serait plus avantageux de consulter un médecin ?

Il braqua un regard clair sur l'Américain et admit que ce dernier ne présentait aucune caractéristique d'un fou.

— Je serais peut-être allé chez un médecin si je connaissais Paris, répliqua Thomson, Mais si je suis venu chez vous, c'est parce que c'était la solution la plus sensée. On a profité d'une faiblesse passagère pour me voler mon argent et ma serviette.

— Ah ? fit le commissaire, subitement plus intéressé ; quand cela s'est-il produit ?

2   A fishing village

Ils entrèrent dans les bois qui s'abaissent en pente douce jusqu'à la mer et suivirent une vallée tournante. Bientôt apparut le village d'Yport. Quelques vieilles femmes qui tricotaient ou raccommodaient des bas, assises sur le seuil de leurs demeures, les regardaient passer. Plusieurs grand filets, où restaient de place en place des écailles luisantes, pareilles à des pièces d'argent, séchaient contre les portes des chaumières. Soudain ils aperçurent la mer s'étendant à perte de vue. Des voiles blanches passaient au large. A gauche une énorme falaise se dressait, et les tout petits flots qui faisaient à la mer une frange d'écume roulaient sur la grève avec un bruit léger.

3   The mountain chalet

Quand elles furent au village, Sylvaine bien lasse et Catherine un peu essoufflée, on leur dit que la tante Colette n'y demeurait pas l'été. Alors, on leur montra un petit toit de planches couvert de grosses pierres, avec des sapins tout autour, et on leur dit:

— C'est là; vous n'avez plus qu'une petite heure à marcher et vous y serez.

Sylvaine faillit perdre courage. Il y avait autant à monter pour arriver à cette maison qu'on avait déjà monté pour gagner le village, et c'était encore plus raide et plus effrayant. Mais Catherine n'était point lasse ni effrayée; elle rendit courage à sa mère; et, quand elles eurent déjeuné, elles se remirent à grimper. Enfin, quoique le sentier fût dangereux, elles arrivèrent sans accident à la maison couverte en planches.

Il y avait, tout autour, des bois de sapins très jolis qui laissaient à découvert une espèce de prairie en pente douce, creuse au milieu, sans fossés ni barrières, mais abritée des avalanches par des roches très grosses. Et tout de suite au-dessus commençait la neige, qui semblait monter jusqu'au ciel, d'abord en escaliers blancs soutenus par le rocher noir, et puis en cristaux de glace d'un beau bleu verdâtre, et cela finissait dans les nuages.

Quand les voyageuses furent un peu reposées, la tante Colette leur montra toute sa résidence. La maison, qui paraissait petite de loin, était grande, vue de près. Tout était très propre à l'intérieur et les meubles cirés et reluisants faisaient plaisir à voir. On y faisaient du feu tout l'été, et le bois ne manquait point.

Une bonne partie des arbres qui entouraient la prairie appartenait, comme la prairie elle-même, à la tante, et elle nourrissait de belles vaches, quelques chèvres et un petit âne pour faire les transports.

4 A disturbing leak

Le jeudi, mon père profita du beau temps pour bêcher le jardin. Ma mère et moi, nous l'aidâmes dans l'après-midi à nettoyer les allées et à brûler les mauvaises herbes. Comme le garage avait aussi une porte de ce côté, mon père l'ouvrit toute grande et poussa l'auto de deux mètres au dehors.

— Il faut lui faire prendre l'air, dit-il, en la débarrassant de sa housse[1]... Ça fera du bien au moteur.

Jamais elle ne nous avait paru aussi belle. Le soleil la faisait étinceler et les branches du pêcher en fleurs semblaient s'incliner doucement pour toucher sa carrosserie. La présence de l'auto augmenta le courage de mon père.

Il se mit à retourner la terre avec ardeur. De temps en temps, il relevait la tête en s'essuyant le front de la main et se reposait quelques instants en contemplant l'auto.

Je pénétrai dans le garage. Quand mes yeux se furent habitués à l'ombre, j'aperçus par terre, juste à l'endroit où la voiture se trouvait normalement, une grande tache noire. Il n'y avait pas de doute possible; c'était l'automobile qui avait perdu une partie de son huile, et cette tache était aussi pénible à voir qu'une tache de sang sur le lieu d'un accident. L'événement me parut si grave que je courus aussitôt prévenir mes parents.

Jean L'Hote, *La communale*, Editions du Seuil

[1] car cover

5 Haunted!

Or, ayant dormi environ quarante minutes, je rouvris les yeux sans faire un mouvement, réveillé par je ne sais quelle émotion confuse et bizarre. Je ne vis rien d'abord, puis, tout à coup, il me sembla qu'une page du livre resté ouvert sur ma table venait de tourner toute seule. Aucun souffle d'air n'était entré par ma fenêtre. Je fus surpris et j'attendis. Au bout de quatre minutes environ, je vis, oui, je vis de mes yeux une autre page se soulever et se rabattre sur la précédente, comme si un doigt l'eût feuilletée. Mon fauteuil était vide, semblait vide; mais je compris qu'il était là, lui, assis à ma place, et qu'il lisait. D'un bond furieux, je traversai ma chambre pour le saisir, pour l'étreindre, pour le tuer!... Mais mon siège, avant que je l'eusse atteint, se renversa comme si on eût fui devant moi... ma table oscilla, ma lampe tomba et s'éteignit et ma fenêtre se ferma comme si un malfaiteur surpris se fût élancé dans la nuit.

(d'après) Guy de Maupassant

6 Disappearance of a son

Au coin de la rue de Vaugirard, comme ils longeaient déjà les bâtiments de l'Ecole, M. Thibault, qui pendant le trajet n'avait pas adressé la parole à son fils, s'arrêta brusquement:

— Ah, cette fois, Antoine, non, cette fois, c'en est trop!

Le jeune homme ne répondit pas.

L'Ecole était fermée. Il était neuf heures du soir. Un portier entrouvrit le guichet.

— Savez-vous où est mon frère? cria Antoine.

L'autre écarquilla les yeux. M. Thibault frappa du pied.

— Allez chercher l'abbé Binot.

Le portier précéda les deux hommes au parloir, et alluma. Quelques minutes passèrent. M. Thibault, essoufflé, s'était laissé tomber sur une chaise...

— Excusez-nous, monsieur, dit l'abbé Binot qui venait d'entrer sans bruit; il était fort petit et dut se dresser pour poser la main sur l'épaule d'Antoine.

— Bonjour, jeune docteur! Qu'y a-t-il donc?

— Où est mon frère?

— Jacques?

— Il n'est pas rentré de la journée! s'écria M. Thibault, qui s'était levé.

— Mais, où était-il allé? fit l'abbé, sans trop de surprise.

— Ici, à la consigne!

L'abbé glissa ses mains sous sa ceinture:

— Jacques n'est pas consigné.

— Quoi?

— Jacques n'a pas paru à l'Ecole aujourd'hui.

L'affaire se compliquait. Antoine ne quittait pas du regard la figure du prêtre. M. Thibault secoua les épaules... Il dit:

— Jacques nous a dit hier qu'il avait quatre heures de consigne. Il est parti, ce matin, à l'heure habituelle. Et puis, vers onze heures, pendant que nous étions tous à la messe, il est revenu, paraît-il: il n'a trouvé que la cuisinière; il a dit qu'il ne reviendrait pas déjeuner parce qu'il avait huit heures de consigne au lieu de quatre.

— Pure invention, fit l'abbé.

— J'ai dû sortir à la fin de l'après-midi, continua M. Thibault... Je ne suis rentré que pour le dîner. Jacques n'avait pas reparu. Huit heures et demie, personne. J'ai pris peur, j'ai envoyé chercher Antoine qui était de garde à son hôpital. Et nous voilà.

Roger Martin du Gard, *Les Thibault*, © Editions Gallimard

7 The truants

A midi, ils avaient déjà parcouru Marseille en tous sens. Ils achetèrent du pain, de la charcuterie, descendirent au port, et s'installèrent sur des rouleaux de cordages, devant les grands navires immobiles et les voiliers oscillants... L'important était d'embarquer, dès ce soir-là, sur le *La Fayette*. Un garçon de café leur indiqua le bureau de la compagnie de navigation.

Les prix étaient affichés. Daniel se pencha vers le guichet.

— Monsieur, mon père m'envoie prendre deux places de troisième classe pour Tunis.

— Votre père ? dit le vieux en continuant de travailler... il écrivit un long moment...

— Eh bien, fit-il enfin, sans avoir levé le nez, tu lui diras qu'il vienne ici lui-même, et avec ses papiers, tu entends ?

Ils se sentaient examinés par les gens qui étaient dans le bureau. Ils s'échappèrent sans répondre. Jacques, rageur, enfonça les mains jusqu'au fond de ses poches. Son imagination lui proposait déjà dix inventions différentes : s'engager sur le bateau, ou bien voyager, comme des colis, dans des caisses clouées, avec des vivres ; ou plutôt louer une barque, et s'en aller, le long des côtes, jusqu'à Gibraltar, jusqu'au Maroc, en faisant escale le soir dans les ports pour faire la quête, à la terrasse des auberges.

Daniel réfléchissait ; en lui une voix mécontente désapprouvait.

— Et si on restait à Marseille, bien cachés ? proposa-t-il.

— On serait attrapé avant deux jours, répondit Jacques, en haussant les épaules. Déjà, aujourd'hui, ils nous font chercher partout, tu peux en être sûr...

— Ecoute, dit Daniel.. Voilà le moment de réfléchir. Après tout, quand ils nous auront bien cherchés pendant deux ou trois jours, ils seront peut-être assez punis ?

Roger Martin du Gard, *Les Thibault*, © Editions Gallimard

8   The discovery of Lascaux

L'après-midi du vendredi 12 septembre 1940 était chaud, ensoleillé et, par une journée pareille, même la défaite de la France et l'occupation de la moitié du pays ne pouvaient pas assombrir beaucoup l'humeur de quatre garçons de quatorze ans qui parcouraient les bois de Lascaux.

Leur ancien maître d'école, Léon Laval, était un archéologue enthousiaste et avait souvent répété à ses élèves qu'au cours de leurs promenades, ils devraient bien regarder pour voir s'ils ne trouveraient pas l'entrée d'une grotte oubliée. C'est pour cette raison qu'ils avaient emporté une lampe électrique ce jour-là.

Tout à coup leur fox-terrier Robot disparut dans une brèche au milieu de quelques rochers et ne revint pas. Son propriétaire décida de suivre son chien, sans se laisser intimider par les sons caverneux de pierres qui roulaient et tombaient à une distance considérable. Voici le récit de son aventure tel qu'il l'a écrit plus tard:

«Je réussis à pénétrer 5 ou 6 mètres, verticalement, la tête la première. A cet endroit, j'allumai ma lampe et inspectai les alentours, mais à peine eus-je fait un pas que je perdis l'équilibre et je dégringolai jusqu'au fond. En me relevant je rallumai ma lampe que j'avais eu la présence d'esprit de conserver dans ma main.

«Avisant s'il n'y avait pas trop de danger à descendre, j'appelai mes trois copains en les invitant à prendre de grandes précautions. Une fois réunis, nous nous mîmes à explorer la caverne; nous allions lentement, car la lampe ne marchait pas à souhait. C'est ainsi que nous traversâmes une grande salle; ne trouvant aucun obstacle sur notre route, nous arrivâmes dans un couloir resserré, mais assez haut. C'est là qu'élevant la lampe à la hauteur des parois, nous aperçûmes à cette lueur plusieurs lignes de couleurs différentes.

«Intrigués par ces lignes, nous nous mîmes à inspecter soigneusement les parois, et à notre grande surprise nous y découvrîmes plusieurs figures animales de grandeur considérable. C'est alors que nous vint l'idée que nous venions de découvrir une grotte à peintures préhistoriques.»

Plus tard les archéologues étudièrent les peintures: cerfs, chevaux, taureaux, rhinocéros, un homme tombant sous la charge d'un bison blessé. Ces admirables peintures sont vieilles d'environ quinze mille années.

(d'après) *Historia*

9 An intelligent cat

— Sans indiscretion, dit Mme Lamarque, je voudrais vous demander ce que veut dire Mysouff?

— C'est un nom de chat, madame. Ah! c'est vrai, vous, Mme Lamarque, vous n'avez pas connu Mysouff.

Et je tombai dans une profonde rêverie, car ce nom de Mysouff ıvait reporté à quinze ans en arrière. Ma mère vivait et j'avais une ᵢce comme secrétaire, qui m'occupait de dix heures du matin à cinq heures de l'après-midi. Nous demeurions rue de l'Ouest, et nous avions un chat qui s'appelait Mysouff.

Ce chat avait manqué sa vocation : il aurait dû naître chien. Tous les matins, je partais à neuf heures et demie, et, tous les soirs, je revenais à cinq heures et demie. Tous les matins, Mysouff me conduisait jusqu'à la rue de Vaugirard. Tous les soirs, il m'attendait là. C'étaient là ses limites.

Et ce qu'il y avait de curieux, c'est que, les jours où, par hasard, je ne devais pas rentrer pour dîner, on avait beau ouvrir la porte à Mysouff : Mysouff, dans l'attitude du serpent qui se mord la queue, ne bougeait pas de son coussin. Tandis qu'au contraire, les jours où je devais venir, si on oubliait de lui ouvrir la porte, il la grattait jusqu'à ce qu'on la lui ouvrît...

Au moment où je mettais le pied dans la rue de l'Ouest, il me sautait aux genoux comme eût fait un chien ; puis, en gambadant et en se retournant de dix en dix pas, il reprenait le chemin de la maison.

10 In a milliner's workroom

Henriette suivit le corridor, et, tout au fond, à droite, ouvrit la porte de l'atelier.

— Ah ! c'est vous enfin, mademoiselle, dit la modiste, qui était évidemment de mauvaise humeur. Vous avez mis le temps ! Voilà plus de dix minutes que nous nous sommes remises au travail.

— Vous croyez, madame ? répondit tranquillement Henriette.

— J'en suis sûre, mademoiselle.

Les jeunes filles qui composaient l'atelier se mirent à chuchoter puis quelques regards se levèrent, tandis que la main tirait encore l'aiguille, vers la nouvelle apprentie. Celle-ci mit son tablier, s'assit et dit, prenant son chapeau de paille à moitié garnie, sur laquelle se trouvaient trois rubans bleus :

— Il fait si doux dehors que je n'ai pas eu envie de revenir.

Madame Augustine n'eut pas l'air d'entendre, et déroula le paquet apporté par Henriette. L'apprentie tourna la tête vers le haut de la fenêtre, par où l'on voyait une pointe d'arbre dans le ciel. Et elle soupira.

Toutes les têtes se penchèrent au-dessus des tables, et l'on n'entendit plus que le bruit des ciseaux coupant les fils.

11 What he might have been

La rue était étroite, comme toutes les rues du vieux quartier des Sables d'Olonne, avec des pavés inégaux, des trottoirs dont il fallait descendre chaque fois qu'on croisait un passant. La porte du coin était une magnifique porte à deux battants,[1] d'un vert profond, aux deux marteaux de cuivre bien nettoyés comme on n'en voit que chez des notaires de province ou dans les couvents.

En face stationnaient deux longues voitures luisantes, qui donnaient la même impression de propreté et de confort. Maigret les connaissait; elles appartenaient toutes les deux à des chirurgiens.

— J'aurais dû être chirurgien, moi aussi, pensa-t-il.

Et posséder une voiture comme celles-là. Probablement pas chirurgien, mais c'était un fait qu'il avait failli être médecin, qu'il avait commencé ses études de médecine, qu'il en avait parfois la nostalgie. Si son père n'était pas mort trois ans trop tôt...

Avant de poser le pied sur le seuil, il tira sa montre de sa poche et elle marquait trois heures. Au même moment, on entendait la cloche de la chapelle, puis, par-dessus les toits des petites maisons de la ville, celle, plus grave, de Notre-Dame.

Il soupira et appuya sur le timbre électrique.

(d'après) Georges Simenon, *Les vacances de Maigret*,
Presses de la Cité (avec l'autorisation de l'auteur)

12 Sleeping in the open

Nous nous remîmes bientôt en marche et nous fîmes encore deux lieues: mais alors la fatigue commença à nous alourdir. Diélette tombait de sommeil. Elle était si lasse, qu'elle dormit cinq heures sans s'éveiller.

[1] swing door

Ma grande inquiétude dans ce voyage était de savoir comment nous passerions la nuit; j'avais l'expérience de coucher à la belle étoile, et je n'étais pas tranquille en pensant au froid de cette saison; aussi lorsque nous reprîmes notre chemin, il fut décidé que, sans avoir égard à la distance, longue ou courte, nous ne devions nous arrêter que quand nous aurions trouvé un bon endroit bien abrité. Nous le rencontrâmes au pied du mur d'un parc, où le vent avait amoncelé un gros tas de feuilles sèches. Comme il était à peine quatre heures lorsque nous fîmes cette découverte, j'eus tout le temps avant la nuit pour préparer notre lit.

Je ramassai dans le bois plusieurs brassées de feuilles mortes, et je les ajoutai à celles qui étaient contre le mur; je les tassai bien, et au-dessus j'appuyai, entre les fentes des pierres, des branches que je fixai solidement en les enfonçant dans la terre. Sur ces branches j'étendis la couverture: nous avions donc un lit et un toit.

13 The call of the open sea

Tous les jours, à huit heures, Claude m'apportait des nouvelles du port qu'il apercevait de ses fenêtres.

— Les pêcheurs ne sont pas encore rentrés, me disait-il. Ou bien:

— Il est arrivé du Canada un grand schooner. Il faut que tu le voies.

Ce port, moi qui en était éloigné, je ne le connus d'abord que dans la nuit. Il apportait au cœur même de la ville l'odeur du large. Avant de l'atteindre, avant même de l'apercevoir, nous le sentions. Il était là, derrière cette file de maisons. Nous savions qu'à ce croisement de rues, nous le verrions. Nous nous pressions car le temps nous était limité. Et voici le croisement de rues atteint et nous voici soufflétés par le vent marin. Alors, tout ce qui faisait notre vie — famille, collège, camarades — disparaissait. Nous subissions une sorte d'enchantement. Nous nous trouvions dans un autre monde. Tout y était différent: les hommes, les formes, les bruits, les odeurs, la vie elle-même. Là, plus rien n'était stable ni limité. Nous qui avions bavardé pendant toute la classe, marchions silencieux. Pourquoi parler ? Il nous fallait voir l'eau noire à nos pieds, cent navires, cette lanterne verte, cette passerelle appuyée, semblait-il, à cette courte cheminée, d'où s'échappait encore un filet de fumée. Il y avait ces mâts, cette voile qui claquait au vent, ce cri de sirène. Il y avait les marins, que nous regardions cherchant à percer leur secret, à decouvrir leur source de joie. A quelque cents mètres était la porte du large.

Oui, nous aussi serions des marins, vivrions sur ces navires, dans ces cabines étroites, errant sans cesse, sans attache avec la terre.

(d'après) Edouard Peisson, *La carte marine*,
Editions Bernard Grasset

14 Sport in France

Il est probable que les Français sont aujourd'hui plus sportifs que les Anglais, ou du moins qu'ils sont plus attirés qu'eux par les sports de participation et moins qu'autrefois par les sports de spectacle. Le Tour de France cycliste, il est vrai, reste un spectacle géant, de même que les grandes courses automobiles (les Vingt-Quatre Heures du Mans attirent plus de 400.000 visiteurs) et les matches de championnat de football. Mais les 60.000 clubs sportifs du pays affirment qu'ils comptent parmi leurs 3 millions d'adhérents plus d'une moitié de licenciés y compris 440.000 footballeurs, 62.000 judokas, 37.000 coureurs cyclistes. La pêche et la chasse sont plus populaires que jamais, pour des raisons parfois étrangères au sport, comme la gastronomie, malgré son déclin. La chasse au fusil est évidemment plus pratiquée que la chasse à courre: autrefois, c'était le domaine réservé de l'aristocratie terrienne: et, dans la réalité, tant de citadins se mettent en chasse le samedi et le dimanche, fusil à la main, que le nombre d'accidents de chasse a augmenté dans des proportions spectaculaires et que des lois nouvelles ont dû être votées pour la délivrance des permis de chasse.

John Ardagh, *La France vue par un Anglais*, Editions Laffont

15 Better late than never

C'était un vendredi après-midi. Chantant gaiement un vieil air breton, Mme Olivier s'occupait du travail de la cuisine.

— Allons, Marie, dit-elle à la bonne. Vous savez que c'est aujourd'hui que Marcel et sa femme viennent dîner chez nous. Je vais leur préparer une bonne soupe chaude et un rôti délicieux. Vous allez nettoyer les légumes, puis vous mettrez les couverts et vous irez chercher quelques belles fleurs pour garnir la table.

Vers six heures tout était prêt, mais le jeune couple n'était pas encore arrivé. Le temps s'écoula. On entendit sonner sept heures, puis huit heures, à l'horloge de l'église. La pauvre mère commençait à avoir des inquiétudes.

— Qu'est-il donc arrivé? se demanda-t-elle. C'est la première fois qu'ils s'attardent ainsi. Mon Dieu, je crains tellement les accidents.

— Ne vous tourmentez pas, madame, dit la bonne. Point de nouvelles, bonnes nouvelles.

Tout à coup, des coups de klaxon se firent entendre dehors. Mme Olivier courut vite ouvrir. Une petite voiture rouge s'était arrêtée et un jeune homme en sauta.

— Mille excuses, maman, dit-il, en l'embrassant. La voiture est tombée en panne et nous avons dû attendre longtemps avant de recevoir de l'aide. Par malheur, il n'y a eu aucun moyen de t'avertir.

— N'importe, fit la mère qui sanglotait. Vous êtes là, tous les deux, c'est le principal.

Associated Examining Board, June 1968

16

Sylvestre entra dans le café et demanda au garçon s'il pourrait parler à Mme Brûlemer. On lui répondit qu'elle allait venir. C'était une marchande de journaux. Elle apportait toujours les journaux de Paris dans ce café où elle s'arrêtait un moment pour boire un verre de cognac. C'est là aussi qu'après sa tournée elle venait compter l'argent qu'elle avait gagné et changer sa petite monnaie en pièces de cinq francs.

Sylvestre fut charmé d'apprendre tous ces détails. Il commanda un verre de vin en attendant la dame, qui arriva bientôt avec un air triomphant et joyeux. Elle souhaita le bonjour à la compagnie qui se composait de Sylvestre, du garçon de café et de la caissière.

— Ce monsieur-là veut me parler? cria-t-elle quand le garçon lui eut chuchoté deux mots.

Elle s'assit en face de Sylvestre, en jetant son sac de journaux sur une chaise.

— Allons, jeune homme, lui dit-elle, je n'ai que deux minutes à vous accorder.

Oxford Local Examinations, Summer 1968

17 The first channel flight

Il est maintenant cinq heures du matin et Blériot se sent isolé sur cette «Manche sinistre». Enfin, à l'horizon, il voit une ligne grise. Son cœur bat plus vite. Raisonnablement, la victoire lui paraît proche. Il vole à environ soixante kilomètres à l'heure. Où est Douvres? Au vrai, la ville est à six kilomètres vers la gauche. Au lieu de se trouver face à Douvres, il est devant Saint-Margaret; mais les grandes falaises blanches ne le laissent pas passer. Il se dit: «Le sol britannique se défend». Il ne lui reste pas beaucoup d'essence. Va-t-il périr, lui qui est si près de la victoire? En volant près de la côte du nord au sud, il remarque soudain que les falaises deviennent moins hautes! Il passe! Tout à coup il aperçoit un drapeau français. Il se souvient... c'est le journaliste Charles Fontaine. Celui-ci a dit à Blériot au moment de son départ:

— Monsieur Blériot, vous devez réussir. Je vous attendrai sur les falaises de Douvres. Je vous indiquerai un bon endroit pour atterrir en agitant un drapeau français.

Voici maintenant que Blériot arrive! La Manche est vaincue. Des soldats anglais s'approchent, suivis d'un douanier très sérieux.

— Qu'avez-vous à déclarer?

— Ma grande joie!

Fontaine est allé chercher une voiture. Blériot y monte, roule vers Douvres. La nouvelle l'y a précédé. Une foule à peine éveillée mais enthousiaste emplit les rues. A la mairie, on lui tend un télégramme: «Sincères félicitations, espère vous suivre.» (Signé Latham).

Southern Universities' Joint Board, June 1968

C'était enfin mon tour! J'allais être un des premiers astronautes, car déjà le jour de mon lancement était arrivé. La veille, j'avais téléphoné à ma femme, ainsi qu'à mes parents. Je me réveillai une demi-heure avant celle qui avait été prévue. Je restai au lit un instant, revoyant en pensée les diverses missions que je devais accomplir...

Huit heures. On commença à placer la porte fermant ma capsule. C'est à ce moment qu'enfin je pris conscience de ce qui allait se passer. Tout à coup les sirènes se firent entendre, avertissant les hommes d'équipe de s'éloigner. Par le périscope, je voyais tout le monde s'en aller.

Les moteurs se mirent en marche. Je les sentais augmenter de puissance tandis que la capsule vibrait. J'entendais des grondements terribles. Alors, je me rendis compte que je partais. J'avais toujours imaginé que le départ semblerait lent, même doux. Je pensais que je glisserais un peu à la manière d'un ascenseur.

Eh bien! je m'étais trompé. Ce fut un arrachement brusque, affreux. Heureusement la mise sur orbite fut parfaite.

University of London GCE Examination, Summer 1964

19 Warm welcome for an unexpected guest

Je descendais les dernières pentes de la montagne et, quoique le soleil fût couché, je distinguais les bâtiments de la petite ville vers laquelle je me dirigeais. Je m'adressai au paysan qui me servait de guide depuis la veille:

— Savez-vous où demeure M. Peyret?

— Mais oui! s'écria-t-il. Je connais sa maison comme la mienne et s'il ne faisait pas si noir, je pourrais vous la montrer d'ici. C'en est une bien belle, là-bas dans les vergers.

— M. Peyret l'habite-t-il seul? demandai-je.

— Bien sûr que non! fut la réponse. Ne saviez-vous pas que son troisième fils se marie demain?

Un de mes professeurs d'université m'avait conseillé de passer voir

M. Peyret. C'était un monsieur fort instruit, m'avait-il dit, qui serait bien content de me faire visiter tous les monuments historiques des environs. Or, cette nouvelle inattendue d'un mariage menaçait de déranger mes plans.

Je me trouvai bientôt en présence de mon hôte, petit vieux à la barbe blanche et aux yeux vifs. Avant même d'avoir ouvert la lettre que je lui portais, il m'avait invité à partager le repas familial. Mme Peyret et la domestique commencèrent tout de suite à mettre le couvert et j'entendis des bruits qui indiquaient sans aucun doute possible que quelqu'un était en train de tordre le cou à un poulet.

Welsh Joint Education Committee, Summer 1968

SECTION D

Translation into French

Part I Reproductions[1]

1 D-Day in Normandy (1)

A 1. I │ must │ go to the door.
   You │ ought to │ go for the children.
   │ │ ask them what is happening.
   │ │ close the shutters.
   │ │ do my (your) homework.
   │ │ learn English.

2. Tonight │ when I arrive home, I shall wash my hands.
   │ when I have listened to the news, I shall have supper.
   │ when I have read the newspaper, I shall do my home-
   │ work.
   │ when I have finished my homework, I shall go out.

3. Before │ going to the window, he dressed.
   │ opening the window, he listened to the soldiers.
   │ going down into the cellar, they went for the children.
   │ going back to bed, they talked to the English soldiers.

4. As soon as │ Mme Gondrée had heard the noise, she awoke her
   When │ husband.
   After │ he had got up, he put on a pair of trousers.
   │ he had opened the shutters, he looked outside.
   │ he had gone downstairs, he switched on the light.

5. [a] The sentinel, whom he had seen near the bridge, was dead.
   [b] The airmen who had come down by parachute were English.
   [c] M. and Mme Gondrée went towards the cellar door.
   [d] He asked the soldiers what had happened.
   [e] The soldiers turned round and answered him in French.
   [f] He wondered why they were each wearing a black mask.

[1] These exercises refer to the corresponding lessons in Section A.

B At 1 o'clock on 6 June 1944 Gondrée, the owner of the café at one end of a bridge over the Caen canal, was fast asleep.

A few minutes later his wife awoke him, and told him to get up and look out of the window.

After putting on a pair of trousers he walked to the window. All was calm. In the moonlight he could see the German sentinel on the bridge, and then suddenly he heard a great noise. As his wife was born in Alsace and spoke German fluently, he asked her to ask the sentry what was happening. The latter replied that there were parachutists quite near and just at that moment they heard gunshots.

Mme Gondrée went to get their two children, sleeping in the next room, in order to take them down to the cellar. On the way there was a loud knock on the door, and they heard German voices shouting on the pavement. They all went downstairs to the cellar and waited for a long time: when the firing ceased Gondrée went upstairs again to the first floor. As soon as he had got there he went to the window. Outside, beside the petrol pump, he saw two soldiers, and on the ground, a corpse. When he asked the soldiers what had happened they turned round and he saw that they were wearing black masks.

2 D-Day in Normandy (2)

A 1. [a] Gondrée had formerly worked in London.
   [b] There were two soldiers on the bridge: the one who had just spoken to him came to the door.
   [c] Before going down into the cellar, the soldiers seemed to hesitate.
   [d] The parachutists had seized the bridges and were attacking Caen.

2. This is | my sleeping bag which I have often used when camping.
           | my gas cooker which I have often used when making coffee.
           | the pan I spoke to you about yesterday.

3. As for provisions, I'll bring butter, milk, jam and eggs. What will you bring?
I'll bring bread, ham, lemonade, coffee, sugar and potatoes.
As for petrol, you can get it at the nearest garage.
As for water, we'll get it at that farm over there.
And each one of us must bring a knife, fork, spoon, plate, cup and saucer.

4.

He was	asked	to do it on 6 June.
	ordered	to go there before his departure.
	told	
	forbidden	
	allowed	
	advised	

B Gondrée then went silently towards the other bedroom, the window of which looked out on to the canal bank. After opening the shutters he looked outside. He saw two other soldiers who were looking in his direction.

"Are you a civilian?" asked one of them, in French.

"Yes, I am," replied Gondrée.

The soldier was speaking with a foreign accent, probably English, thought Gondrée; he had once worked in a British bank. But he didn't dare to speak English to them. At any rate they lowered their weapons, which they had pointed towards him. The one who had just spoken put a finger to his lips, and Gondrée nodded.

Gondrée went back to the cellar and told his wife what he had heard. A little later she climbed on to a heap of wood to look out of the fanlight; she could hear what the soldiers were saying, but she didn't understand a word of it.

Then Gondrée heard them speaking English. There was a vigorous knock on the café door; Gondrée ran and opened it. He saw two soldiers, with black faces, and one asked him if there were any Germans in the house.

"No," replied Gondrée, "you can come in and look round."

He showed them the cellar door, but they hesitated. Then he switched on the electricity and showed them his wife and children.

When he realised they were English soldiers he was so excited that he began to weep; and then very soon everyone began to laugh. It was obvious that the invasion they had waited for so long had really begun.

3 Timothy

A 1. Timothy allowed everyone | to tickle his ears.
He allowed him | to stroke his back.
He allowed them | to put his (their) arms around his neck.

2. I | approached | the tiger.
We | had approached | the keeper.
| moved away from | the cook.
| got rid of |

3. I | was interested in | the animals.
| became used to | my new life.
| | his games.
| | the French language.

4. This tigress isn't called Jeanne.
It isn't the one which you brought here six months ago.
It isn't the one which had become accustomed to zoo life.
This one arrived only a month ago.
Your uncle's tigress is dead.
This one is dangerous.

5. Tomorrow | I shall | go to the theatre.
The day after tomorrow | We shall | have lunch in a restaurant.
Next Tuesday | | drink a glass of champagne.
Next week | | get up early.
Next Christmas | | send presents to our friends.

B My grandfather used to go hunting when he was in India. One day he found a baby tiger under a tree and took it home. It used to lie comfortably on the sofa in the living-room, and would growl when anyone tried to move it. At night it slept in the cook's bedroom. When it was six months old, he decided to give it to the zoo in Lucknow, 300 miles away. It was becoming too big and people moved rapidly away from it when they met it in the street.

Six months later grandfather had to go to Lucknow and went to the zoo to see his old friend, Timothy. He went up to the tiger's cage and caressed its forehead and tickled its ears. When he saw that a keeper was watching him anxiously, he said, "Don't be afraid. I gave Timothy to the zoo six months ago."

"I didn't know that," replied the man. "I have only been here for three months."

Then grandfather recognised a second keeper and said to him, "You at least recognise me, don't you? You remember that I brought Timothy six months ago."

"But sir," replied the second keeper, "this isn't your tiger. Yours died three months ago. This one is very dangerous."

Grandfather carefully withdrew his arm from the tiger's neck, and walked away, trying to look as if nothing had happened.

4 The stolen purse (1)

A 1.

I pulled out the		and		it	to	her.
fable		gave	showed			them.
purse						
vegetables		offered	them			
50-franc note						

2.

I	have	just	crossed the street.
	had		lost my purse.
			bought a lettuce.
			recognised the red handbag.
			put the cabbage in my bag.

3. [a] Where is my | watch ? | I had put it on the table.
                      purse ?
                      key ?

[b] She has pulled out my | watch; | I have recognised it.
                         purse;
                         key;

4. Take	the	book	to the	school.
Bring		man		police station.
		dog		station.
		woman		library.
		briefcase		post office.
			away.	

4. [a] We were going shopping at the street market.
     [b] We were going to buy cabbages, potatoes and beans.
     [c] Violette suddenly became quite pale, because she had lost her
          purse.
     [d] Someone had evidently stolen it.
     [e] "There are not so many red purses," I cried.
     [f] Violette said that she would never dare to return home.
     [g] "Don't cry," said I, "we'll go to the police station."
     [h] On the way Violette saw her purse.
     [i] Her friend told her to catch the woman, and to tell her that the
         purse was hers.

B Violette and Aline were buying vegetables at the market, when
Violette cried, "I've lost my purse. I put it on the potatoes whilst I
was choosing a cabbage, and it's disappeared."

"Someone must have stolen it," said the shopkeeper. "You must
go to the police station at once."

On the way to the station Violette suddenly stopped. "There it is,
my red purse," she cried. "That woman has just put it in her
pocket."

"Ask her for it," said Aline. "I daren't," was the reply. "Well, I
certainly will," said her friend, and she ran up to the woman, who
was wearing a grey coat and carrying a string bag.

5 The stolen purse (2)

A 1. It's true that | someone has | stolen | the money | from | her.
| I have | taken (away) | the purse | | them.
| | borrowed | the fable | |
| | snatched | the watch | |

2. That lady has put Violette's | purse | in her pocket.
| | fable
| | watch
| | handbag

She has | stolen | it from her.
| taken
| borrowed
| snatched

3. [a] This is my | purse. | Show us | yours!
| watch. | | hers!
| bag. | | his!
| scarf. |

[b] This bag belongs to | me; it's mine.
| him; it's his.
| *etc.*

4. She had advised | Violette | to go to the police station.
| her mother | to run after the lady.
| her friends | to shout for help.
| her |
| them |

5. This must really be the most | interesting | newspaper | in | France.
| amusing | magazine | | England.
| serious | | | the
| | | | world.
| | | | Canada.
| | | | Scotland.
| | | | Wales.

6. He was	very interested in	French newspapers.
We were		German stamps.
They were		politics.
		the women's page.
		the theatre.
		the news.
		the sporting pages.

B "Give me back the red purse which you have just stolen from my friend," said Aline.

"You're lying," replied the woman. "I've never seen a red purse! This one is mine," and she pulled a black purse out of her pocket.

"It's in the other pocket," cried Aline. The crowd had encircled the woman and she was obliged to pull the red purse out of her other pocket. "It's mine," she cried.

"I can tell you what there is in it," said Aline. "There is a 50-franc note and the fable of the Hare and the Tortoise. I copied it last night. I gave it to Violette a few minutes ago."

And it was true. The woman blushed, gave the purse back to Violette and ran off.

6 Renoir (1)

A 1. They had been hunted by the soldiers.
He had been chased by the police.
We have been pursued all day.
Rigaud would have been arrested if he had not met Renoir.
Renoir would have been killed if he had not met Rigaud again.

2. He had escaped by | jumping on to the balcony.
| getting on the first train.
| hiding in the forest.
| disguising himself as a painter.

3. Renoir would	sometimes	paint in the forest.
	usually	give food to the animals.
	often	become angry and shout.
	always	

4. The animals had | come up to Renoir whilst he was painting.
| gone away when he shouted.
| become accustomed to his presence.

5. [a] He was sitting quietly by the river.
   [b] He had given the animals some pieces of bread which they had soon eaten.
   [c] I went away from him when I heard the noise.
   [e] Rigaud's voice trembled as he spoke to him.
   [e] His eyes were tired.
   [f] He had just decided to give himself up.
   [g] When Renoir was painting, he was so happy that he neither saw nor heard anything.

B Renoir, the famous French artist, often painted in the forest of Fontainebleau and never paid any attention to what was going on around him.

The deer had become used to this visitor and would watch him whilst he was painting. They often prevented him from working, and he would cry: "Why don't you let me paint?"

One day the animals did not arrive and he wondered why. Then a man came out of the bushes. His clothes were torn and dirty and he looked very tired. Renoir decided to defend himself with his stick, but the stranger stopped and begged him to help him, as he was dying of hunger. He said that he was a republican journalist who had escaped from the imperial police by jumping on a train which was leaving Paris: "I have been wandering for two days in the forest and I'm about to give myself up to the police. Would you please give me something to eat and drink?"

Renoir borrowed a painter's smock from a friend and said: "Now you can pretend to be a painter. No one will dare to ask questions."

Rigaud stayed several weeks with the painter, then he managed to escape to England, after thanking his friend Renoir for his kindness.

7 Renoir (2)

A 1. [a] He had succeeded in | attracting Rigaud's attention.
| escaping from the crowd.

[b] Renoir had helped Rigaud to escape to England.
Now Rigaud helped Renoir to escape from his execution.
[c] He was lucky. They might have drowned him or shot him.

2. I | wanted | to be present at the match.
     | hoped | to follow him to the town hall.
     | preferred | to wear a magnificent uniform.
     | didn't dare |

3. I saw him | painting by the Seine.
             | seized by the guards.
             | led away to the town hall.
             | freed by Rigaud.

4. Was Renoir a painter or a journalist?
   Was Napoleon a king or an emperor?
   Was Ney a colonel or a marshal?
   Was Dumas a novelist or a teacher?
   Was Schweitzer a doctor or a chemist?

5. One can | stay in a café as long as one likes.
           | drink as much coffee as one wishes.
           | read as many newspapers as one likes.
           | play draughts, chess, ping-pong.
           | use the telephone.

6. One | can | amuse oneself | chatting.
       | could | | reading.
                             | watching the passers-by.
                             | drinking cups of coffee.
                             | playing cards.

B A few years later Renoir was again painting but this time on the bank of the Seine. Paris was defending itself against the army of Versailles. Suddenly a national guard began to suspect Renoir of being a spy, who was making a plan of the Seine. When he told the other soldiers what he had just seen, a threatening crowd assembled around the painter. Some had the idea of drowning him; others wanted to shoot him. So they took him to the nearest town hall, where a firing squad awaited him. Renoir was now really afraid but fortunately on the way to the town hall he saw his friend Rigaud, whom he had saved from death a few years before.

Rigaud was now evidently an important man, as he was wearing a tricolour scarf, and was followed by a crowd of officers. When Rigaud saw Renoir he shook his hand and the attitude of the crowd changed at once. Renoir was led in triumph to a balcony overlooking the square, and presented to the crowd, which sang the *Marseillaise*.

When Renoir explained to Rigaud why the guards had seized him and what they had intended to do, he said: "That's an extraordinary story. You must have been very frightened." "You are right," said Renoir. "I was certain I was going to die. However, here I am." They looked at each other and burst out laughing.

8 Dr Schweitzer arrives in Lambarene

A 1. After arriving at the landing stage, he shook hands with the missionary.
2. He spent his whole life healing the sick.
3. He said that he would never be able to cure the sick if he had no hospital.
4. It was hardly possible to operate without the help of the missionary; so he invited him to help him; and they managed to change a hut into a hospital.
5. Later Schweitzer had a hospital built.
6. After putting ten beds in the hospital, he managed to begin his work.
7. If the sick man died, no one would have confidence in Schweitzer.
8. "I have told the Africans not to bring their sick friends for the next three weeks."
9. After receiving the Nobel Prize he enlarged the hospital and improved the medical services.

B Dr Schweitzer was born in 1875. He was a remarkable man, a splendid musician and a brilliant doctor. In 1913 he landed at Lambaréné in Africa. He had decided to fight against tropical diseases and to help the natives. When he disembarked he was met by a missionary who said that he would have to build a hut for a hospital. "You can do it in three weeks," he said, "and I've told the inhabitants not to bring any sick men until you have finished it."

But at that moment a loud noise was heard, and the missionary said, "I'm afraid you have a patient." The doctor examined the patient and said, "I must operate at once. Will you help me? The henhouse will serve as a hospital."

The native was astonished when he opened his eyes after the operation. He said, "I'm cured. I've no more pain." And he went away delighted. The doctor soon acquired a wonderful reputation and he stayed for the rest of his life at Lambarene.

He was awarded the Nobel Prize in 1951.

He died a few years ago.

9 Their first flight

A 1. [a] What do you think of | this | car?
| | that | play?
| | | book?
| | | author?
| | | aeroplane?
| | | engine?

[b] She was thinking | of the film she had just seen.
| of what her mother had said to her the day before.

2. How long does it take to | reach London Airport?
| fly across the Channel?
| reach Orly Airport?
| arrive at the Invalides Station?

3. If I had plenty of money I would buy | a new car.
a new aeroplane.
an old house.
a beautiful painting.
a fine camera.

If I had central heating I should be much warmer.

4. He saw the aeroplane | take off.
climb into the sky.
fly several times around the farm.
land on the runway.

5. They | have | just | arrived at the airport.
had | found their seats.
put on their safety-belts.
finished eating.
fallen asleep.

6. After | arriving at the airport
Before | finding their seats
putting on their safety-belts
falling asleep
going through the customs

B One day Madeleine and Michel asked their father, who was an aviator and owned a little two-seater monoplane, to give them their "air baptism".

"I've been thinking about that for some time," said M. Misbert, "but we must wait for a fine, calm morning."

They invited their friend Charles but he said, "Thanks very much, but my grandparents won't allow me to accompany you."

A few days later Madeleine and Michel made their first flight. It was a beautiful morning, quite calm, but they were a little afraid when the plane took off. However, they soon forgot their fear and looked at the landscape beneath them. They could see green valleys, roads and railways. They landed gently and Charles, who was waiting for them, asked them a lot of questions.

His grandmother wouldn't allow him to fly, so his grandfather went up on a windy day and liked it. He said, "If only I were young, I would become a pilot." He finally persuaded his wife to allow Charles to fly, and so Charles received his "air baptism".

He was delighted when he returned to earth.

10 The rich uncle (1)

A 1. There are many gold mines in Africa.
There were three nephews at the station.
There will be a match tomorrow at 2 p.m.
Give me some grapes. There aren't any.
There has been an accident.
There had always been a farm on this spot.

2. [a] Take out your cheque-book, open it, write a cheque for 10,000 francs and give it to me.
Let's ask him to stay with us.

[b] Let's | look round the new flat.
| go into the kitchen.
| go back into the sitting-room.
| sit in front of the fire.
| drink to your health and good fortune.

3. What a fine | café!
| bank!

What fine | children!
| cars!

How | beautiful | it is!
| terrible |
| wonderful |

4. [a] He has (just) had | a house built.
his new flat decorated.
three rooms repainted.
the man arrested.
his hair cut.

[b] Philippe had just replaced | the old electric switch.
most of the old wires.
the old washing-machine.
the old electric lights.

5. They | have | been | married | for | a week.
had | | ill | | three years.
| | | | a long time.
| | | | too long.

6. I was sure that he was too | cold | to want to help me.
hot
hungry
thirsty
afraid
ashamed

B The three nephews had gone to the station to wait for their rich uncle, who had written to them to say that he was coming back from America. There was also the widow of the fourth nephew, killed in the war, but she was poor, and the wives of the other three paid no attention to her.

"It is quite evident," said the eldest nephew, "that uncle will want to live with us. I've had central heating installed in the whole house."

"But we have had our house repainted, on purpose," said another nephew.

Then the train arrived and the three nephews were very disappointed because Uncle Michael got out of a third-class carriage, he didn't want a porter, and he said that he had lost all his money at the bottom of the ocean in a storm.

But he seemed very pleased to be once more in his native land.

10 The rich uncle (2)

A 1. [a] If you come to see us, we shall be very pleased.
If you came to see us, we should be very pleased.
If you had come to see us, we should have been delighted.

[b] When you come to see us, we shall have finished our work.
When I have bought the car, I will come to see you.

[c]
If you	will	read	it, I	will	give	it to you.
	would	sing		would	send	
		eat			sell	
		drink				

2. [a] The other nephews hardly spoke to the poor widow.
[b] They saw the engine and first-class carriages pass by.
[c] I've only a single suitcase and there's almost nothing in it.
[d] There was a storm in the middle of the ocean.
[c] I could have put my dollars in this bank if I hadn't lost them.
[f] If you wish to stay with us, our house will be yours.
[g] "Perhaps you would like to stay with us," said the widow.
[h] Why aren't there any cars for hire?
[i] He soon bought a magnificent automobile.
[j] It was a long time before the other relation regained their
health.

B The three nephews went home as quickly as possible, but the widow
told Uncle Michael that he could live with her as long as he liked.
"I want to hire a car," said Michael.
"There aren't any cars for hire near the station," said a waiter at
the station restaurant.
"Well then, I'll buy that one," said Michael, pointing to a beautiful
new car behind a window.
"How much is it?"
"70,000 francs," said the astonished salesman.
"Agreed," said Michael and he filled in a cheque with his gold pen.
Everyone watched him as he drove the car through the open win-
dow, and told the widow and her little son to get in.

All this made a very bad impression on the three nephews. When they heard what had happened, they fell ill.

"If only I had waited a little longer at the station," said the eldest, "I should have seen the fine car he bought. What a fool I am!"

11 Jazy

A 1. You will try out your new shoes as soon as we have arrived.
   You will trot for ten minutes as soon as you have put them on.
   You will put rolled-up newspapers in them as soon as you have finished.
   We shall train in the hotel, as soon as we get up.

2. Mimoun said to Jazy that:
   [a] If he put on new shoes for a race, his feet would hurt.
   [b] If he didn't buy good laces, they would break.
   [c] If he didn't put corks on the spikes, he would cut himself.
   [d] If he didn't train every day he would lose three or four days' progress each time.
   [e] If he didn't get up early he wouldn't have the time to train.
   [f] If his shoes inconvenienced him, he would have to buy another pair.

B On the way to Melbourne the two runners stopped at Los Angeles and Mimoun invited Jazy to share his room in the hotel. As Jazy was unpacking, Mimoun asked him how many pairs of shoes he had. Jazy replied that he had only two.

"Which one do you wear if it's raining?"

"The one with long studs," said Jazy.

"And when the track is hard?"

"The one with short studs."

"You must never wear a new pair of shoes for a race, and you must always have perfect shoes. You must be very careful about everything, even the laces."

Then Mimoun explained that he had eight pairs of shoes and several pairs of shorts, and chose for each race exactly what was necessary according to the weather. He said that he had trained better than anyone, and that he had always followed a strict diet.

Next morning they got up at 5.30. Mimoun said that they had to train every day. If they stopped the training even for one day, they would lose three or four days' progress. As the nearest track was seven kilometres away, they would have to run in the hotel. And so, after putting on their shoes, they ran along the corridors for an hour. Jazy realised at last what the career of a champion demanded and he never forgot Mimoun's advice.

12 During the German occupation

A 1. [a]

They were waiting for	the Germans.
I shall wait for	the news.
We were looking for	the evening newspaper.
I was looking at	the refugees.
	the photos.
	the spy.

[b]

We were listening to	the Voice of London.
	the radio.
	the refugees.
	the news.

[c]

The refugees	asked for	help.
The prisoners of war		news.
		money.
		radio sets.

2.

The eve of	the battle
The day after	the examination
Two days before	the performance
	the picnic
	the match

3. [a] In November 1942 I went to live in the same house in which my old friend had lived.

[b] I remember the news of the victories which the allies had won in Russia, Africa and Italy, and which I heard on the radio.

[c] My wife often became anxious and asked me to listen to the Voice of London.

[d] After listening to the radio I usually began to write again.

[e] In the afternoon I almost always walked in the same direction, towards the vineyards planted with tall vines.

[f] I often stood on the bridge which crosses the Garonne and looked at the Pyrenees covered in snow.

[h] It was a very beautiful place.

[i] Each one hoped that the end of the war would soon come.

[j] All I could do was to encourage these unknown friends.

[k] I never wanted to visit the photographer, who was a well-known spy.

4. We | resolved | to go to | Germany | to learn to speak | German.

We	resolved	to go to	Germany	to learn to speak	German.
	decided		Russia		Russian.
	tried		France		French.
	promised		Spain		Spanish.
	intended		Italy		Italian.
			China		Chinese.
			etc.		*etc.*

B On 11 November 1942 the Germans occupied the *zone libre* and Dorgelès went to live at Montsaunès, a village in the Pyrenees. Every evening he would sit in his comfortable living-room, in front of a big wood fire, and listen to the radio, which brought hope from London to the French people. From 11 November it brought only good news for it was on this day that the Allies landed on the North African coast. It was in this room that he heard of the Russian victories, the defeat of Rommel and the fall of Italy.

During the day he wrote his novels, until the end of the afternoon, when he would often go for a walk across the fields, amidst one of the finest landscapes in France.

However, when the west wind was blowing he sometimes walked to Salies, the nearest town, and then many people stopped him to ask for news of the war. He walked as far as the photographer's studio in the central square, but he never went in, for he had been warned that the man was a spy.

13 The burden of gratitude

A 1. Mahmoud thanked the captain for | the horse.
the two camels.
the money.
the donkey.
the recommendation.
the gramophone.

He thanked him for | it.
them.

2. They needed | a horse.
some wine.
some water.
some money.
two camels.

3. I can | play | tennis, football, hockey, etc.
I can't | | the piano, a violin.
a guitar, etc.

4. I | had to | check | the tickets.
shall have to | count | the arrivals.
should have to | | the departures.
the luggage.
the travellers.
the spoons.

5. [a] He told his friend that he had been a guide.

[b] The latter asked him if he had enjoyed himself.

[c] Some of the women forgot their luggage; some of the men got up late.

[d] Several travellers didn't like the food; most of them refused to give him a tip, but he still had to help each one.

[e] His friend said that he had worked on a farm, and that in spite of all the mechanisation, he was so tired on Sundays that he had to stay in bed.

B One day I fell into the river which was flowing rapidly because of the torrential rain. I was saved by a Bedouin called Mahmoud.

He refused to accept a reward. But I felt that I must reward him, so I bought a horse and sent it to him.

A week later he came to see me, and I asked him if he had received the horse. He thanked me for it. After smoking for some time he asked me to give him two lambs.

A fortnight later he reappeared and after sitting on the floor for two hours he said that he needed a donkey.

After that he came daily.

He wanted to go to Sfax. Would I give him the money for the journey? I began to be anxious. He took away money, animals, grain, my gramophone. Finally he brought all his family and stayed with me for the winter.

When he asked me for my sewing machine I said, "Mahmoud, I'm waiting for the next storm. When it arrives, I shall jump into the river and save myself. After that I shall owe you nothing more."

14 Rescue in the snow

A 1.

It	is	not	a question of	awakening the garage-man.
	was	no longer		handing over the sick man to him.
		never		losing half an hour.
		hardly		

2.

He had to	pull the sledge.
They had to	

I shall have to	forget the cold.
	examine the sick man.

They will have to	go to the barn.
I was able to	bring out the car.
I would have liked to	set off for the hospital.

3.
My	head	was	hurting me (him).
His	neck		
	shoulder		
	———	———	
	arms	were	
	legs		
	feet		

4.
He	lost	half an hour	getting out the car.
	spent	an hour and a half	examining the sick man.
			awakening the garage-man.
			looking for the road.

5.
As soon as	he had	knelt down	he whistled.
		examined the wounded man	
		arrived at the main road	
		cast a glance at the invalid	

6.
Without	losing any time	I decided to set off again.
Before	regaining my breath	
	waiting for the garage-man	
	looking at the tyres	

7.
He	has	been	skiing	for more than	half an hour.
	had		skating		two hours.
			learning to dance		three weeks.
			water-skiing		ten years.
			playing chess		

8.
I have been	warm	all day.
He had been	cold	
	hungry	
	thirsty	
	sleepy	
	afraid	
	ashamed	

15 Les coureurs

A 1. After putting their cycles in the shade the two cyclists sat down at
   a table.
2. "You must be very hot," the man remarked.
3. "We have just come from Paris this morning," Broudier replied.
4. "How far is it to Paris?" "It's about 350 kilometres."
5. "We were thinking of dining at Montbrison. How long will it
   take us to get there? We have to meet some friends."
6. After bringing their machines to the edge of the road the two
   cyclists slowly mounted.
7. After dismounting they walked up the hill, pushing their cycles.

B It was a very hot day. The two young cyclists had set off by train
from Paris the night before, had got off at Nevers and had spent the
night in an inn. After cycling all morning they had a good lunch and
two bottles of wine. They remounted and arrived after two hours at
an inn, where they decided to stop to rest and quench their thirst.
   A man sitting at the next table asked them where they had come
from. They pretended they had come from Paris the same day. The
man was very astonished, and even more when they said they intended to reach Montbrison the same evening. They then pretended
to be professional cyclists. Broudier explained that his friend was the
champion of Latin America. The man was speechless. He thought
that he would never see such men again, so that when they left the
inn he followed them as he didn't wish to miss their departure.
   They set off up the little hill, but as it was very hot they soon
dismounted and walked together slowly, wiping their foreheads.
   The man who was watching them didn't know what to think.

16 A street accident

A 1. The policeman | approached | the accident.
   The pedestrians | moved away from | the two taxis.
   | | | the witness.
   | | | the victim.

2. No one had seen the lady in the taxi.
   The lady had spoken to no one.
   No one wished │ to act as a │ witness.
   I didn't want │   │ driver.

3. We have just seen an accident.
   A taxi has just collided with a bus.
   The bus had just come into the avenue de Friedland.
   The taxi-driver had just lit a cigarette.

4. I │ am   │ interested in │ everything.
     │ was │   │ politics.
     ─────   literature.
     We were │   traffic.
                              sport.
                              children.

5. We   │ took pity │ on the │ victim.
   They │   │   │ bus-driver.
                             witness.
                             spectators.
                             child.

6. I │ asked   │ him │ to │ pay for │ the car.
     │ advised │ her │   │ look for │
     │ forbade │ them │   │ wait for │
                           ask for
                           look at

B A few weeks ago, at about 3 o'clock in the afternoon, there was an
accident in the avenue de Friedland, near the Arc de Triomphe.
Suddenly there was a loud noise and cries. An autobus had just
collided with a taxi. Fortunately the lady in the taxi was not badly
hurt. She had cut her lip. She was sent to the chemist at the corner of
the street.

Many people had seen the accident; they were all interested in the
technical discussion about the Highway Code which immediately

started between the two drivers. When a policeman arrived he asked for witnesses but no one wished to serve as a witness. The people looked at their watches and moved quickly away.

Fortunately for the policeman, a young man, Villiers-Bernard, who had seen the accident from a window, took pity on him, and offered to serve as a witness. The policeman asked him for his papers, examined his identity card and gave it back to him with a severe look, as if he was going to arrest him for murder.

"Well, well," said Villiers-Bernard to himself, "I've just done a foolish thing. I shall now have to serve as a witness. What a waste of time!"

17 The lost handbag

A 1. M. Bastide had just lost his job.

| Mme Bastide | had just | lost a bag. |
| Louis | | returned home. |

I have just seen the bag.

2. I have been out of work for six months.
   She had been looking for the bag for three hours.
   Louis had been waiting for her for three quarters of an hour.

3. She was too | tired to look for the bag.
   | confused to know what she was doing.

He was too | young to be able to help his mother.
   | frightened to be able to look for the bag.

4. [a] It was easy enough to remember where she had been; she had only been to the pork-butcher's.
   [b] She had only put her bag down a moment whilst paying the bill.
   [c] He asked her if she had lost her bag.

[d] "This isn't your bag," the curé said. "It's the one Mme Jeannot left here last night. Yours is red, but this one is black."

[e] She wondered if she had let the bag fall before or after leaving the pork-butcher's shop.

5. She didn't

want	to	take	the money	from	M. Bastide.
dare		steal	it		him.
like		borrow	the 50 francs		Mme Bastide.
intend		snatch	them		her.

6. He has taken

some of	his	pupils	to the zoo.
each of		sisters	
all (of)		friends	
		relations	
		dogs	

B "Where have I put my handbag," said Mme Bastide one evening. "I can't find it anywhere."

She asked her son if he had seen it. He replied, "You had it this afternoon at the pork-butcher's. I saw it then."

"I know I did," replied his mother, "because I remember that I paid the bill."

Suddenly she had an idea. "My bag must be here for my keys are in it. How could I have got into the flat without my keys?"

But then she remembered that she had left her keys with the concierge when she went out shopping, because the man from the gas company was coming to read the meter.

"Either I must have let it fall or someone must have stolen it," she said. "This is really terrible. There was a 50-franc note in it. What shall I do?

Her son was too terrified by the size of the loss to speak. Fifty francs at his age was a fortune. Finally his mother decided to go to the police station and in half an hour she came back happy, for a man had found her purse and taken it there.

1   M. Marigny's family   (1)

M. Marigny lives in the suburbs of Paris, in a large old house in a busy street. He is a baker. His eldest daughter, Dominique, who is twenty-one, is a shorthand typist and works as secretary to the director of an insurance company. She has blue eyes and fair hair. His youngest daughter Germaine, who is only nine years old, still goes to the primary school. She has red hair and grey eyes. Her brother Jean is sixteen and goes to the technical school. He is dark like his father, with black hair and eyes. They all work very hard, except Germaine, who is too young and a little spoilt, and they all seem very happy.

2   M. Marigny's family   (2)

M. Marigny, the baker, has to work very hard. He usually gets up at 3.0 a.m. and after washing and dressing, begins work. The bread must be ready by 6 o'clock, when his customers begin to arrive. His wife doesn't get up until 7 o'clock and then she prepares the breakfast. They all drink coffee except Germaine who prefers to drink milk, and they eat bread, butter and jam. After breakfast, the children set off for school. Germaine walks to the primary school, but Jean has to go by bus to his technical school, which is six kilometres away. Dominique has her own little car, a Citroën, and likes to drive to work. They have all disappeared by 7.45. Germaine and Jean come home for lunch, but Dominique has lunch with her fiancé, Jacques. They hope to get married next year.

3   M. Marigny's family   (3)

M. Marigny's children are all very different and have different ambitions. Jean wants to be an architect. He would like to design beautiful houses and huge blocks of flats. He thinks he could build better buildings than

Le Corbusier, the famous architect. He likes to play tennis, is a very good swimmer and loves to play on his old guitar. He is not interested in politics at all. Dominique is very interested in music, and is engaged to a young music-teacher at the Conservatoire de Paris, which is perhaps the best school of music in Europe. Her fiancé Jacques is already a well-known pianist and travels all over Europe and America. When they are married, she will no doubt accompany him on his journeys.

Germaine is really too young to know what she wants to do, but she says that she wants to be a nurse, for then she could marry a doctor or a surgeon as she thinks they are wonderful. She has been watching a series of television plays about a young country doctor called M. Servan for about three months.

4

Paris, 2 December 1970

Dear Mother,

You forgot to give me the money that you promised me. Before I got into the train at Victoria station, I looked for you everywhere, but you must have arrived too late.

Fortunately, I have enough francs for the moment but at Christmas I shall have to spend all my money buying presents, so please send me as much money as possible before 15 December.

I broke my watch at Dover when I was getting out of the train. You said once that I could have your old watch and I should be pleased to have it now, if you do not need it any longer. I saw it last week in your drawer.

I shall write to Grandfather later.

Your affectionate son,
Maurice

5 A pleasant surprise

Chantal: You look very happy today, Marianne, what's happened?
Marianne: Well, have you forgotten? It's my birthday and I was given a lot of presents this morning.

Chantal: Many happy returns. Which one did you like best?

Marianne: I think I prefer the stamp album and the large packet of stamps which I received from Uncle John.

Chantal: Did he give them to you? He lives next door, doesn't he?

Marianne: No, he's moved to a house in the country. He sent them to me by post. I received them this morning. When the postman arrived I ran to the door and he had two parcels and ten letters for me. I opened the parcels first and found the stamps. I've brought them to show you. Look at this German stamp; and the date, 1931. And this one is even older. It's a Spanish stamp and was posted in Madrid in 1929. And this one is Danish and very beautiful.

Chantal: I like that one better. Is it a Japanese or Chinese stamp?

Marianne: I don't know. It's either the one or the other, isn't it? I must ask my father.

Chantal: Well, you'll spend several pleasant hours sticking them all in your album. I'd like very much to help you.

Marianne: Of course, come and have tea after school. I was going to invite you in any case.

6 Eye-witness

This afternoon I received a visit from a police inspector.

"So you saw what happened at the airport this morning?" he asked.

"Yes, I did. I saw everything."

"Where were you?"

"I was standing in the corridor, looking out at the planes which were landing and taking off."

"What did you see then?"

"I saw two men rushing up to a plane of Air France. One was carrying a small suitcase."

"Can you describe them?"

"Yes, I had already seen them in the corridor. One was tall and fair; he was wearing a black suit and hat. He was about thirty. The other was much older, about fifty. He was wearing dark grey trousers and a light grey pullover, a red scarf and a navy blue beret."

"Which one was carrying the suitcase?"

"The one in a black suit."

"What did they do?"

"When they reached the plane, they looked all around, but there was nobody there. So the young man opened the suitcase, took out what looked like an alarm clock and fastened it under the plane. Then they both ran off at full speed. It was then that I decided to phone the police."

"Thank you very much, sir. I would like to congratulate you on your intelligent observation. Your description will help me to catch them. If you hadn't told the police the plane would have blown up."

7 Loss of memory

The professor opened his eyes. He was sitting on the steps of the Church of the Sacred Heart in Montmartre. He felt ill and confused. Why had he come to this part of Paris? He couldn't even remember why he was in the capital. He came there once a month to the War Ministry, and usually stayed at the Hotel Royal. So he decided to take a taxi to this hotel. When he arrived there, he got out of the taxi and went up to the reception desk. The receptionist seemed very surprised to see him.

"What's the matter?" said the professor, "you look at me as if you had seen a ghost."

"But, sir, according to the newspapers, you disappeared a fortnight ago, whilst you were in Switzerland."

Then he rushed off and returned with the manager, who said, "I'm very surprised to see you, but of course, it's an honour. Come into my sitting-room."

After sitting down, the professor said, "I don't understand anything. During the last half hour I have the impression of living in a bad dream. I have a room in your hotel, haven't I?"

"You have always a room here, but you seem to have forgotten that you left us three weeks ago to go to Berne, and that you took all your luggage with you. Don't you think I had better call a doctor?"

"Yes," replied the professor, "and you had better call the police as well. It's quite evident that I've lost my memory, and that I had better find out as quickly as possible what I've been doing during the last three weeks."

8

Dear Father,

I am so tired of hotel life that I am going to take a flat in a quiet little street about three miles from the centre of the city. The house is five storeys high and my rooms are on the third floor. The bedroom is rather small, only ten feet wide and thirteen feet long, but the living room is larger. The rooms, with breakfast, will cost me 50 francs a week, and I think they are cheap. The day before yesterday, coming back from my French lesson, I met M. Robin, whom I had not seen for a long time; he has changed very much and seems at least ten years older. His hair is quite white. He came home with me, and in the evening we went to the theatre. I found the play much easier to understand than I expected. Now I must stop, as it is getting late, but I shall write again next week. Thanks for the 100 francs which I received yesterday.

Your affectionate son,
Henry

9 A visit to Hungary

When I came back from my visit to Hungary everyone wanted to know what I had been doing, what I had seen, what I thought of the hotel and the people I had met and what I had bought in the shops.

"I can't answer so many questions at once," I said. "But I'll try to answer them in turn."

Most of the people seemed very pleasant; some of them looked at me as if I were a spy, but many of them smiled at me when they knew I was English. I had three guides and each of them took me to see the most famous buildings in some of the big cities. I liked best the old Parliament building in Budapest. I stayed in four hotels; each one was very clean and the food was quite good.

I visited several schools. In each one I noticed that the discipline was very strict and that the children worked very hard. In one village school all the boys wore a kind of smock, and all the little girls wore an apron.

I couldn't buy anything in the shops because I hadn't enough money, but I was given some presents by friends I had met on my previous visit. I'll show you some of them tomorrow, but that's all I can tell you today.

10 Homecoming (1)

M. and Mme Dufour had spent their summer holidays in Cannes, on the Côte d'Azur. When they arrived at the Gare St.-Lazare they waited half an hour for a taxi. When they arrived home M. Dufour paid for the taxi and they made their way towards the front door. It was dark.

M. Dufour: That's very strange. There isn't any light in the house. The maid must have gone to bed. I can't hear anything either.

Mme Dufour: Did you write to Annette to tell her that we were coming home today?

M. Dufour: Yes, I'm sure I did. I remember writing the letter in the hotel bedroom.

Mme Dufour: But did you remember to post it?

M. Dufour: Yes, I'm sure I did. Oh, good heavens! What's this in my pocket? I've forgotten to post it after all.

Mme Dufour: That's very stupid. Now the house will be cold. There will be nothing to eat or drink.

M. Dufour: I'm very sorry. I'll turn on the central heating at once. Then I'll ask our friend and neighbour M. Giraud to lend us some food. (*They opened the door and M. Dufour switched on the light in the sitting room.*) What has happened? There's no furniture in the sitting room. (*He ran to the telephone and dialled the police.*)

(*to be continued*)

11 Homecoming (2)

M. and Mme Dufour looked in all the rooms. The furniture had been stolen; even the carpets had been taken away. The big clock, which Madame's mother had given them as a wedding present, had disappeared. In the kitchen there was no 'fridge, no washing machine, no vacuum cleaner. There was nothing at all.

Without waiting for the police, M. Dufour dashed into the house next door, and explained what had happened to his friend, M. Giraud.

M. Giraud: But this is terrible. We saw a removal van yesterday in front of your house. but we thought that perhaps you had bought some new furniture. We both had a bad headache, and so went to bed in the afternoon. But look, here are the police.

(M. Dufour returned home and met two policemen.)

Inspector: Good evening, sir. You have been burgled? I would like first to ask some questions. At what time did you arrive home tonight?

M. Dufour: At about 8 o'clock.

Inspector: How long had you been on holiday?

M. Dufour: About a month.

Inspector: Where is your maid?

Mme Dufour: I don't know. She ought to have been here when we arrived.

Inspector: How long has she been working here?

Mme Dufour: About two months.

Inspector: Could you show me her photograph?

M. Dufour: Yes, certainly, before going away on holiday we took a photograph of her in front of the house. She was sitting in a chair at the door and she never knew she had been photographed.

(He took out the photo from his wallet and handed it to the inspector. The latter looked at it and evidently recognised the woman.)

Inspector: My poor M. Dufour. This is Annette Delbos, a well-known criminal. You should take more care when you accept new servants.

Mme Dufour: It's my fault, inspector. She came to the door and asked for work. She wanted to help her poor old uncle. This is a terrible lesson for me.

Inspector: Well, perhaps we'll catch them if we act quickly enough.

12 A strange house

On reaching the house, the address of which had been given in the telegram, the traveller was very surprised to see no one in it, but going into a big room, about 30 feet long by 20 feet wide, he found a good fire and a table laid for a single person. As the rain and the snow had soaked him to the skin, he went up to the fire to dry himself. He waited there a long time. Finally, at 11 o'clock, as no one had arrived and he could no longer resist his hunger, he sat down at the table and began to eat. He ate some slices of bread and butter, some ham, and cheese, and drank a glass of wine. After he had finished he left this room, crossed several

other big rooms, and went into a bedroom where there was a large bed.
As he was very tired, he closed the door, undressed and went to bed.
He fell asleep almost immediately, but was awakened a few hours later
by a loud cry. It appeared to come from the room in which he had had a
meal. But when he arrived there the room was empty. "This house is
haunted," he said to himself. "I had better leave at once in spite of the
bad weather."

13 Our oldest inhabitant

In our village there is a very old man. He is 99 years old and was born in
1871, in Paris, whilst the Germans were attacking the city, during the
Franco-Prussian war. His family left the capital and went to live in the
Vosges, near Epinal. They bought a farm and he has lived there ever
since. His wife died 30 years ago, in 1940. He speaks German better
than French, because in Lorraine all French people had to learn German. However, I often speak to him in French. Last Tuesday I met him
near the church, and said:

"How are you today, M. Jeannot? You look tired."

"I'm not a bit tired," he said. "I never felt better in my life."

"Did you read in the paper this morning the news about the floods in
Germany?"

"No, I didn't, young man. (I'm 65.) I can't read and I can't write."

"Oh, did you never go to school then?"

"No, I didn't. We hadn't any time to lose in learning such things.
Very few people could read in this village in my youth, and no one in
my family knew how to write."

"What is your most pleasant memory, in your long life?"

"Oh, undoubtedly, it was when I got married. My wife was so
beautiful and always gay and happy. We thought life was wonderful
even if we had to get up at 5.0 a.m. and begin work at 5.30. But hard
work never killed anyone."

"What kind of work did you do?"

"I worked on a farm. I had to look after the animals, the cows, horses
and pigs. I had to plough the fields and sow the corn. In autumn I had
to help with the harvest. And we hadn't any tractors or other machines."

262

14 The box of chocolates

Mme Duval was very anxious. She had sent a box of chocolates to her nephew Alain, and he had not received it. So she went to the nearest post-office, and explained what had happened to the same employee to whom she had given the box.

"When did you give me the box?" he asked her.

"A fortnight ago," she replied. "I had two parcels, one big and one little, and I gave you both at the same time. The little one has reached its destination. I wrote to my nephew a few days ago, and said: 'Have you received a box of chocolates? I sent them to you more than a week ago.' He replied by letter: 'No, Aunt Agatha, I haven't received them yet. I'm waiting for them impatiently.'"

The employee said to Mme Duval: 'I'm very sorry, madame; I will try to find out what has become of them. But perhaps someone has stolen them."

"If you have lost them," replied Mme Duval, "you will have to pay for them." She left the post office in a bad temper.

However, she got a letter the next morning from her nephew thanking her for the box of chocolates and adding that they were so delicious that he had already eaten them.

15 A stormy night

As soon as I had passed the farm buildings, I noticed that the night was not very dark. The wind was blowing furiously and big clouds were chasing each other beneath the moon. The road I was seeking was a long way off, and in order to arrive there I had to cross over a wooden bridge which was half-demolished; the first rains had swollen the little river, and the water was passing over the planks.

I was very afraid because the water and the wind were making a noise which I had never heard before. But I didn't want to be frightened and I forced myself to cross very quickly the slippery planks.

I reached the road sooner than I thought I would. I turned to the left as I had seen the farmer do when he was going to the town market. After walking about a quarter of an hour I heard the noise of a car. I turned round, thumbed a lift, and to my astonishment the car stopped. In the car were three men who looked rather sinister.

16 Pleasant memories

When I was young I used, every summer, to spend my holidays in France. I have passed many hours fishing on the banks of the Loire, watching the river flow rapidly at my feet. Those long summer days were very pleasant, and I would remain by the water's edge with my book until the sun sank in the west. Then when the moon shone over the peaceful fields, I returned slowly to my little inn, where a good supper awaited me. After eating my meal, which was served in a little low dining room, I went to bed, for there was nothing to do when night had fallen. I shall always remember those days with keen pleasure.

17 An unpleasant discovery

"How old were you when you began smoking?" Maurice suddenly asked his father one night when they were all sitting by the fireside. Maurice was only sixteen, and his mother had forbidden him to smoke until he was eighteen. Although he had promised not to do so, he had often wanted to smoke the cigarettes he had seen on the table. "I was twenty-one at least," replied Mr. Richard.

That night when all the family was asleep Maurice got up, put on his coat, and went downstairs. He went into the drawing-room, and having taken the biggest cigarette he could find from the box on the table, he sat down in his father's armchair and began to smoke his first cigarette.

Half an hour later he was terribly ill. Since then he has never touched a cigarette.

18

"Mother! Did you know that Jeanne, who used to be at school with us, will be coming to our village for the summer holidays?" said Marie. She put Jeanne's letter on the table and glanced at her mother.

Marie's brother started to read the letter, but soon he folded it and put it back into the envelope. "Yes, I know," said their mother, smiling. "Her father wrote in order to tell me." The children seemed surprised.

After a moment their mother went on: "When he heard that you were so happy here, he decided to send Jeanne here too. You will be able to go for walks in the woods with her, won't you?"

It was not exactly what the children had wanted. They would have preferred to set out on bicycles to picnic in the country. They looked at each other sadly and said nothing.

Joint Matriculation Board, July 1965

19

My name is Peter. My sister has a little white dog. I know she loves him very much. When I arrived home last Wednesday, I was surprised to find that Mary was crying. She told me that her dog Bonny had disappeared.

"Where has he gone?" she asked. "Nobody has seen him today." I tried in vain to console her. "He has probably gone for a walk. I am sure he will soon come back." As usual she was not listening to me. She always does as she wants, like all girls. She went off straight away to look for him, and I had to lay the table all alone. That isn't a boy's work in my opinion.

My parents and I had just begun our meal—without Mary of course —when somebody rang at the door. Our neighbour, Mrs Martin, had brought Bonny back. She said: "He has been playing in my garden all day." A few moments later, Mary came in. She was so glad to see him again!

Welsh Joint Education Committee, Summer 1969

20

At Christmas in 1797 Fouquier-Tinville went alone to a little theatre where nearly all the children were enjoying themselves. However, he noticed two little girls who seemed very unhappy, with an old lady. When he left the theatre he spoke to the old lady, who was the children's aunt, and asked why the girls were sad while all the other children in the theatre were laughing. The aunt told him that the girls' father had been arrested two days ago and that even in the theatre they were thinking of him. Fouquier was a very cruel man but on this occasion he showed that he could also be generous and human. A few days later the girls' father was free and he was able to return home to his family. The girls were now very happy but they did not know the name of the mysterious stranger who had helped them.

Southern Universities' Joint Board, July 1969

21

M. Dupont lived near Paris. He was returning home and the sun was shining. His new car was going well and there was not much traffic. Dupont was very happy.

He was wondering what his wife would say of the car which he had just bought when suddenly the car which he had been following for some time turned to the left.

Dupont had been about to overtake it. He braked as quickly as possible and just succeeded in avoiding a serious accident. Dupont swore and stopped.

He decided to follow the car, which had disappeared. He found it several kilometres further on, where it had stopped in front of a large gate. A young lady was getting out.

"Why did you not give a signal?" Dupont asked politely. The woman turned round and retorted angrily, "But, it's ridiculous! Everybody knows I always turn at the same place."

University of Cambridge Local Examinations Syndicate, June 1969

22

Last Wednesday the man who cleans our windows arrived later than usual. My mother had already gone out, because she had some shopping to do, and had told me that she would not be back before twelve. So I filled his pail[1] with water and he began his work.

Suddenly I heard a cry; I ran into the garden and found the man on the ground. His ladder had slipped on the wet grass while he was trying to close a window on the second floor. He thought he had broken his leg.

I thought it would be necessary to send for an ambulance. But my neighbour called the doctor, who lives quite near. When the latter arrived, he examined the man and said that nothing was broken. He ordered him to rest a little and asked me to give him a cup of tea.

Oxford Local Examinations, Summer 1968

[1] pail = *seau* (m.)

English–French vocabulary

about, *environ; au sujet de*
(concerning)
  he is about to speak, *il est*
   sur le point de parler
to accept, *accepter*
accident, *un accident*
to accompany, *accompagner*
according to, *selon, d'après*
to accustom oneself to,
  s'accoutumer à
to ache, *avoir mal à*
  I have a headache, *j'ai mal*
   à la tête
to acquire, *acquérir*
to act, *agir*
to add, *ajouter*
address, *une adresse*
advice, *un conseil*
to advise, *conseiller*
to be afraid (of), *avoir peur (de)*
Africa, *l'Afrique* (f.)
African, *africain*
after, *après;* after four days,
  au bout de quatre jours
afternoon, *un après-midi*
again, *encore, de nouveau*
against, *contre*
age, *l'âge* (m.)
ago, *il y a* (e.g. *il y a huit*
  jours)
airman, *un aviateur*
airport, *un aéroport*
air terminal, *une aérogare*
alarm clock, *un réveil*
all (everything), *tout*
Allies, *les Alliés* (m.)

to allow, *permettre*
almost, *presque*
alone, *seul*
along, *le long de*
already, *déjà*
although, *bien que, quoique*
  (+ Subj.)
amazed, *ébahi*
ambition, *l'ambition* (f.)
ambulance, *une ambulance*
America, *l'Amérique* (f.)
American, *américain*
amidst, *parmi*
angry, angrily, *en colère*
  to become angry, *se fâcher*
to answer, *répondre*
anxious, *inquiet*
not . . . anybody, *ne...personne*
not . . . anything, *ne...rien*
not . . . anywhere, *ne...nulle part*
to appear, *paraître*
to approach, *s'approcher de*
apron, *un tablier*
architect, *un architecte*
arm, *un bras*
armchair, *un fauteuil*
army, *une armée*
around, *autour de*
to arrest, *arrêter*
arrival, *l'arrivée* (f.)
artist, *un artiste*
as, *comme*
  as for, *quant à*
  as quickly as, *aussi vite que*
  as soon as, *aussitôt que,*
   dès que

to be ashamed, *avoir honte*
to ask for, *demander*
to be asleep, *dormir, être endormi*
  to fall asleep, *s'endormir*
astonishing, *étonnant*
astonishment, *l'étonnement*
  (m.)
to attack, *attaquer*
to pay attention, *faire attention*
to attract, *attirer*
author, *un auteur*
to avoid, *éviter*
to awaken, *réveiller*
award, *une récompense*
away: 6 kilometres away, *à
  une distance de 6 kilomètres*
to go away, *s'en aller*
to walk away, *s'éloigner*

baby, *un bébé*
to be back, *être de retour*
to give back, *rendre*
bad, *mauvais*
bag, *un sac*
baker, *un boulanger*
bank (money), *une banque;*
  (of river), *le bord*
baptism, *un baptême*
barn, *une grange*
battle, *une bataille*
to be, *être*
beans, *des haricots* (m.)
because, *parce que*
because of, *à cause de*
to become, *devenir*
bed, *un lit*
  in bed, *au lit*
before (position), *devant;*
  (time), *avant;* (adverb),
  auparavant
before (doing), *avant de
  (faire)*
  the day before, *la veille*
to beg, *prier*

to begin, *commencer, se mettre à*
  to begin by, *commencer par*
behind, *derrière*
to belong, *appartenir à*
beneath, *au-dessous (de)*
beside, *à côté de*
better (adj.), *meilleur;* (adv.),
  mieux
  it is better to, *il vaut
  mieux*
  I had better, *je ferais
  mieux de*
bill, *une note*
birthday, *un anniversaire*
block of flats, *un immeuble*
to blow, *souffler*
to blow up, *éclater*
blue, *bleu;* (pl.) *bleus*
to blush, *rougir*
to be born, *naître*
  I was born, *je suis né(e)*
to borrow from, *emprunter à*
both, *tous (toutes) les deux*
bottom, *le fond*
box, *une boîte*
to brake, *freiner*
to break, *casser, briser*
  to break one's leg, *se
  casser la jambe*
breath, *l'haleine* (f.)
  to regain one's breath,
  reprendre haleine
bridge, *un pont*
brilliant, *brillant*
to bring (thing), *apporter;*
  (person), *amener*
  to bring back, *rapporter*
British, *britannique*
brown, *brun*
to build, *bâtir, construire*
building, *un bâtiment*
to burgle, *cambrioler*
bush, *un buisson*
busy, *occupé, affairé*

but: nothing but, *ne...que*
butter, *le beurre*
to buy from, *acheter à*
by, *par;* (near), *près de*

cabbage, *un chou*
to call, *appeler*
    to call a doctor, *faire venir un médecin*
calm, *calme*
camera, *un appareil*
canal, *un canal*
capital, *la capitale*
car, *une voiture, une automobile*
card, *une carte*
to take care, *avoir soin de*
career, *une carrière*
carefully, *soigneusement*
to caress, *caresser*
carpet, *un tapis*
carriage (railway), *un compartiment*
to carry, *porter*
to carry away, *emporter*
in any case, *en tout cas*
to catch, *attraper;* (train), *prendre*
to cease, *cesser*
cellar, *une cave*
Channel, *la Manche*
to chase, *chasser, poursuivre*
to chat, *causer*
to check, *contrôler*
cheese, *le fromage*
chemist, *un pharmacien*
cheque-book, *un carnet de chèques*
chess, *les échecs* (m.)
Chinese, *chinois*
chocolate, *le chocolat*
to choose, *choisir*
Christmas, *Noël*
church, *une église*
city, *une ville*

civilian, *un civil*
clean, *propre (une chemise propre)*
to clean, *nettoyer*
to climb, *grimper, gravir*
clock (house), *une pendule;* (public building), *une horloge*
clothes, *les vêtements* (m.)
cloud, *un nuage*
coat (woman's), *un manteau;* (man's), *un pardessus*
coast, *la côte*
cold: I am cold, *j'ai froid;* the house is cold, *la maison est froide*
to collide with, *entrer en collision avec*
to come, *venir*
    to come home, *rentrer*
comfortably, *confortablement*
company, *une compagnie*
to have confidence in, *se confier à*
confused, *confus*
to congratulate on, *féliciter de*
to console, *consoler*
to cook, *cuire*
cooker, *une cuisinière*
to copy, *copier*
cork, *un bouchon*
corner, *un coin*
corpse, *un cadavre*
corridor, *un corridor*
country (land), *un pays;* la *campagne*
of course, *bien entendu*
to cover, *couvrir;* covered, *couvert*
cow, *une vache*
criminal, *criminel*
to cross, *traverser*
crowd, *une foule*
cruel, *cruel(le)*
cry, *un cri*

to cry, *pleurer*
to cry out, *crier*
cup, *une tasse*
to cure, *guérir*
customer, *un(e) client(e)*
customs, *la douane*
to cut, *couper*
to cycle, *rouler (à bicyclette)*
cyclist, *un cycliste*

daily, *tous les jours*
Danish, *danois*
to dare, *oser*
dark, *sombre, noir*
  it is dark, *il fait noir*
dark grey, *gris foncé*
day, *le jour*
  all day, *toute la journée*
  the day before, *la veille*
  the day after, *le lendemain*
dead, *mort*
dear, *cher, chère*
to decorate, *décorer*
deer, *un cerf*
defeat, *une défaite*
to defend, *défendre*
delicious, *délicieux*
delighted, *ravi*
to demand, *exiger*
to demolish, *démolir*
departure, *le départ*
to describe, *décrire*
design, *un dessin*
to dial (telephone), *composer un numéro*
to die, *mourir*
  he has died, *il est mort*
diet, *un régime*
direction, *une direction*
director, *un directeur*
dirty, *sale*
to disappear, *disparaître*
disappointed, *déçu*
discipline, *la discipline*

disease, *la maladie*
to disguise oneself as, *se déguiser en*
donkey, *un âne*
next door, *à côté*
doubtless, *sans doute*
Dover, *Douvres*
to go downstairs, *descendre l'escalier*
to play draughts, *faire une partie de dames*
drawer, *un tiroir*
drawing room, *un salon*
to dress, *s'habiller*
to drive, *conduire, aller en voiture*
driver, *un chauffeur*
to drown, *noyer*
dry, *sec, sèche*
to dry, *sécher*
during, *pendant*

each (adj.), *chaque*; (pron.) *chacun(e)*
early, *de bonne heure, tôt*
  earlier, *plus tôt*
easy, *facile*
edge, *le bord*
egg, *un œuf*
either, *non plus*
either . . . or, *ou...ou*
eldest, *aîné(e)*
electricity, *l'électricité* (f.)
emperor, *un empereur*
empty, *vide*
to encircle, *entourer*
to encourage, *encourager*
end, *la fin*; (of a thing), *le bout*
to end up by doing, *finir par*
engaged, *fiancé(e)*
engine, *un moteur*
England, *l'Angleterre* (f.)
English, *anglais*
Englishman, *un Anglais*

to enjoy oneself, *s'amuser*
to enlarge, *agrandir*
enough, *assez*
    big enough, *assez grand*
to escape, *s'échapper*
Europe, *l'Europe* (f.)
eve, *la veille*
even, *même*
every, *chaque*
everybody, *tout le monde*
everything, *tout*
everywhere, *partout*
evidently, *évidemment*
exactly, *exactement*
examination, *un examen*
except, *sauf*
to excite, *exciter*
to explain, *expliquer*
extraordinary, *extraordinaire*
eye, *un œil*; (pl.) *des yeux*

factory, *une usine*
fair, *blond*
fall, *une chute*
to fall, *tomber*
to fall asleep, *s'endormir*
famous, *célèbre*
far from, *loin de*
farm, *une ferme*
farmer, *un fermier*
fast, *vite*
to fasten, *attacher*
fault, *une faute*
to fear, *avoir peur de, craindre*
to feel, *sentir*; (pain), *éprouver*
a few, *quelques*
    very few, *très peu de*
    gens
field, *un champ*
to fight, *se battre*
to fill, *remplir*
finally, *enfin, à la fin*
to find, *trouver*
to find out, *découvrir*

fine, *beau (bel), belle*
finger, *un doigt*
by the fire, *au coin du feu*
firing squad, *un peloton*
    d'exécution
first (adj.), *premier, première*
at first, *d'abord*
to fish, *pêcher*
flat, *un appartement*
flood, *une inondation*
floor (storey), *un étage*
to flow, *couler*
fluently, *couramment*
to fold, *plier*
to follow, *suivre*
food, *la nourriture*
fool, *un imbécile*
foolish thing, *une sottise*
for (conj.), *car*; (during),
    pendant; (since) *depuis*,
    e.g. *je travaille depuis deux*
    heures
to forbid, *défendre*
to force, *forcer*
forehead, *un front*
foreign, *étranger*
foreigner, *un(e) étranger(ère)*
forest, *une forêt*
to forget, *oublier*
formerly, *auparavant*
fortnight, *quinze jours, une*
    quinzaine
fortunately, *heureusement*
fortune, *la fortune*
Franco-Prussian, *franco-*
    prusse
free, *libre*
to free, *libérer*
French: to speak French,
    parler français
Frenchman, *un Français*
to be frightened, *être effrayé*
in front of, *devant*
front door, *la porte d'entrée*

full, *plein*
furiously, *furieusement*
furniture, *les meubles* (m.),
    l'ameublement
further (on), *plus loin*

game, *un jeu*
gas, *le gaz*
gate, *une porte*; (farm), *une*
    barrière
generous, *généreux*
gently, *doucement*
German (adj.), *allemand*
German, *un Allemand*
to get (obtain), *chercher, se*
    procurer
    to get into (vehicle),
      monter dans
    to get out of, *descendre de*
    to get married, *se marier*
ghost, *un fantôme*
girl: little girl, *une fillette*
to give back, *rendre*
glad, *content*
glance, *un regard, un coup*
    d'œil
glass, *un verre*
to go, *aller*; (vehicles), *marcher*
    to go back, *retourner*
    to go home, *rentrer*
    to go on, *continuer*
    to go up to, *s'approcher de*
    to go away, *s'en aller*
gold, *l'or* (m.)
grain, *le blé*
gramophone, *un phonographe*
grandfather, *le grand-père*
grandmother, *la grand-mère*
grape, *un raisin*
grass, *l'herbe* (f.)
ground, *la terre*
    on the ground, *par terre*
to grow (in stature), *grandir*

to growl, *grogner*
guard, *un garde*
guitar, *une guitare*

hair, *les cheveux* (m.)
half an hour, *une demi-heure*
half empty, *à moitié vide*
ham, *le jambon*
hand, *la main*
handbag, *un sac*
to hand to, *tendre à*
to happen, *arriver, se passer*
happy to (do), *heureux de*
    (faire)
hard, *dur*
    to work hard, *travailler dur*
hardly, *à peine; ne...guère*
hare, *un lièvre*
harvest, *la récolte*
haunted, *hanté*
to have to, *devoir*
    I have to go, *je dois*
    partir
to heal, *guérir*
health, *la santé*
heap, *un tas*
heating, *le chauffage*
to hear, *entendre*
good heavens! *mon dieu!*
    help, *l'aide* (f.)
to help, *aider (à faire)*
    henhouse, *un poulailler*
to hesitate, *hésiter*
to hide, *(se) cacher*
    high, *haut*
    highway code, *le code de la*
    route
    hill, *une colline*
    hillside, *une côte*
to hire, *louer*
on holiday, *en vacances*
    honour, *l'honneur* (m.)
    hope, *l'espoir* (m.)

to hope, *espérer*
  I hope to see you, *j'espère*
    vous voir
hospital, *un hôpital*
hotel, *un hôtel*
how, *comment*
  how are you? *comment*
    allez-vous?
however, *cependant*
huge, *énorme*
human, *humain*
Hungary, *la Hongrie*
hunger, *la faim*
to hunt, *chasser*
hurt: badly hurt, *grièvement*
  blessé
to hurt, *faire mal à*
hut, *une case, une hutte*

idea, *une idée*
ill, *malade*
immediately, *immédiatement,*
  tout de suite
impatiently, *impatiemment*
impression, *une impression*
to improve, *améliorer*
India, *l'Inde* (f.)
inhabitant, *un habitant*
inn, *une auberge*
inside, *dedans*
inspector, *un inspecteur*
  gas inspector, *un*
    controleur du gaz
to instal, *installer*
insurance, *l'assurance* (f.)
to intend to, *avoir l'intention de*
to interest oneself in,
  s'intéresser à
interesting, *intéressant*
invasion, *une invasion*
to invite to (do), *inviter à (faire)*

jam, *la confiture*
Japanese, *japonais*

job (employment), *un emploi*
journey, *un voyage*
to jump, *sauter*
just: he has just arrived, *il*
  vient d'arriver; he had just
  arrived, *il venait d'arriver*
just at that moment, just
  then, *à ce moment-là*
I'm just writing a letter,
  je suis en train d'écrire
  une lettre

keen, *vif, vive*
to keep, *garder*
keeper, *un gardien*
key, *une clef*
to kill, *tuer*
kind, *une sorte*
kindness, *la bonté*
king, *un roi*
to kneel, *s'agenouiller*
to knock; there is a knock at
  the door, *on frappe à la*
  porte
well known, *bien connu*

lace: shoe lace, *un lacet*
ladder, *une échelle*
lady: young lady, *une*
  demoiselle
lamb, *un agneau, une brebis*
to land, *atterrir, débarquer*
landing-stage, *un débarcadère*
landscape, *un paysage*
language, *une langue*
large, *grand*
last, *dernier*
  last week, *la semaine*
    dernière
  the last bus, *le dernier*
    autobus
  later, *plus tard*
the latter, *celui-ci, celle-ci*
to laugh, *rire*

273

to lay the table, *mettre le couvert*
to learn to (do), *apprendre à (faire)*
at least, *au moins*
to leave (place or person), *quitter*; (depart), *partir*; (leave behind), *laisser*
lemonade, *la limonade*
to lend, *prêter*
lettuce, *une laitue*
to lie (tell a lie), *mentir*
to lie down, *se coucher, s'étendre*
life, *la vie*
light, *la lumière*
electric light, *une lampe électrique*
to light, *allumer*
light grey, *gris clair*
like, *comme*
to like best, *aimer mieux*
lip, *une lèvre*
to listen to, *écouter*
literature, *la littérature*
little (adj.), *petit*; (adv.) *un peu*
to live (dwell), *habiter, demeurer*; (exist), *vivre*
living room, *la salle de séjour*
long (adj.), *long, longue*; (adv.), *longtemps*
as long as, *aussi longtemps que*
not . . . any longer, *ne...plus*
look, *un regard*
to look at, *regarder*
to look for, *chercher*
to look round, *se retourner*
to look (appear), *avoir l'air*
to look after, *veiller sur*
to lose, *perdre*

loss, *la perte*
a lot of, *beaucoup de*
loud, *fort*
low, *bas*
to lower, *baisser*
to be lucky, *avoir de la chance*
luggage, *les bagages* (m.)
lunch, *le déjeuner*
to have lunch, *déjeuner*

machine, *une machine*
magazine, *un magazine*
magnificent, *magnifique*
maid (servant), *une bonne*
to make for (go towards), *se diriger vers*
manager, *un directeur*
to manage to, *réussir à*
many: so many, *tant*; as many, *autant*
market, *le marché*
to marry, *épouser*
married, *marié*
mask, *un masque*
matter: what is the matter? *qu'est-ce qu'il y a?*
meal, *un repas*
mechanisation, *la mécanisation*
medical, *médical*
to meet, *rencontrer*
memory, *la mémoire*; (something remembered), *un souvenir*
meter, *un compteur*
in the middle of, *au milieu de*
ministry, *le ministère*
to miss, *manquer*
missionary, *un missionnaire*
money, *l'argent* (m.)
moon, *la lune*
moonlight, *le clair de lune*
more, *plus*
once more, *encore une fois*

most (of), *la plupart (de)*
to move, *bouger*; (remove), *déménager*
to move away, *s'éloigner*
murder, *un assassinat*
music, *la musique*
musician, *un musicien*
must: you must work, *vous devez travailler*; I must have lost it, *j'ai dû le perdre*
mysterious, *mystérieux*

native, *un indigène*
native land, *la patrie*
navy-blue, *bleu marine*
nearest, *le plus proche*
nearly, *presque*
he nearly fell, *il faillit tomber*
it is necessary, *il faut*
what was necessary, *ce qu'il fallait*
neck, *un cou*
to need, *avoir besoin de*
neighbour, *un voisin*
nephew, *un neveu*
new, *nouveau (nouvel)*, *nouvelle*; (brand new) *neuf, neuve*
news, *les nouvelles, les actualités*
newspaper, *un journal*
next, *prochain*
next morning, *le lendemain matin*
next door, *à côté*
night, *la nuit*
last night, *hier soir*
to nod, *hocher la tête*
noise, *un bruit*
nothing more, *plus rien*
nothing to do, *rien à faire*
to notice, *remarquer*

novel, *un roman*
novelist, *un romancier*
nurse, *une infirmière*

observation, *l'observation* (f.)
occasion, *une occasion*
to occupy, *occuper*
ocean, *l'océan* (m.)
to offer, *offrir*
officer, *un officier*
often, *souvent*
old, *vieux (vieil)*, *vieille*
once, *une fois*
once more, *encore une fois*
only (adj.), *seul*; (adv.) *seulement*
opinion, *un avis, une opinion*
in my opinion, *à mon avis*
to order, *ordonner*; (meal), *commander*
ought: I ought to know him, *je devrais le connaître*; he ought to have gone home, *il aurait dû rentrer*
outside, *dehors*
over: to jump over (the wall), *sauter par-dessus*
to overlook, *dominer*
to overtake, *dépasser, rattraper*
to owe, *devoir*
own, *propre*, e.g. *mon propre vélo*
to own, *posséder*
owner, *un(e) propriétaire*

packet, *un paquet*
pain, *une douleur*
to paint, *peindre*
painter, *un peintre*
painting, *une peinture*
pair, *une paire*
pale, *pâle*
pan, *une casserole*
parachutist, *un parachutiste*

parcel, *un paquet*
parliament, *le parlement*
part, *une partie*
patient, *un malade*
pavement, *le trottoir*
to pay attention, *faire attention*
to pay for, *payer*
peace, *la paix*
peaceful, *paisible*
people, *les gens*
   a lot of people, *beaucoup*
    de monde
   French people, *les*
    Français
perfect, *parfait*
performance, *une représenta-*
tion
perhaps, *peut-être*
to persuade, *persuader*
petrol, *l'essence* (f.)
photograph, *une*
   photographie
photographer, *un photographe*
pianist, *un pianiste*
to picnic, *faire un pique-nique*
pig, *un cochon*
pity: what a pity! *quel*
   dommage !
to take pity on, *avoir pitié de*
place, *un endroit*
plate, *une assiette*
play, *une pièce*
pleasant, *agréable*
please! *s'il vous plaît !*
pleased, *content*
pleasure, *le plaisir*
to give pleasure to, *faire plaisir à*
to plough, *labourer*
to be on the point of, *être sur le*
   point de
to point to, *indiquer*
policeman, *un agent*
police station, *le poste de*
   police, le commissariat

polite(ly), *poli(ment)*
politics, *la politique*
poor, *pauvre*
porter (station), *un employé*
by post, *par la poste*
postal worker, *un postier*
to post a letter, *mettre une*
   lettre à la poste
potato, *une pomme de terre*
to prefer, *préférer, aimer mieux*
present, *un cadeau*
to pretend to, *faire semblant de*
to prevent, *empêcher*
primary, *primaire*
prisoner, *un prisonnier*
prize, *un prix*
professional, *professionnel*
progress, *le progrès*
to promise, *promettre*
to pull (out), *tirer, retirer,*
   sortir
pullover, *un pullover*
pump: petrol pump, *une*
   pompe à essence
on purpose, *exprès*
purse, *un porte-monnaie*
to pursue, *poursuivre*
to push, *pousser*
to put on, *mettre*
   Pyrenees, *les Pyrénées*

to quench one's thirst, *étancher*
   sa soif, se désaltérer
to ask a question, *poser une question*
   it is a question of, *il*
   s'agit de
quietly, *tranquillement*
quite, *tout à fait*
   quite near, *tout près*

race, *une compétition, une*
   course
radio set, *un poste de radio*
railway, *le chemin de fer*

rain, *la pluie*
to rain, *pleuvoir*
rapidly, *rapidement*
to reach, *arriver à, gagner*
to read, *lire*
ready (to do), *prêt (à faire)*
to realise, *comprendre, se rendre compte de*
really, *réellement, vraiment*
to reappear, *reparaître*
to receive, *recevoir*
reception desk, *la réception*
receptionist, *une réceptionniste*
to recognise, *reconnaître*
recommendation, *une recommandation*
to redden, *rougir*
refrigerator, *un réfrigérateur*
refugee, *un réfugié*
to regain, *regagner*
to remain, *rester*
to remark, *remarquer*
remarkable, *remarquable*
to remember, *se rappeler, se souvenir de*
to remount, *remonter*
removal van, *un fourgon*
to replace, *remplacer*
to reply, *répondre*
republican, *républicain*
reputation, *une réputation*
to resist, *résister*
rest (what remains), *le reste*
to rest, *se reposer*
to retort, *répliquer*
return, *le retour*
happy returns! *bon anniversaire!*
rich, *riche*
to get rid of, *se débarrasser de*
ridiculous, *ridicule*
right: to be right, *avoir raison*

to ring, *sonner*
river, *une rivière*
road (country), *une route, un chemin*
rolled up, *roulé en boule*
room, *une pièce, une salle*
round, *autour de*
to run away, *se sauver*
to run in, *entrer en courant*
runner, *un coureur*
runway, *la piste*
to rush, *se précipiter, s'élancer*
to rush off, *s'éloigner en courant*
Russia, *la Russie*
Russian, *russe*

sad, *triste*
safety belt, *une ceinture de sécurité*
salesman, *un vendeur*
same, *même*
saucer, *une soucoupe*
to save, *sauver*
scarf, *une écharpe, un foulard*
school: after school, *après les classes*
Scotland, *l'Ecosse* (f.)
sea, *la mer*
seat, *un siège*
secretary, *un(e) secrétaire*
to seek, *chercher*
to seem, *sembler; il semble me connaître*
to seize, *saisir*
to send, *envoyer*
to send for, *envoyer chercher*
sentinel, *une sentinelle*
series, *une série*
serious, *sérieux*
servant, *un(e) domestique*
to serve (meal), *servir*
to serve as a, *servir de*
to set off (out), *partir, se mettre en route*

severe, *sévère*
several, *plusieurs*
sewing machine, *une machine
à coudre*
shade, *l'ombre* (f.)
to shake, *secouer*; (hands),
serrer
to share, *partager*
to shine, *briller*
shoe, *une chaussure, un
soulier*
to shoot, *fusiller*
to shop, *faire des courses*
shopkeeper, *un(e) marchand(e)*
short, *court*
shorthand typist, *une
sténodactylo*
shorts, *un slip*
shot, *un coup de feu*
shout, *un cri*
to shout, *crier*
to show, *montrer*
shutter, *un contrevent*
sick, *malade*
signal, *un signal*
silently, *silencieusement*
since, *depuis*
single, *seul*
sinister, *sinistre*
to sit down, *s'asseoir*
    I was sitting, *j'étais assis*
    sitting room, *un salon*
to skate, *patiner*
to ski, *faire du ski*
sky, *le ciel*
sledge, *un traîneau*
to be sleepy, *avoir sommeil*
sleeping-bag, *un sac de
couchage*
slice, *une tranche*
to slip, *glisser*
slippery, *glissant*
slowly, *lentement*
to smile, *sourire*

smock, *une blouse*
to snatch, *arracher*
snow, *la neige*
so (therefore), *donc*
so much (many), *tant*
soldier, *un soldat*
some of the, *quelques-uns
(unes) des*
someone, *quelqu'un*
something, *quelque chose*
some time *quelque temps*
sometimes, *quelquefois*
soon, *bientôt*
    as soon as, *aussitôt que,
    dès que*
sorry: to be sorry, *regretter*
sound, *un bruit*
to sow, *semer*
Spanish, *espagnol*
spectator, *un spectateur*
speed, *la vitesse*
to spend time doing, *passer le
temps à faire*; (money),
dépenser
spikes, *des pointes* (f.)
in spite of, *malgré*
splendid, *splendide, magnifique*
spoilt, *gâté*
spoon, *une cuillère*
sporting, *sportif(ve)*
square, *une place*
stairs, *l'escalier* (m.)
stamp, *un timbre*
standing, *debout*
to stay, *rester*; (in hotel)
descendre
to steal, *voler*
step, *une marche*
stick, *une canne*
to stick, *coller*
still, *encore, toujours*
to stop, *(s')arrêter*
storm, *un orage, une tempête*
strange, *étrange*

stranger, *un étranger*
strict, *strict*
string bag, *un filet*
studs, *des pointes* (f.)
suburb, *la banlieue*
to succeed in (doing), *réussir à
(faire)*
such, *tel, telle*
such a film, *un tel film*
suddenly, *tout à coup*
suit, *un complet*
suitcase, *une valise*
sun, *le soleil*
supper, *le souper*
sure, *sûr*
surgeon, *un chirurgien*
to surprise, *surprendre*
to suspect, *soupçonner*
to swear, *jurer*
to swell (river), *grossir*
switch (electrical), *un
interrupteur*
to switch on, *ouvrir, brancher*
Switzerland, *la Suisse*
Swiss, *suisse*

to take, *prendre*; (person),
mener; (= carry), *porter*
to take away, *emporter*
to take off (plane), *décoller*
to take out, *sortir* (conj. with
avoir)
tall (person), *grand*; (thing),
haut
technical, *technique*
telegram, *un télégramme*
to telephone, *téléphoner à*
television, *la télévision*
to tell, *dire*, e.g. *il lui a dit de
partir*
temper: in a bad temper, *de
mauvaise humeur*
terribly, *terriblement*
terrified, *terrifié*

to thank (for), *remercier (de)*
theatre, *un théâtre*
then (afterwards), *ensuite*;
(next), *puis*; (at that time),
alors
just then, *à ce moment-là*
thing, *une chose*
to think, *croire, penser,
réfléchir*
to think about (of),
penser à
to have an opinion of,
penser de
to be thirsty, *avoir soif*
this one, *celui-ci, celle-ci*
to threaten, *menacer*
through, *à travers*
to thumb a lift, *faire de
l'auto-stop*
to tickle, *chatouiller*
tiger, *un tigre*
tigress, *une tigresse*
time: at the same time, *en
même temps*
a long time, *longtemps*
time: to spend one's time,
passer son temps à
tip, *un pourboire*
together, *ensemble*
tomorrow, *demain*
tonight, *ce soir*
too, too much, *trop*; (= also),
aussi
torn, *déchiré*
torrential, *torrentiel(le)*
tortoise, *une tortue*
towards, *vers*
town hall, *la mairie*
track, *une piste*
tractor, *un tracteur*
to train, *entraîner*
to travel, *voyager*
traveller, *un voyageur*
tricolour, *tricolore*

triumph, *le triomphe*
tropical, *tropique*
trousers, *un pantalon*
true, *vrai*
to try, *essayer*
in turn, *tour à tour*
to turn, *tourner*
  to turn round, *se retourner*
tyre, *un pneu*

under, *sous*
to understand, *comprendre*
undoubtedly, *sans doute*
to undress, *se déshabiller*
unhappy, *malheureux*
uniform, *un uniforme*
unknown, *inconnu*
to unpack, *déballer*
until (prep.), *jusqu'à*; (conj.),
  jusqu'à ce que + Subj.
to run up, *monter en courant*
to use, *employer, se servir de*
as usual, *comme d'habitude*
usually, *d'habitude,*
  généralement

vacuum cleaner, *un aspirateur*
vain: to do something in
  vain, *avoir beau essayer de*
  faire quelque chose
valley, *une vallée*
vegetable, *un légume*
victim, *un(e) victime*
victory, *une victoire*
vigorous, *vigoureux*
village, *un village*
vine, *une vigne*
vineyard, *un vignoble*
violin, *un violon*
visit, *une visite*
to visit, *visiter, rendre visite à*
visitor, *un(e) visiteur(se)*
voice, *une voix*

to wait for, *attendre*, e.g. *il*
  attend sa mère
waiter, *un garçon*
Wales, *le Pays de Galles*
walk, *une promenade*
to walk away, *s'éloigner*
wallet, *un portefeuille*
to wander, *errer*
to want, *vouloir, désirer*, e.g.
  je veux partir
war, *une guerre*
to warn, *avertir*
washing-machine, *une*
  machine à laver
waste, *une perte*
to waste, *perdre*
watch, *une montre*
water, *l'eau* (f.)
on the way, *en route*
weapon, *une arme*
to wear, *porter*
wedding present, *un cadeau*
  de noces
to weep, *pleurer*
well (beginning conversation),
  eh bien
  well, well! *allons bon!*
well known, *bien connu*
west, *l'ouest* (m.)
wet, *mouillé*
while, *pendant que*
whilst (whereas), *tandis que*
to whistle, *siffler*
white, *blanc, blanche*
to whitewash, *blanchir*
whole, *entier, entière*
wide, *large*
widow, *une veuve*
wife, *une femme*
to win, *gagner*
wind, *le vent*
window, *une fenêtre*
shop window, *une vitrine*
wine, *le vin*

to wipe, *essuyer*
without, *sans*
  without laughing, *sans rire*
witness, *un témoin*
to witness, *témoigner*
to wonder, *se demander*
wonderful, *merveilleux*
word, *un mot*
work, *le travail*
  out of work, *un chômeur,*
    le chômage
to work, *travailler*
world, *le monde*

wounded man, *un blessé*
to write, *écrire*

year, *un an, une année*
yesterday, *hier*
yet, *encore*
young, *jeune*
young lady, *une demoiselle*
youngest, *cadet(te)*
youth, *la jeunesse*

zoo, *un zoo*

SECTION E

Picture series

Suggest a title for each of the following picture stories, and write a composition of about 150–200 words on each. Use the Perfect tense (not the Past Historic). You may identify yourself with one of the characters, if you wish.

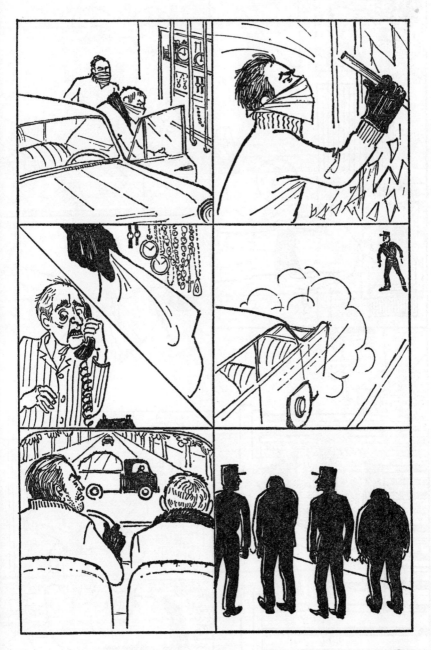

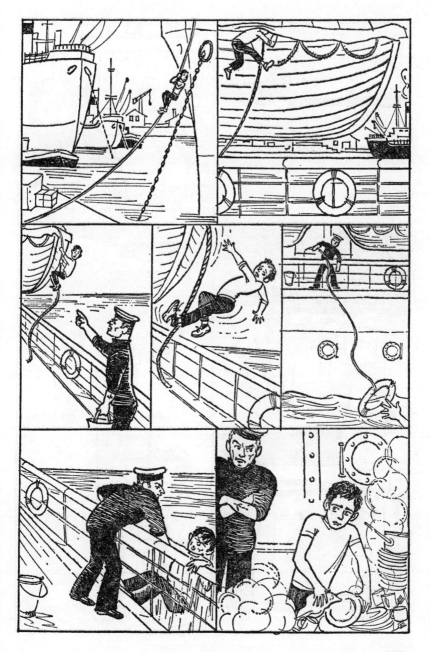

294

Summary of Grammar

ARTICLES

1 Definite

1. With nouns used in a general sense:
   Aimez-vous la confiture?
   Les roses sont belles.
   Elle préfère le café au thé.

2. Before adjectives and titles preceding a proper name:
   le vieux Guillaume
   le général de Gaulle

3. Prices:
   7 francs la livre   *7 francs a pound*

4. Parts of the body:
   Il a les yeux noirs.
   Elle lève le bras.
   Je me lave la figure.
   Il lui toucha la tête.

2 Indefinite

Omit **un** or **une** when mentioning a person's nationality or occupation.
Il est français.   Il est avocat.
Elle est allemande.   Elle est secrétaire.
But one may say:
C'est un Français.   C'est un avocat.

295

3 Partitive (some, any)

	masculine	*feminine*
singular	**du** beurre	**de la** viande
	de l'argent	**de** l'eau
plural	**des** légumes	**des** bananes

Il y a du vin dans le verre. *There is wine in the glass.*
Il y a des pommes dans le panier. *There are apples in the basket.*
Il n'y a pas de lait dans la bouteille.[1]
Il n'y a plus de bouteilles dans le panier.[1]
J'ai de belles tomates.[2]
Elle apportait de bonnes nouvelles.[2]
Il y a beaucoup de vin dans la bouteille.[3]
Il y a très peu de lait dans le verre.[3]

Use **de** alone:

[1] after a negative;
[2] when an adjective precedes the noun in the plural;
[3] after adverbs of quantity: e.g.
    assez de, moins de, autant de, peu de, beaucoup de, plus de, tant de, trop de, combien de.
    (BUT "plusieurs livres" and "la plupart des cours".)

NOTE: Omit article after **sans**: sans argent, sans espoir.

NOUNS

1 Formation of Plurals

Most nouns add **-s** to the singular.
Nouns ending in **-s**, **-x** or **-z** in the singular do not change:

singular	*plural*
un bras	des bras
une voix	des voix
un nez	des nez

Other plurals:
un jeu	des jeux
un oiseau	des oiseaux
un cheval	des chevaux
un genou	des genoux

(like **genou**: caillou, bijou, chou, hibou.)

NOTE:
un monsieur	des messieurs
madame	mesdames
mademoiselle	mesdemoiselles
un œil	des yeux
le ciel	les cieux

2 Feminines

masculine	feminine
un maître	une maîtresse
un marchand	une marchande
un mari	une femme
un boulanger	une boulangère
(cf. fermier, etc.)	
un vendeur	une vendeuse
un roi	une reine
un veuf	une veuve
un neveu	une nièce
un héros	une héroïne
un acteur	une actrice
un Italien	une Italienne
un garçon	une serveuse
le grand-père	la grand-mère

Common forms: un (une) élève, enfant, concierge, domestique, camarade.

NOTE: Geographical names

1. Towns

à Rome	*to, at* or *in Rome*
de Madrid	*of* or *from Madrid*

297

2. Countries

feminine

Ils vont en Italie. *They are going to Italy.*

Ils sont en France. *They are in France.*

Nous sommes revenus d'Angleterre. *We have come back from England.*

masculine

Very few names.

To or *in* = au

From = du

Le Portugal, le Japon, le Pays de Galles, le Danemark, le Mexique, le Brésil., le Pérou.

Il est au Canada   . . . *in Canada.*

Il est allé au Brésil   . . . *to Brazil.*

Il est revenu du Japon . . . *from Japan.*

Note. (i) Les Etats-Unis (*m. pl.*)
     aux Etats-Unis
     des Etats-Unis

(ii) (*of* followed by a name of a country): e.g.
     le nord de l'Angleterre
     la capitale de la Chine
     le Midi de la France

(iii) Omit the article with titles:
     le prince de Galles
     le roi de Belgique

(iv) Ce sont des Français (*persons, capital letters*)
     Je parle français (*language*)
     Un livre français (*adjective*)

ADJECTIVES

1 Agreement

Adjectives agree with the noun or pronoun they describe in gender and number. The feminine singular of most adjectives is formed by adding -e to the masculine singular. If the masculine singular already ends in -e there is no change in the feminine singular:

un veston jaune et rouge   une cravate jaune et rouge

Other feminine adjectives are formed as follows:

masculine	*feminine*
heureux, gracieux	heureuse, gracieuse
cher, fier, léger	chère, fière, légère
naturel	naturelle
beau, nouveau	belle, nouvelle
blanc, sec	blanche, sèche
un vieux monsieur	une vieille dame
gros, gras, bas	grosse, grasse, basse
un chapeau neuf	une robe neuve
bon	bonne
parisien	parisienne
sportif	sportive
long	longue
gentil	gentille
cadet	cadette
frais	fraîche
inquiet	inquiète
fou	folle
pareil	pareille
doux	douce
favori	favorite
épais	épaisse

NOTE: (i) tout le monde   toute la famille
tous les hommes   toutes les femmes
Ils travaillent tous à Londres.

(ii) Two masculine forms in the singular:
un beau château   un bel homme
un nouveau tricot   un nouvel ami
un vieux bâtiment   un vieil arbre
Use the second form in the masculine singular before a vowel or **h** mute.

The *plural* of most adjectives is formed by adding -s to the singular. If the masculine singular ends in -s or -x, there is no change in the plural:

un cahier gris	des cahiers gris
il est heureux	ils sont heureux
NOTE: beau	beaux
nouveau	nouveaux
national	nationaux
BUT bleu	bleus

2 Position of adjectives

Most adjectives follow the noun.

A few common adjectives precede the noun:

un grand immeuble, une petite souris, une jeune fille, le premier mois, un vieux monsieur, un long cou, une autre fois, un beau portrait, un nouveau magasin, un joli bouquet, un bon repas, ma chère amie, un gros bâton, un haut mur, un mauvais caractère, un vilain caractère, un gentil enfant.

NOTE: (i) Ce n'est pas assez intéressant. (*position of* assez)

(ii) Two adjectives coming together after the noun are usually joined by et: e.g. un livre noir et blanc.

3 Comparison of adjectives

1. Comparative

   Un cheval est plus grand qu'un chien.

   Denise est plus âgée que Monique.

   Un piano est plus lourd qu'une chaise.

   Ce livre est moins intéressant que celui-là. (*not as interesting as*)

   Richard est aussi grand que son frère. (*as big as*)

   Il n'est pas si grand que son père. (*not so big as*)

   Il devenait de plus en plus inquiet. (*more and more*)

   Il est plus âgé que moi de sept ans. (*seven years older*)

2. Superlative (formed by placing le, la or les before the comparative)

   Le caporal est le plus âgé des quatre soldats.

   Suzanne est la plus jeune des quatre enfants.

Marseille, Cherbourg et le Havre sont les plus grands ports de France.

C'est la meilleure femme du monde. (*in the world*)

C'est le journal le plus populaire de France.

NOTE: (i)

bon	meilleur	le meilleur
mauvais	pire (*or* plus mauvais)	le pire (le plus mauvais
petit	moindre (*or* plus petit)	le moindre (le plus petit)

(ii) **Plus** *de* and **moins** *de* are used only with numbers or quantities:

plus de cent francs, moins d'une livre

4 Demonstrative adjectives (this, that, these, those)

	masculine	*feminine*
singular	ce livre	cette règle
plural	ces livres	ces règles

Before a vowel or **h** mute, use **cet** for **ce**:

cet enfant

cet homme

ce jour-là = *on that day*

ce livre-là = *that book*

He (she, it) is, followed by a noun = c'est

J'ai vu votre fils. C'est un beau jeune homme.

5 Possessive adjectives (my, his, her, our, your, their)

masculine singular	*feminine singular*	*masculine and feminine plural*
mon crayon	ma robe	mes chaussures
ton livre	ta serviette	tes chapeaux
son oncle	sa tante	ses cousins
notre garage	notre école	nos élèves
votre pantalon	votre cravate	vos oreilles
leur jardin	leur maison	leurs parents

NOTE: (i) mon encre, ton amie, son école.

Use **mon, ton, son,** instead of **ma, ta, sa,** before a feminine noun beginning with a vowel or **h** mute.

(ii) son père = *his father* or *her father*
sa sœur = *his sister* or *her sister*
ses frères = *his brothers* or *her brothers*

(iii) un de mes amis = *a friend of mine*

6 Interrogative adjectives

Quel?

	masculine	*feminine*
singular	Quel âge avez-vous ?	Quelle heure est-il ?
plural	Quels livres y a-t-il dans votre serviette ?	Quelles fleurs y a-t-il dans votre jardin ?

NOTE: Quelle belle ville!   *What a fine town !*

PRONOUNS

1 Personal pronouns

1. Subject (see Verb Tables, page 334)

2. Direct object
(le, la, les)
Elle prend **un** sac et **le** met sur la chaise.
Il prend **une** carafe et **la** met sur la table.
Ils ont pris les paquets et **les** ont envoyés à leurs parents.
Tu as vu les jeunes filles ? Oui, je **les** ai vues hier.
Il a loué la voiture et **l'**a conduite à l'hôtel.
Elle a acheté les pommes et **les** a mises dans son sac.

(me, te, nous, vous)
Il **m'**a remercié(e).   Il **nous** a emmené(e)s au cinéma.
Il **t'**a frappé(e).   Il **vous** a félicité(es).

3. Indirect object
   (lui, leur)
   Il a appelé sa sœur et **lui** a donné un cadeau.
   Qu'est-ce que l'oncle a donné aux neveux? — Il ne **leur** a rien donné.

   (me, te, nous, vous)
   Il **m'**a jeté la balle.
   Il **t'**a répondu.
   Il **nous** a envoyé des cadeaux.
   Il **vous** a donné une bicyclette.

4. En
   (i) Combien de bras avez-vous? — J'en ai deux.
   (ii) Combien de frères avez-vous? — Je n'en ai pas.
   (iii) Il a ouvert son porte-monnaie et en a tiré de l'argent.

5. Y
   (i) Est-ce que vous allez à l'école le vendredi et le samedi?
   — J'y vais le vendredi mais je n'y vais pas le samedi.
   (ii) Il approcha une chaise et s'y assit.

6. On
   En France on parle français.

7. Position of object pronouns
   (a) Both direct and indirect object pronouns precede the verb (in compound tenses, the auxiliary), except when used in a sentence which expresses a positive command: e.g.
   Donnez-le à Jean.　　　　Ne le donnez pas à Louis.
   Mettez-la dans la boîte.　　Ne la mettez pas dans le pupitre.
   Envoyez-les à votre oncle.　Ne les envoyez pas à votre tante.
   Donnez-lui le cahier.　　　Ne lui donnez pas le livre.

   (b) Negative statements:
   Il ne l'a pas vu(e).
   Nous ne lui avons pas parlé.

   (c) When governed by an infinitive, a pronoun immediately precedes it:
   Il voulait les arrêter.
   J'ai décidé de vous quitter.

(d) Order of pronouns when two come together before the verb:

(i)

me	le	e.g. Je vous le rendrai ce soir.
te	la	Il nous les a montrés.
(se)	les	
nous		
vous		
(se)		

(ii)

le	lui	e.g. Elle la	lui	a	empruntée.
la	leur		leur		donnée.
les					

(iii) y and **en** follow the others: e.g.

Il l'y a envoyé.

Il nous y a conduits.

Il m'en a parlé.

(iv) When two pronouns follow the verb (in a positive command), the order is the same as in English: e.g.
Donnez-les-moi.

8. Stressed personal pronouns

(moi, toi, lui, elle, nous, vous, eux, elles).

Uses:

(i) After prepositions:
Venez avec moi, chez lui, sans eux.

(ii) When alone:
Qui a sonné? — Moi.

(iii) With *c'est*:
C'est lui. (Ce sont eux.)

(iv) In comparisons:
Je suis plus grand que lui.

(v) Lui et moi, nous allons travailler.
Elle et ses amis ont fait le ménage.
Lui aussi nous a aidés.

(vi) For emphasis:
Moi, je ne vais pas le faire.
Lui, il n'est bon à rien.

(vii) With ...-*même*:
 lui-même (*himself*)

(viii) With verbs of motion:
 Il a couru à lui.
 and with reflexive verbs which take *de*:
 Il s'éloigna d'eux.
 Je me débarrassai de lui.

2 Demonstrative pronouns

	singular
masculine	Ce chapeau est vert; **celui** de mon frère (*my brother's*) est gris.
feminine	Cette robe est jaune; **celle** de ma mère est rouge.

	plural
masculine	Ces gants sont noirs; **ceux** de Robert sont blancs.
feminine	Ces chaussures sont blanches; **celles** de Monique **sont** noires.

NOTE: (i) Celui-ci, celui-là, celle-ci, celle-là, etc.:
 Voici deux stylos: celui-ci est à moi, celui-là est à ma mère.

(ii) Lequel de ces messieurs est votre professeur?
 — **Celui qui** porte une rose à la boutonnière. (*the one who*)
 Laquelle de ces dames est la secrétaire?
 — **Celle qui** sait parler français.
 Lequel de vos chapeaux allez-vous porter ce soir?
 — **Celui que** j'ai acheté hier. (*the one which*)
 Laquelle de ces robes devrais-je porter?
 — **Celle que** je t'ai donnée pour ton anniversaire.

 De même: ceux qui (que)
  celles qui (que)

 Celui-ci = (*sometimes*) *the latter*
 Celui-là = (*sometimes*) *the former*

305

(iii) Ceci   = *this* ⎱ (when the gender is unknown: e.g.
Cela   = *that* ⎰ Buvez ceci et mangez cela.)
Quelqu'un m'a donné ceci.
Qu'est-ce que c'est que cela?

3 Possessive pronouns

singular		plural		
masculine	*feminine*	*masculine*	*feminine*	
le mien	la mienne	les miens	les miennes	*mine*
le tien	la tienne	les tiens	les tiennes	*yours*
le sien	la sienne	les siens	les siennes	*his, hers, its*
le nôtre	la nôtre	les nôtres		*ours*
le vôtre	la vôtre	les vôtres		*yours*
le leur	la leur	les leurs		*theirs*

e.g. Regardez nos stylos; **le mien** est rouge, **le vôtre** est noir.
Regardez nos gants; **les miens** sont bruns, **les vôtres** sont blancs.
Regardez nos chaussures; **les miennes** sont grises, **les vôtres** sont blanches.
Voici mon porte-monnaie: montrez-moi **le sien.**

4 Relative pronouns

1. Qui (*who, which*)
Richard, qui était professeur d'histoire, avait vingt-neuf ans.
Les deux coureurs, qui s'approchaient, avaient l'air fatigué.
NOTE: C'est vous qui êtes stupide: moi qui suis pauvre.

2. Que (*whom, which, that*)
la jeune fille qu'il avait déjà vue
les robes qu'elle avait achetées

3. After prepositions: whom = *qui*
l'ami avec qui je joue au tennis

4. Dont (*of whom, of which, whose*)
la pomme dont il avait mangé la moitié
Note order: L'aviateur, dont il avait rencontré le fils, s'appelait
      M. Misbert. (*whose son he had met*)

5. Lequel, laquelle, lesquels, lesquelles (*which*), are used after prepositions:
le stylo avec lequel il écrivait
la source dans laquelle le lion voulait boire
le parc au milieu duquel il y a un petit lac.

NOTE: *in which, on which,* may sometimes be translated by **où**.
le pays où je demeure
le fauteuil où il s'est assis

5. Ce qui, ce que (*what*)
Il lui a dit ce qui se passait.
Dites-moi ce que vous avez appris.

5 Interrogative pronouns

(*a*) Qui travaille à la poste? (*Who?*)
Qui est-ce qui travaille?

Qui avez-vous rencontré ce matin? (*Whom?*)
Qui est-ce que vous avez rencontré?

Qu'est-ce qui est arrivé? (*What has happened?*)
Qu'est-il arrivé?

Que faites-vous? (*What?*)
Qu'est-ce que vous faites?

Avec quoi est-ce qu'on découpe le poulet? (*With what?*)
De quoi allez-vous parler? (*Of what?*)

NOTE: Qu'est-ce qu'il y a? *What's the matter?*
Que faire? *What is to be done? etc.*
Qu'est-ce qu'il est devenu? *What has become of him?*
Je ne sais que faire. *I don't know what to do.*

(*b*) Lequel? (*Which?*)
Lequel de ces livres est rouge?
Laquelle de ces serviettes est à vous?
Lesquels de ces soldats sont allemands?
Lesquelles de ces femmes sont françaises?

INDEFINITE ADJECTIVES AND PRONOUNS

1. Quelque, *some*: quelques, *some, a few*
   quelque chose de merveilleux
   quelque temps après
   Il mangea quelques pommes.

2. Quelqu'un, *someone*
   Il y a quelqu'un dans le jardin.
   Quelqu'un d'intéressant.

3. Quelques-un(e)s, *some, a few*
   Quelques-uns de mes amis m'ont invité.

4. Chaque, *each* (*adj.*)
   chaque semaine, chaque mois

5. Chacun(e), *each* or *each one* (*pronoun*)
   chacun de mes frères
   chacune de mes sœurs

6. Tout
   Tous les deux ⎱
   Toutes les deux ⎰ *both*
   Il les remercia tous. *He thanked them all.*
   Je sais tout. *I know everything.*

7. Autre
   Nous nous sommes frappés l'un l'autre (*each other*).
   J'en ai d'autres. *I have others.*

8. Tel, telle, *such*
   un tel chien, *such a dog*
   de tels chiens, *such dogs*, etc.

   With an adjective use **si**.
   une si belle femme, *such a beautiful woman*
   de si belles femmes, *such beautiful women*

VERBS

1 Present Tense (*see Verb Tables, page* 334 *ff.*)

negative

je ne porte pas	je n'ai pas	je ne me lève pas
tu ne portes pas	tu n'as pas	tu ne te lèves pas
etc.	etc.	etc.

NOTES:

(i) For verbs like (*a*) manger, commencer

                 (*b*) mener, lever, acheter

                 (*c*) appeler, jeter

                 (*d*) espérer,   see Verb Tables.

(ii) Verbs in **-oyer** (e.g. *nettoyer, employer*) and in **-uyer** (e.g. *appuyer, ennuyer*) change **y** to **i** before silent endings.

    e.g. j'emploie   j'appuie

         nous employons   nous appuyons

         ils emploient   ils appuient

    With verbs in **-ayer** (e.g. *essayer, payer*) the change is optional:

    e.g. je paie *or* je paye

(iii) For use of *depuis* see "Structures" (page 326).

2 Future Tense (*see Verb Tables, page* 334 *ff.*)

1. The future tense of most French verbs is formed by adding to the infinitive the following endings: **-ai, -as, -a, -ons, -ez, -ont**:
   e.g. je donnerai, tu donneras, il donnera, nous donnerons, vous donnerez, ils donneront

2. If the infinitive ends in **-re**, omit the **e**:
   e.g. j'entendrai, tu entendras, etc.

3. All verbs have the same endings in the future, but a few change their stems:
   e.g. avoir: j'aurai
         être: je serai

4. Refer to the Verb Tables for all these, and for verbs like *appeler, jeter, lever*.

5. Future of verbs in **-oyer, -uyer,** change y to **i.**
j'emploierai   j'essuierai
(optional with *payer, essayer,* etc.)

6. Negative: je ne donnerai pas
                tu ne donneras pas
                il ne donnera pas
                            etc.

NOTES:

(i) After *quand, lorsque, dès que, aussitôt que,* the future must be used whenever future time is implied:
Je viendrai vous voir dès que j'aurai le temps.

(ii) *Shall I telephone the police?*
Faut-il téléphoner à la police?

(iii) When "will" means "want to", use *vouloir*:
I will not do it. Je ne veux pas le faire.

3 Perfect Tense (*see Verb Tables, page* 334 *ff.*)

1. | *negative* | | *negative questions* |
|---|---|---|
| je n'ai pas | donné | N'a-t-il pas encore fini ses devoirs? |
| tu n'as pas | attendu | N'avez-vous pas encore pris votre |
| etc. | | petit déjeuner? etc. |

2. These verbs (and their compounds) are conjugated with *être*:

arriver (arrivé), partir (parti), aller (allé), venir (venu), monter (monté), descendre (descendu), entrer (entré), sortir (sorti), rester (resté), tomber (tombé), naître (né), mourir (mort), retourner (retourné), e.g.:

je suis allé(e)	je ne suis pas venu(e)
tu es allé(e)	tu n'es pas venu(e)
etc.	etc.

questions	*negative questions*
Est-il tombé?	N'est-il pas arrivé?
Etes-vous rentré(es)?	Ne sont-ils pas encore montés?
etc.	etc.

NOTE: (devenir) je suis devenu(e)
(repartir) je suis reparti(e)
(remonter) je suis remonté(e)
(revenir) je suis revenu(e)
(rentrer) je suis rentré(e)

3. Negative of reflexive verbs:
je ne me suis pas levé(e)
tu ne t'es pas levé(e)
il ne s'est pas levé
elle ne s'est pas levée
nous ne nous somme pas levé(e)s
vous ne vous êtes pas levé(es)
ils ne se sont pas levés
elles ne se sont pas levées

4. Agreement of the past participle

(a) With **être**
The past participle agrees with the subject of the verb: e.g.
il est venu, Violette est sortie, les deux garçons sont tombés, elles
sont restées.

(b) With **avoir**
The past participle agrees with the preceding direct object, which
is usually **l'** (**le** or **la**), or **les; me, te, nous, vous**: e.g.
Avez-vous votre sac? — Non, je l'ai perdu.
Où est ma serviette? — Je l'ai cherchée partout.
Il a ramassé les livres et les a donnés au professeur.
Il a pris les lettres et les a mises à la poste.
The preceding direct object may also be the relative pronoun
que: e.g.
la maison qu'elle avait achetée
Les glaces qu'elles avaient mangées étaient excellentes.

or: **Quels** gâteaux avez-vous mangés?
Combien de robes avez-vous achetées?

NOTE: There is no agreement with **en**:
A-t-il acheté des chemises?
Oui, il en a acheté trois.

(*c*) With reflexive verbs

Reflexive verbs are conjugated with **être**, but agree as if with **avoir**, i.e. with the preceding direct object **me, te, se, nous, vous, se**:

e.g.

Il s'est lavé.   Ils se sont levés.

Elle s'est réveillée.   Elles se sont arrêtées.

If therefore the reflexive pronoun is the indirect object, there is no agreement:

Elle s'est lavé la figure.

NOTES:

(i) The perfect tense is used to express single actions or events which have taken place in the recent past in (*a*) conversations, (*b*) letters, (*c*) stories, e.g. (*a*) Leçon 13, (*b*) Leçon 6, (*c*) page 181.

(ii) *Descendre, monter, rentrer, sortir* with a direct object are conjugated with *avoir*: e.g.

Il a monté les bagages.   Il a sorti un carnet de chèques.

Nous avons rentré les chaises.

4 Imperfect Tense (*see Verb Tables, page* 334 *ff.*)

1. The endings are always the same.

2. The stem (i.e. verb without ending) is obtained from the first plural present tense, e.g. **nous finissons, je finissais.** (Exception: **nous sommes, j'étais.**)

3. The imperfect tense is used to describe:

(*a*) a scene or set of circumstances in the past ("was doing"): e.g. il faisait un grand vent, les enfants dormaient, on voyait les arbres.

(*b*) habitual or usual happenings in the past ("used to do"): e.g. Robert revenait tous les jours à 7 heures.

L'après-midi je partais à travers champs.

(c) what was happening at some precise time in the past: e.g.
Il était huit heures du soir et nous préparions le dîner.
and what was happening when something else happened: e.g.
Nous revenions de l'école quand un chien m'attaqua.

NOTE: When "would" = "used to", use the imperfect:
He would often smoke a pipe after lunch.
Il fumait souvent la pipe, etc.

5 Pluperfect Tense (*see Verb Tables, page* 334 *ff.*)

(I had done, etc.)

negative
je n'avais pas donné
tu n'avais pas donné, etc.

je n'étais pas arrivé(e)
tu n'étais pas arrivé(e), etc.

je ne m'étais pas levé(e)
tu ne t'étais pas levé(e), etc.

negative questions
Pourquoi n'avait-elle rien dit à son mari?

6 Past Historic Tense (*see Verb Tables, page* 334 *ff.*)

1. There are three sets of endings:

(a)	(b)	
-ai	-is	-us
-as	-is	-us
-a	-it	-ut
-âmes	-îmes	-ûmes
-âtes	-îtes	-ûtes
-èrent	-irent	-urent

2. The first singular gives the key to the stem and endings for any verb:
e.g. je donnai (a) above
je vendis (b) above
je connus (c) above

313

3. The past historic is used in written narrative French to denote single actions in the past. (It is not used in letters or conversations.) The actions may last some time, provided the exact duration is known: e.g.
La guerre dura 10 ans.

7 Conditional Tense (*see Verb Tables, page* 334 *ff.*)

1. The endings are always the same as those of the imperfect.

2. The stem is always the same as the stem of the future,
   e.g. j'**aur**ai, j'**aur**ais.

3. Conditional past: j'aurais donné, je serais arrivé, je me serais réveillé.

4. Tenses used with **si**
   (i) Si = *if*
      (*a*) S'il vient, je lui parlerai.
      (*b*) S'il venait, je lui parlerais (*if he came*).
      (*c*) S'il était venu, je lui aurais parlé (*if he had come*).

   (ii) Si = *whether*. Used only in indirect questions.
      Now *si* may be used with future or conditional.
      Je me demande s'il arrivera ce soir.
      I wonder if (= *whether*) *he will arrive this evening.*
      Je me demandais s'il arriverait ce soir-là.
      I wondered if he would arrive that evening.

5. Note the use of the conditional tense in indirect statements:
   Demain je travaillerai plus de dix heures.
   Il a dit que le lendemain il travaillerait plus de dix heures.

8 Past Anterior Tense

Used to translate "he *had* (done)" after **quand, lorsque, dès que, aussitôt que, à peine que, après que,** when one single event is followed immediately by another: e.g.
Dès qu'il **eut** traversé le café, il descendit dans la cave.
Quand il **fut** arrivé jusqu'à la branche, il poussa un cri.
A peine se **fut**-il levé, qu'il entendit un coup de tonnerre.

Après que nous **fûmes** arrivés sur la grande route, le vent cessa de siffler.

The main verb must be in the past historic, otherwise the pluperfect should be used in the dependent clause (il était arrivé, j'avais pris, elle s'était levée): e.g.

Tous les jours, dès qu'il avait traversé le café, il descendait dans la cave.

9 Passive Voice

The passive voice is composed of **être** and the past participle, which always agrees with the subject. Any tense may be formed: e.g.

Les soldats ont été fusillés.

L'armée avait été battue.

Nous serons certainement emprisonnés.

Nous aurions été capturés.

Il fut arrêté.

NOTE: The passive voice is often avoided in French: **on** is used, or a reflexive: e.g.

On les a condamnés à un an de prison.

La porte s'est ouverte.

Il se trompe.

Le Louvre se trouve dans les Tuileries.

With the *dire, demander* group of verbs always use **on** and the active:

We had been told to go.

On nous avait dit de partir.

10 Present Participle

1. Formed by adding **-ant** to stem of *nous* form of present tense: e.g.

   Nous allons. Allant

   Nous voyons. Voyant

   BUT être → étant, avoir → ayant, savoir → sachant.

2. It is invariable unless used as an adjective: e.g.

   On les trouva encore vivants.

315

3. **En** + present participle:

On doing: En voyant le cambrioleur, il téléphona à la police.

While doing: En fermant la fenêtre, je me suis fait mal au doigt.

When doing: Envoyez-moi une carte postale en arrivant à l'hôtel.

By doing: Il échappa à la police en sautant sur le balcon.

4. After other prepositions the infinitive is used: e.g. *de, sans, après, par.*

11 More Negatives

Il n'avait pas d'argent.

Il n'avait jamais travaillé (*never*).

Il n'y avait rien dans le tiroir (*nothing*).

Rien n'est arrivé.

Qu'est-ce qu'il y a dans la boîte? Rien.

Il n'y avait personne dans la rue (*nobody*).

Qui est assis derrière vous? Personne.

Personne ne vous posera des questions.

Je ne pouvais plus entendre les avions (*no longer*).

Il n'a que vingt-cinq francs (*only*).

Il n'en a que deux.

Il n'y avait aucun bruit (*no*).

Il ne manifesta aucune impatience.

Il n'y avait nul moyen d'éviter le choc (*no*).

Sans rien dire (*without saying anything*).

Sans voir personne.

Ni l'une ni l'autre n'en veut (*neither . . . nor*).

Je n'ai ni sac ni porte-monnaie.

Les portraits ne donnaient guère envie d'entrer.

Il n'est guère possible (*scarcely*).

NOTES:

(i) With compound tenses **personne** and **que** follow the past participle:

Je n'ai rencontré personne.

Je n'en ai mangé que trois.

(ii) **ne … pas, ne … plus,** etc., come together before an infinitive, (except **ne … personne, ne … que**):

Je leur ai dit de | ne pas | amener de malades.
              | ne plus |
              | ne jamais |

(iii) Examples of two negatives in one sentence:
Il ne voyait ni n'entendait rien.
Il n'y avait plus rien dans ma valise (*no longer anything*).
Elle n'apportait plus que de bonnes nouvelles.
It now brought only good news.
Personne n'avait rien vu.
Sans rien dire.

(iv) "Yes", in answer to a negative question = **si:**
Il n'est pas venu? Si.

12 Commands (Imperative)

With close friends or relations (where **tu** is used) use the present tense, **tu** form: e.g.
Finis ton devoir. Attends-moi.
but note:
Donne-moi le livre. Lève-toi. (With verbs like **donner** omit **-s.**) Va à la porte.
With other people use the verb form in **-ez**: e.g.
Allez à la porte. Dessinez un chat. Ne donnez pas le livre à Jean.
Levez-vous. Lavez-vous les oreilles.

NOTE: Allons au cinéma. *Let's go to the cinema.*
        Asseyons-nous. *Let's sit down.*
        Sois sage. *Be good.*
        Vas-y! *Go ahead!*

13 Formation of Questions

1. A rising tone of voice at the end of a statement:
Vous allez à la piscine? Vous êtes allé au cinéma?

2. **Est-ce que** placed in front of a statement:
   Est-ce que vous allez souvent à la piscine?
   Est-ce que Violette est grande ou petite?

3. Except in the first person singular, inversion of pronoun and verb:
   Allez-vous à la piscine? Va-t-il à la piscine?
   Avez-vous fini vos devoirs?

   NOTE: (i) In the first person singular use **Est-ce que**:
   Est-ce que je suis arrivé à l'heure?

   (ii) If two vowels came together, **-t-** is placed between them:
   A-t-il fini ses devoirs?

4. With a noun subject use **Est-ce que** or say:
   Violette est-elle grande?
   Quand votre mère est-elle arrivée?
   Pourquoi les animaux avaient-ils peur?

14 Inversion

1. "He cried", "she replied", etc., in the middle of questions:
   «Qu'y a-t-il?» s'écria-t-il.

2. When **peut-être** begins a sentence:
   Peut-être avait-il perdu sa montre, *or*
   Peut-être qu'il avait perdu son vélo.

3. Comme (Que) vous nagez bien! *How well . . .*
   Comme vous êtes beau! *How fine . . .*

15 The Subjunctive Mood

1. *Form*

   (*a*) PRESENT SUBJUNCTIVE
   Endings: **-e, -es, -e, -ions, -iez, -ent.**
   For the stem, look at the *plural present indicative*.

   (i) If there is only one stem, this is the stem of the present subjunctive: e.g.

	indicative	*subjunctive*
(donner)	nous donn|ons	je donne
	vous donn|ez	tu donnes
	ils donn|ent	il donne
		nous donnions
		vous donniez
		ils donnent
(finir)	nous finissons	je finisse
	vous finissez	tu finisses
	ils finissent	ils finissent
		nous finissions
		vous finissiez
		ils finissent
(vendre)	nous vendons	je vende
	vous vendez	etc.
	ils vendent	
(mettre)	nous mettons	je mette
	vous mettez	nous mettions
	ils mettent	etc.
(partir)	nous partons	je parte
	vous partez	vous partiez
	ils partent	etc.

(ii) If there are two stems, *nous* and *vous* stems are the same in both tenses, whilst the *third plural indicative* provides the stem for the other persons: e.g.

	indicative	*subjunctive*
(boire)	nous buv|ons	je boive
	vous buv|ez	tu boives
	ils boiv|ent	il boive
		nous buvions
		vous buviez
		ils boivent

(venir)	nous venons	je vienne
	vous venez	tu viennes
	ils viennent	il vienne
		nous venions
		vous veniez
		ils viennent

(iii) Exceptions:

avoir	*être*	*aller*
j'aie	je sois	j'aille
tu aies	tu sois	tu ailles
il ait	il soit	il aille
nous ayons	nous soyons	nous allions
vous ayez	vous soyez	vous alliez
ils aient	ils soient	ils aillent

valoir	*vouloir*	*faire*
je vaille	je veuille	je fasse
tu vailles	tu veuilles	tu fasses
il vaille	il veuille	il fasse
nous valions	nous voulions	nous fassions
vous valiez	vous vouliez	vous fassiez
ils vaillent	ils veuillent	ils fassent

savoir	*pouvoir*
je sache	je puisse
tu saches	tu puisses
il sache	il puisse
nous sachions	nous puissions
vous sachiez	vous puissiez
ils sachent	ils puissent

(b) IMPERFECT SUBJUNCTIVE

Three types, based on three types of the past historic.
Take off the last letter of the first singular past historic and add: **-sse, -sses, -ˆt, -ssions, -ssiez, -ssent**: e.g.

je donnasse	nous donnassions
tu donnasses	vous donnassiez
il donnât	ils donnassent

je finisse	nous finissions
tu finisses	vous finissiez
il finît	ils finissent
j'eusse	je fusse
tu eusses	tu fusses
il eût	il fût
nous eussions	nous fussions
vous eussiez	vous fussiez
ils eussent	ils fussent

NOTE: (venir) je vinsse (tenir) je tinsse
        il vînt   il tînt

(c) PERFECT AND PLUPERFECT SUBJUNCTIVE
Use the subjunctive of the auxiliaries *avoir* or *être*:
Bien qu'il soit arrivé en retard
Jusqu'à ce qu'il eût fini

2. *Use of the subjunctive*

(a) After certain conjunctions:
Quoiqu'il travaillât toute la journée (*although*)
Bien que je fusse sain et sauf (*although*)
Pour qu'on voie ce qu'il y a (*in order that, so that*)
Jusqu'à ce qu'on la lui ouvrît (*until*)
Avant que j'eusse le temps de comprendre (*before*)
Pourvu que ma mère n'oublie pas (*provided that*)
Sans qu'ils s'en fussent aperçus (*without*)
A moins qu'il ne soit trop tard (*unless*)

(b) After **il faut que** (**il est nécessaire que**): e.g.
Il faut que je fasse mes devoirs.
Il faut que j'apprenne l'histoire.

(c) After expressions of doubt or possibility: e.g.
Je doute qu'elle vienne.
Je ne crois pas qu'il soit venu.
Il est possible qu'il soit déjà arrivé.

(d) After expressions of wishing, feeling, fearing: e.g.
Mon papa veut que vous veniez chez nous.
Quel dommage que le voyage soit si court!

Il était content qu'elle eût réussi.
Je m'étonne qu'il soit si méchant.
J'ai peur que les petits n'aient froid.

(e) In a subordinate clause depending on a superlative: e.g.
C'est le coup de téléphone le plus historique qui ait été donné.
C'est la plus jolie femme que j'aie vue.

3. NOTES:

(a) *To wait until* = attendre que: e.g.
Attendez que tout le monde soit à table.
Il attendit qu'ils eussent franchi la porte.

(b) The subjunctive (especially the imperfect) is losing ground in modern French and should be avoided whenever possible, for example by means of another turn of phrase: e.g.
Il est possible qu'il vienne. = Peut-être qu'il viendra.
Sortez sans qu'on vous entende. = Sortez sans faire de bruit.
Avant qu'il parte. = Avant son départ.

(c) Which tense to use?
After conjunctions (2(a) above) use normal tense: e.g.
Quoiqu'il soit riche... *Although he is rich . . .*
Quoiqu'il fût malade... *Although he was ill . . .*
If the main verb is in the imperfect or past historic one should use the imperfect subjunctive, but nowadays the French use the present tense in colloquial speech.

ADVERBS

1. They are usually placed either after the verb or at the beginning of the sentence, BUT never between subject and verb.
They are generally placed before the object.

Il ouvrit lentement la porte. *He slowly opened the door.*
Qu'est-ce qu'il avait déjà fait?
Malheureusement je me suis trompé de valise.
Je mange quelquefois du poisson. *I sometimes eat fish.*
Il voulait bien manger et bien boire.

2. They never change their spelling.

3. Many are formed by adding **-ment** to the feminine of the adjective: e.g.

heureux	heureusement
seul	seulement
attentif	attentivement
complet	complètement

4. If the adjective ends in a vowel, **-ment** is added to the masculine form: e.g.

poli   poliment (BUT: gaiement *or* gaîment)

NOTES: (i)

évident	évidemment
récent	récemment
constant	constamment
BUT	
lent	lentement

(ii)

bon	bien
mauvais	mal
petit	peu

e.g. C'est un bon professeur, il enseigne bien l'anglais.
C'est un mauvais garçon; il travaille mal.
Ce n'est qu'un petit enfant; il mange peu.

(iii) Paul travaille mieux que moi, mais Henri travaille le mieux.
Jean travaille peu; il travaille moins que moi, mais Richard travaille le moins.
M. Janson est le meilleur professeur du lycée; il enseigne le mieux.

(iv) Adverb **tout** (*all, quite*)
Tout used with an adjective agrees only when the adjective is feminine and begins with a consonant: e.g.
tout essoufflée, tout essoufflées
BUT
toute seule

TIME, etc.

Quelle heure est-il?

1.00	Il est une heure.
2.05	Il est deux heures cinq.
3.15	Il est trois heures et quart.
4.25	Il est quatre heures vingt-cinq.
5.30	Il est cinq heures et demie.
6.35	Il est sept heures moins vingt-cinq.
7.40	Il est huit heures moins vingt.
8.45	Il est neuf heures moins le quart.
9.50	Il est dix heures moins dix.
10.55	Il est onze heures moins cinq.
11.45	Il est midi moins le quart.
24.00	Il est minuit.

Les jours de la semaine
lundi (*Monday*), mardi, mercredi, jeudi, vendredi, samedi, dimanche

Les mois de l'année

janvier	avril	juillet	octobre
février	mai	août	novembre
mars	juin	septembre	décembre

Les saisons   le printemps, l'été, l'automne, l'hiver

La date

le 16 septembre   *September 16*
BUT (i) mercredi 16 septembre   *Wednesday, September 16*

(ii) le 1ᵉʳ mai (le premier mai).

In 1970, en mil neuf cent soixante-dix
or en dix-neuf cent soixante-dix.
au dix-huitième siècle, **in** *the eighteenth century*

Le temps	il fait beau	il pleut (il a plu)
	il fait mauvais	il neige
	il fait chaud	il gèle
	il fait froid	le soleil brille
	il fait frais (*fresh, chilly*)	il fait jour

324

il fait du vent   il fait nuit
il fait du soleil   il fait noir
il fait de la brume
il fait du brouillard

On a beautiful day in July. Par un beau jour de juillet.

NUMBERS

1 Cardinal

1 un(e)	18 dix-huit	67 soixante-sept
2 deux	19 dix-neuf	70 soixante-dix
3 trois	20 vingt	71 soixante et onze
4 quatre	21 vingt et un	72 soixante-douze
5 cinq	22 vingt-deux	79 soixante-dix-neuf
6 six	23 vingt-trois	80 quatre-vingts
7 sept	30 trente	81 quatre-vingt-un
8 huit	31 trente et un	90 quatre-vingt-dix
9 neuf	33 trente-trois	91 quatre-vingt-onze
10 dix	40 quarante	99 quatre-vingt-dix-neuf
11 onze	41 quarante et un	100 cent
12 douze	44 quarante-quatre	101 cent un
13 treize	50 cinquante	102 cent deux, etc.
14 quatorze	51 cinquante et un	200 deux cents
15 quinze	55 cinquante-cinq	250 deux cent cinquante
16 seize	60 soixante	1000 mille
17 dix-sept	61 soixante et un	2000 deux mille
1,000,000 un million		

NOTE: une quinzaine, *fortnight*
une vingtaine, *about 20*
des milliers de livres, *thousands of books*
trois sur quatre, *three out of four*

325

2 Ordinal

1st premier (première)
2nd deuxième (second(e))
3rd troisième
20th vingtième
21st vingt et unième

NOTE: (i) Les trois premiers jours, *the first three days*

(ii) le quart, *quarter*
le tiers, *third*
la moitié, *half*
quatre dixièmes, *four-tenths*

3 Distance

Dieppe est à 160 kilomètres de Paris.
Combien | y a-t-il de Dieppe à Paris?
Quelle distance |

4 Dimensions

La chambre a quatre mètres de long.
Elle a trois mètres de large.
Elle a trois mètres de haut.
Elle a quatre mètres de long, sur trois de large, sur trois de haut.

SUMMARY OF STRUCTURES AND IDIOMS

(Numbers in brackets refer to lessons)

1. (*a*) Il | lui | a | conseillé | d'aller au poste de police.
Elle | leur | avait | demandé |
		dit
		ordonné
		promis

(4, 5, 8)

(*b*) Elle lui a | défendu | de monter en avion.
| permis |

Timothée a permis à grand-père de le caresser.

(3, 9)

2. (a)

J'ai	commencé	à	travailler.
Nous avons	continué		chasser les lapins.
	appris		jouer du violon.
	passé le temps		jouer aux échecs.

Je me suis mis
Je me plaisais
(2, 7, 8, 14, 15, 17)

(b) Elle a | hésité | à le laisser partir en avion.
       | consenti |

(5, 9)

(c) Il | a réussi | à attirer son attention.
     | est parvenu |
     | ne tarda pas |

(3, 7, 8)

(d) Il | chercha | à expulser le tigre.
     | se prépara |
     | aida le gardien |

Le jeu consistait à chasser le tigre.
(3, 6, 7, 8, 14)

(e) Il | invita | les soldats | à | entrer.
     | aida | la femme | | descendre dans la cave.

(1, 2, 6, 8)

3. (a) Il | voulait | parler anglais.
        Elle | espérait | assister au concert.
        | préférait | apprendre à danser.
        | aimait |
        | n'osait pas |

(2, 4, 5, 7, 14)

(b) J'ai | pu | échapper à la police. (*was able to*)
     Il a | dû | dormir longtemps. (*had to*)
     Nous avons | voulu | aider les réfugiés. (*wanted to*)

(5, 6, 8, 9, 12, 13, 14)

(c) Il | vaut | mieux | s'éloigner des arbres. (*It is better to.*)
     | valait | | dresser la tente près du lac.

(3, 7, 8, 14)

Ils auraient pu le noyer dans la Seine. (*might have*)
Il aurait dû fermer la porte à clef. (*ought to have*)
Ils auraient voulu s'entraîner dans un parc. (*would have liked*)
(7, 11, 12, 14, 15)

4. On lui

a	volé	un âne.
avait	emprunté	un cheval.
	acheté	de l'argent.
	enlevé	des livres.
	pris	

(5, 13)

5. (*a*)

J'ai fait	repeindre deux pièces.
Nous avons fait	installer le chauffage central.

(10)

(*b*) Il a

vu	passer son ami.
laissé	monter l'avion.
entendu	arriver Rigaud.

(7, 8, 9, 10, 13)

6.

Je sais	danser.
Il savait	jouer aux cartes.
	jouer de la guitare.

7. Sa grand-mère

commença	par refuser sa permission.
finit	par le laisser partir.

(9)

8. Depuis combien de temps apprenez-vous le français ?
— Je l'apprends depuis cinq ans. (*have been learning*)
Elle cherchait son sac depuis trois heures. (*had been looking for it*)
(3, 6, 7, 10, 17)

9. (*a*) Avant de rentrer, ils prennent l'apéritif.
(*b*) Après avoir passé à la douane, il a cherché un taxi. (8, 10)
(*c*) Après être entré dans la banque, il remit un chèque au directeur. (10, 15)
(*d*) Après s'être baignés pendant une heure, ils s'habillèrent. (3)

10. Il s'est | intéressé | au visiteur.
    | habitué | à l'étranger.
    | | à la vie politique.
    (3, 6, 7, 16)

11. (a) Ils | se sont | approchés | du peintre.
    | s'étaient | éloignés | de l'étranger.
    | | souvenus | de la dame.
    | | moqués | des tigres.
    | | débarrassés |
    | | méfiés |
    (3, 6, 7, 16)

    (b) Il s'est servi du téléphone.
    Il s'est occupé du ménage.
    Elle s'est trompée de valise.
    (3, 15, 16)

12. Il était | difficile | de ne pas perdre de temps.
    | important | d'échapper à la mort.
    Il était heureux de revoir Rigaud.
    Il était dangereux de caresser le tigre.
    (3, 7, 14)

13. Ma fille vient de cueillir des fraises. (*has just*)
    Il venait de lui sauver la vie. (*had just*)
    (2, 3, 4, 13, 16, 17)

14. A quoi sert une charrue?
    — Elle sert à labourer la terre. (4)

15. Il était trop | terrifié | pour | dire un mot.
    | jeune | | comprendre.
    Il était assez intelligent pour se rendre compte de l'énormité de la perte.
    (6, 17)

16. Renoir était peintre. (*professions*)
    le général de Gaulle. (*titles*)
    (7)

17. Nevers est à 232 kilomètres de Paris.

18. Il a pris │ un journal │ sur la table.
    │ une enveloppe │ dans le tiroir.
    Il a bu du vin dans un verre.
    (2)

19. à pied, à bicyclette (à vélo), à cheval, en auto (en voiture), en autobus, par le train (en train), en avion, en hélicoptère, en parachute.

20. J'ai chaud. Il a froid. Il a faim. Vous avez raison. Vous avez tort. Il avait peur. Elle a douze ans. Nous avons besoin d'un âne (13). Il avait les dents blanches (6). Il avait mal à l'épaule. J'ai sommeil. Elle a honte. Il avait envie de pleurer (14). La bataille a eu lieu en 1870.

21. attendre, écouter, chercher, demander, payer, regarder.
    Nous attendions le signal. (Voir page 106, ex. IX).
    Il envoya chercher le directeur. (*He sent for*)

22. Elle s'est coupé le doigt.
    Je me suis fait mal à la jambe.
    Mon épaule me faisait mal.
    (14)

23. Quand vous viendrez nous voir, vous nous ferez grand plaisir.
    Il a dit que quand il viendrait les voir, il leur ferait grand plaisir.
    (1, 10)

24. Etes-vous prêt à partir ?
    J'ai beaucoup à faire.
    Je n'ai rien à boire.
    Il était │ le premier │ à arriver.
    │ le dernier │
    Une maison │ à │ louer
    Une auto │ │ vendre (10)
    Nous avons encore deux heures à attendre.
    J'ai encore trois lettres à écrire.
    C'est facile à faire.

25. Il │ faut │ trois heures pour aller à Paris.
    │ a fallu │

26. Il remercia l'agent de sa politesse.
Il félicita le jeune homme de son courage.
Elle jouissait d'une santé merveilleuse.
Il ne faut pas trop dépendre de vos parents.
Il a ri de son erreur.

27. Il a fait une visite à ses cousins.
Elle a fait trois kilomètres à pied.
J'ai fait une bonne promenade à cheval.
Il faut faire attention.
Il ne faut pas faire le malade. (*pretend to be*)
Le dentiste m'a fait très mal.
Il faisait semblant de dormir. (*pretended*)
Votre visite m'a fait beaucoup de plaisir.
Il ne fait que parler toute la journée. (*he does nothing but talk*)

28. Il ressemblait à sa mère.
Elle obéissait toujours à son professeur.
Il résistait à la tentation de trop manger.
Il n'avait pas répondu à la question.
Il refusa de pardonner à son ennemi.
Elle essayait de plaire à son mari.

REVISION

1 Phrases of time

Il y a longtemps que je ne vous ai pas vu. *It's a long time since I saw you.*
Le lundi il restait à la maison. *On Mondays* . . .
à dix heures *du* matin, *in the morning*
huit jours, *a week*
il y a quinze jours, *a fortnight ago*
au bout de quatre jours, *after four days*
Le matin il écrivait ses lettres, l'après-midi il dormait. *In the morning he would write letters, in the afternoon, etc.*
une fois par semaine, *once a week*
par une belle soirée d'été, *on a fine summer evening*
autrefois, *formerly*

331

la veille, *the day before, the eve*
à temps, à l'heure, *in time*
Il est arrivé trop tôt, *too soon.*
toute la journée (matinée, soirée), *all day*
tout à l'heure, *presently, just now*
à cette époque, *at that time*

2 Phrases of place

en haut, *upstairs*
en bas, *downstairs*
à quelques kilomètres, *a few kilometres away*
parmi les arbres, *amongst the trees*
à l'endroit même, *at the very spot*
au niveau de l'eau, *on a level with the water*
dans l'escalier, *on the stairs*
de l'autre côté de, *on the other side of*
quelque part, *somewhere*
là-bas, *over there*

3 Miscellaneous expressions

Il monta l'escalier	en courant. *He ran upstairs.*
Il descendit	etc.
Il sortit de la maison	
Il entra dans la maison	

Après avoir fait 2 kilomètres, il s'arrêta. *After walking 2 kilometres* . . .
Elle alla fermer la porte. *She went and closed the door.*
Ils se dirigèrent vers la ferme. *They walked towards* . . .
Vous m'avez rendue très heureuse. *You have made me very happy.*
Qu'est-ce qu'ils sont devenus ? *What has become of them ?*
d'une manière bizarre, *in a strange way*
en même temps, *at the same time*
grâce à votre aide, *thanks to your help*
Elle était vêtue de blanc. *She was dressed in white.*
à cause de la guerre, *because of the war*
tant mieux (pis), *so much the better (worse)*
malgré le froid, *in spite of the cold*

un de nos amis, *a friend of ours*
à moitié mort, *half-dead*
quant à mon ennemi, *as for my enemy*
Ils étaient en train de regarder la télévision. *They were just looking at the television.*
Savez-vous si cet homme vous connaît?
Connaissez-vous M. Delbos? Oui, je l'ai déjà rencontré.
Il ne pouvait pas sortir à cause de la grippe. *He couldn't (wasn't able)* . . .
Vous pourriez le faire si vous vouliez. *You could (would be able)* . . .
Elle a travaillé **pendant** six heures et puis elle s'est couchée. *She worked for six hours* . . .
Nous allons à Paris **pour** une semaine. (*future time*)
Je ne l'ai pas vu depuis dimanche.
le train de Paris, *to Paris*
un billet pour Rouen, *a ticket to Rouen*
La colline était couverte d'arbres, *with trees.*
Il le blessa avec son épée, *with his sword.*
la dame au chapeau vert, *with a green hat.*
J'ai failli tomber. *I nearly fell.*
Il eut beau essayer d'ouvrir la porte. *He tried in vain to open the door.*
Quelque chose de bon à manger. *Something good to eat.*

VERB TABLES
Types of Verb

Infinitive	Participles *Present* *Past*	Imperative	Present	Future	Conditional *Present*
donner	donnant donné	donne donnons donnez	je donne tu donnes il donne nous donnons vous donnez ils donnent	je donnerai tu donneras il donnera nous donnerons vous donnerez ils donneront	je donnerais tu donnerais il donnerait nous donnerions vous donneriez ils donneraient
finir	finissant fini	finis finissons finissez	je finis tu finis il finit nous finissons vous finissez ils finissent	je finirai tu finiras il finira nous finirons vous finirez ils finiront	je finirais tu finirais il finirait nous finirions vous finiriez ils finiraient
répondre	répondant répondu	réponds répondons répondez	je réponds tu réponds il répond nous répondons vous répondez ils répondent	je répondrai tu répondras il répondra nous répondrons vous répondrez ils répondront	je répondrais tu répondrais il répondrait nous répondrions vous répondriez ils répondraient
se laver	lavant lavé	lave-toi lavons-nous lavez-vous	je me lave tu te laves il se lave nous nous lavons vous vous lavez ils se lavent	je me laverai tu te laveras il se lavera nous nous laverons vous vous laverez ils se laveront	je me laverais tu te laverais il se laverait nous nous laverions vous vous laveriez ils se laveraient

avoir and être

Infinitive	Participles *Present Past*	Present	Future
avoir	ayant eu	j'ai tu as il a nous avons vous avez ils ont	j'aurai tu auras il aura nous aurons vous aurez ils auront
être	étant été	je suis tu es il est nous sommes vous êtes ils sont	je serai tu seras il sera nous serons vous serez ils seront

334

Perfect	Imperfect	Pluperfect	Past Historic
j'ai donné tu as donné il a donné nous avons donné vous avez donné ils ont donné	je donnais tu donnais il donnait nous donnions vous donniez ils donnaient	j'avais donné tu avais donné il avait donné nous avions donné vous aviez donné ils avaient donné	je donnai tu donnas il donna nous donnâmes vous donnâtes ils donnèrent
j'ai fini tu as fini il a fini nous avons fini vous avez fini ils ont fini	je finissais tu finissais il finissait nous finissions vous finissiez ils finissaient	j'avais fini tu avais fini il avait fini nous avions fini vous aviez fini ils avaient fini	je finis tu finis il finit nous finîmes vous finîtes ils finirent
j'ai répondu tu as répondu il a répondu nous avons répondu vous avez répondu ils ont répondu	je répondais tu répondais il répondait nous répondions vous répondiez ils répondaient	j'avais répondu tu avais répondu il avait répondu nous avions répondu vous aviez répondu ils avaient répondu	je répondis tu répondis il répondit nous répondîmes vous répondîtes ils répondirent
je me suis lavé(e) tu t'es lavé(e) il s'est lavé elle s'est lavée nous nous sommes lavé(e)s vous vous êtes lavé(es) ils se sont lavés elles se sont lavées	je me lavais tu te lavais il se lavait nous nous lavions vous vous laviez ils se lavaient	je m'étais lavé(e) tu t'étais lavé(e) il s'était lavé elle s'était lavée nous nous étions lavé(e)s vous vous étiez lavé(es) ils s'étaient lavés elles s'étaient lavées	je me lavai tu te lavas il se lava nous nous lavâmes vous vous lavâtes ils se lavèrent

Conditional Present	Perfect Pluperfect	Imperfect	Past Historic
j'aurais tu aurais il aurait nous aurions vous auriez ils auraient	j'ai eu j'avais eu	j'avais	j'eus tu eus il eut nous eûmes vous eûtes ils eurent
je serais tu serais il serait nous serions vous seriez ils seraient	j'ai été j'avais été	j'étais	je fus tu fus il fut nous fûmes vous fûtes ils furent

Irregular Verbs

Infinitive	Participles Present, Past	Present	Future Conditional	Perfect Pluperfect	Imperfect Past Historic
acheter	achetant acheté	j'achète tu achètes il achète nous achetons vous achetez ils achètent	j'achèterai j'achèterais	j'ai acheté j'avais acheté	j'achetais j'achetai
aller	allant allé	je vais tu vas il va nous allons vous allez ils vont	j'irai j'irais	je suis allé(e) j'étais allé(e)	j'allais j'allai
appeler	appelant appelé	j'appelle tu appelles il appelle nous appelons vous appelez ils appellent	j'appellerai j'appellerais	j'ai appelé j'avais appelé	j'appelais j'appelai
s'asseoir	s'asseyant assis	je m'assieds tu t'assieds il s'assied nous nous asseyons vous vous asseyez ils s'asseyent	je m'assiérai je m'assiérais	je me suis assis(e) je m'étais assis(e)	je m'asseyais je m'assis
battre[1]	battant battu	je bats tu bats il bat nous battons vous battez ils battent	je battrai je battrais	j'ai battu j'avais battu	je battais je battis
boire	buvant bu	je bois tu bois il boit nous buvons vous buvez ils boivent	je boirai je boirais	j'ai bu j'avais bu	je buvais je bus
commencer	commençant commencé	je commence tu commences il commence nous commençons vous commencez ils commencent	je commencerai je commencerais	j'ai commencé j'avais commencé	je commençais je commençai
conduire[2]	conduisant conduit	je conduis tu conduis il conduit nous conduisons vous conduisez ils conduisent	je conduirai je conduirais	j'ai conduit j'avais conduit	je conduisais je conduisis
connaître	connaissant connu	je connais tu connais il connaît nous connaissons vous connaissez ils connaissent	je connaîtrai je connaîtrais	j'ai connu j'avais connu	je connaissais je connus

[1] Conjugated like battre: abattre, combattre.
[2] Conjugated like conduire: produire, réduire, traduire, construire, détruire.

Irregular Verbs—*continued*

Infinitive	Participles Present, Past	Present	Future Conditional	Perfect Pluperfect	Imperfect Past Historic
courir	courant couru	je cours tu cours il court	nous courons vous courez ils courent	je courrai je courrais	j'ai couru j'avais couru	je courais je courus
craindre[1]	craignant craint	je crains tu crains il craint	nous craignons vous craignez ils craignent	je craindrai je craindrais	j'ai craint j'avais craint	je craignais je craignis
cueillir[2]	cueillant cueilli	je cueille tu cueilles il cueille	nous cueillons vous cueillez ils cueillent	je cueillerai je cueillerais	j'ai cueilli j'avais cueilli	je cueillais je cueillis
croire	croyant cru	je crois tu crois il croit	nous croyons vous croyez il croient	je croirai je croirais	j'ai cru j'avais cru	je croyais je crus
devoir	devant dû (*f.* due)	je dois tu dois il doit	nous devons vous devez ils doivent	je devrai je devrais	j'ai dû j'avais dû	je devais je dus
dire	disant dit	je dis tu dis il dit	nous disons vous dites ils disent	je dirai je dirais	j'ai dit j'avais dit	je disais je dis
dormir[3]	dormant dormi	je dors tu dors il dort	nous dormons vous dormez ils dorment	je dormirai je dormirais	j'ai dormi j'avais dormi	je dormais je dormis
écrire[4]	écrivant écrit	j'écris tu écris il écrit	nous écrivons vous écrivez ils écrivent	j'écrirai j'écrirais	j'ai écrit j'avais écrit	j'écrivais j'écrivis
envoyer	envoyant envoyé	j'envoie tu envoies il envoie	nous envoyons vous envoyez ils envoient	j'enverrai j'enverrais	j'ai envoyé j'avais envoyé	j'envoyais j'envoyai

[1] Conjugated like **craindre: atteindre, éteindre, joindre, peindre, plaindre.**
[2] Conjugated like **cueillir: accueillir, recueillir.**
[3] Conjugated like **dormir: mentir, partir, sentir, servir, sortir.**
[4] Conjugated like **écrire: décrire.**

Irregular Verbs—*continued*

338

Infinitive	Participles Present, Past	Present	Future Conditional	Perfect Pluperfect	Imperfect Past Historic
espérer[1]	espérant / espéré	j'espère, tu espères, il espère / nous espérons, vous espérez, ils espèrent	j'espérerai / j'espérerais	j'ai espéré / j'avais espéré	j'espérais / j'espérai
faire	faisant / fait	je fais, tu fais, il fait / nous faisons, vous faites, ils font	je ferai / je ferais	j'ai fait / j'avais fait	je faisais / je fis
falloir	— / fallu	il faut	il faudra / il faudrait	il a fallu / il avait fallu	il fallait / il fallut
fuir[2]	fuyant / fui	je fuis, tu fuis, il fuit / nous fuyons, vous fuyez, ils fuient	je fuirai / je fuirais	j'ai fui / j'avais fui	je fuyais / je fuis
jeter	jetant / jeté	je jette, tu jettes, il jette / nous jetons, vous jetez, ils jettent	je jetterai / je jetterais	j'ai jeté / j'avais jeté	je jetais / je jetai
lever[3]	levant / levé	je lève, tu lèves, il lève / nous levons, vous levez, ils lèvent	je lèverai / je lèverais	j'ai levé / j'avais levé	je levais / je levai
lire	lisant / lu	je lis, tu lis, il lit / nous lisons, vous lisez, ils lisent	je lirai / je lirais	j'ai lu / j'avais lu	je lisais / je lus
manger	mangeant / mangé	je mange, tu manges, il mange / nous mangeons, vous mangez, ils mangent	je mangerai / je mangerais	j'ai mangé / j'avais mangé	je mangeais / je mangeai
mettre[4]	mettant / mis	je mets, tu mets, il met / nous mettons, vous mettez, ils mettent	je mettrai / je mettrais	j'ai mis / j'avais mis	je mettais / je mis

[1] Conjugated like espérer: **protéger, régner, répéter.**
[2] Conjugated like **fuir: s'enfuir.**
[3] Conjugated like **lever: mener.**
[4] Conjugated like **mettre: admettre, permettre, promettre.**

Irregular Verbs—*continued*

Infinitive	Participles Present, Past	Present	Future Conditional	Perfect Pluperfect	Imperfect Past Historic
mourir	mourant, mort	je meurs, tu meurs, il meurt / nous mourons, vous mourez, ils meurent	je mourrai, je mourrais	il est mort, il était mort	je mourais, je mourus
naître	né			je suis né(e)	je naquis
ouvrir[1]	ouvrant, ouvert	j'ouvre, tu ouvres, il ouvre / nous ouvrons, vous ouvrez, ils ouvrent	j'ouvrirai, j'ouvrirais	j'ai ouvert, j'avais ouvert	j'ouvrais, j'ouvris
paraître[2]	paraissant, paru	je parais, tu parais, il paraît / nous paraissons, vous paraissez, ils paraissent	je paraîtrai, je paraîtrais	j'ai paru, j'avais paru	je paraissais, je parus
plaire[3]	plaisant, plu	je plais, tu plais, il plaît / nous plaisons, vous plaisez, ils plaisent	je plairai, je plairais	j'ai plu, j'avais plu	je plaisais, je plus
pleuvoir	pleuvant, plu	il pleut	il pleuvra, il pleuvrait	il a plu, il avait plu	il pleuvait, il plut
pouvoir	pouvant, pu	je peux, tu peux, il peut / nous pouvons, vous pouvez, ils peuvent	je pourrai, je pourrais	j'ai pu, j'avais pu	je pouvais, je pus
prendre[4]	prenant, pris	je prends, tu prends, il prend / nous prenons, vous prenez, ils prennent	je prendrai, je prendrais	j'ai pris, j'avais pris	je prenais, je pris
recevoir[5]	recevant, reçu	je reçois, tu reçois, il reçoit / nous recevons, vous recevez, ils reçoivent	je recevrai, je recevrais	j'ai reçu, j'avais reçu	je recevais, je reçus

[1] Conjugated like ouvrir: couvrir, découvrir, offrir, souffrir.
[2] Conjugated like paraître: apparaître, disparaître, reparaître.
[3] Conjugated like plaire: (se) taire (je me tais tu, je m'étais tu).
[4] Conjugated like prendre: apprendre, comprendre, surprendre.
[5] Conjugated like recevoir: apercevoir, concevoir, décevoir.

Irregular Verbs—*continued*

Infinitive	Participles Present, Past	Present	Future Conditional	Perfect Pluperfect	Imperfect Past Historic
rire[1]	riant ri	je ris tu ris il rit nous rions vous riez ils rient	je rirai je rirais	j'ai ri j'avais ri	je riais je ris
savoir	sachant su	je sais tu sais il sait *Imperative:* sache, sachons, sachez nous savons vous savez ils savent	je saurai je saurais	j'ai su j'avais su	je savais je sus
suivre[2]	suivant suivi	je suis tu suis il suit nous suivons vous suivez ils suivent	je suivrai je suivrais	j'ai suivi j'avais suivi	je suivais je suivis
tenir[3]	tenant tenu	je tiens tu tiens il tient nous tenons vous tenez ils tiennent	je tiendrai je tiendrais	j'ai tenu j'avais tenu	je tenais je tins
valoir	valant valu	je vaux tu vaux il vaut nous valons vous valez ils valent	je vaudrai je vaudrais	j'ai valu j'avais valu	je valais je valus
venir[4]	venant venu	je viens tu viens ils vient nous venons vous venez ils viennent	je viendrai je viendrais	je suis venu(e) j'étais venu(e)	je venais je vins
vivre	vivant vécu	je vis tu vis il vit nous vivons vous vivez ils vivent	je vivrai je vivrais	j'ai vécu j'avais vécu	je vivais je vécus
voir	voyant vu	je vois tu vois il voit nous voyons vous voyez ils voient	je verrai je verrais	j'ai vu j'avais vu	je voyais je vis
vouloir	voulant voulu	je veux tu veux il veut nous voulons vous voulez ils veulent	je voudrai je voudrais	j'ai voulu j'avais voulu	je voulais je voulus

[1] Conjugated like rire: sourire.   [2] Conjugated like suivre: poursuivre.
[3] Conjugated like tenir: appartenir, contenir, maintenir, retenir.
[4] Conjugated like venir: convenir, devenir, parvenir, revenir, se souvenir.

Vocabulary

abaisser, to lower
abasourdi, astounded
abattre, to knock down
un abîme, abyss
un(e) abonné(e), subscriber
d'abord, at first
aborder, to accost; to begin
aboyer, to bark
un abri, shelter
abriter, to shelter
acclamer, to acclaim
accompagner, to accompany
d'accord, agreed
accorder, to grant
accoudé, leaning
s'accoutumer, to accustom
  oneself
s'accrocher à, to cling to
accroître, to increase
s'accroupir, to crouch
accueillir, to welcome
un achat, purchase
s'acheminer vers, to walk
  towards
acheter, to buy
l'acier (m.), steel
un acteur, actor
une actrice, actress
l'actualité (f.) (les
  actualités), the news
actuel(le), present
admettre, to admit
l'adresse (f.), skill

un aéroport, airport
affaibli, weak
les affaires (f.), business;
  belongings
affamé, starving
une affiche, notice
(à) l'affût, on the watch
afin de, in order to
africain, African
s'agenouiller, to kneel
agir, to act
  il s'agit de, it is a
  question of
un agneau, lamb
agrandir, to increase
agréable, pleasant
agréer, to accept
ahurissant, bewildering
aider, to help
une aiguille, needle
une aile, wing
d'ailleurs, besides
aîné(e), eldest
ainsi, thus, so
l'air (avoir), to appear
aisément, easily
ajouter, to add
les alentours (m.),
  surroundings
l'alimentation (f.), food
alléger, to lighten
l'Allemagne (f.), Germany
allemand, German

341

s'en aller, *to go away*
une allocation, *allowance*
allonger, *to lengthen; to
    stretch out*
allumer, *to light*
une allumette, *match*
une allure, *way of walking; pace*
améliorer, *to improve*
amener, *to bring*
amer, *bitter*
l'ameublement (*m.*),
    furnishing
amical, *friendly*
un amiral, *admiral*
l'amitié (*f.*), *friendship*
amollir, *to soften*
l'amour-propre, *self-respect*
ancien, *former*
un âne, *donkey*
l'angoisse (*f.*), *anguish, sorrow*
apaiser, *to calm down*
apercevoir, *to catch sight of*
s'apercevoir de, *to become
    aware of*
aplatir, *to flatten*
apparaître, *to appear*
un appareil, *apparatus, plane*
appartenir à, *to belong to*
apporter, *to bring*
apprendre, *to learn*
apprivoisé, *tame(d)*
s'approcher, *to approach*
appuyer, *to press, lean*
d'après, *according to*
l'après-demain (*m.*), *day
    after tomorrow*
un arbuste, *shrub*
l'argent (*m.*), *silver; money*
une armée, *army*
une armoire, *cupboard*
une armoire à glace, *dressing-
    table*
arracher, *to snatch, tear out*
un arrêté, *law*

s'arrêter, *to stop*
arrière, *back*
l'arrivée (*f.*), *arrival*
un arrondissement,
    *administrative division of
    Paris*
l'ascenseur (*m.*), *lift*
assaillir, *to attack*
assister à, *to be present at*
assombrir, *to make* or
    become gloomy
assorti, *matching*
assourdir, *to deafen*
assurances (la compagnie
    d'), *insurance company*
astiquer, *to polish*
un atelier, *workroom*
atroce, *atrocious*
attaquer, *to attack*
s'attarder, *to linger, dawdle*
atteindre, *to reach*
attendre, *to wait for*
atterrir, *to land*
attirer, *to attract*
un attrait, *attraction*
s'attrouper, *to gather in
    crowds*
l'aube (*f.*), *dawn*
une auberge, *inn*
une auberge de jeunesse, *youth
    hostel*
aucun(e), *not one*
au-dessous, *below*
au-dessus, *above*
augmenter, *to increase*
auparavant, *formerly*
aussitôt, *immediately*
aussitôt que, *as soon as*
autant de, *as much (many)
    as*
un auteur, *author*
l'autorisation (*f.*),
    authorisation
autoritaire, *despotic*

une autoroute, *motorway*
autour, *around*
autrefois, *formerly*
autrement, *otherwise*
l'Autriche (*f.*), *Austria*
avaler, *to swallow*
avancer, *to go forward*
un avant-coureur, *forerunner*
l'avant-veille (*f.*), *day before
yesterday*
(à) l'avenir, (*in*) *future*
avertir, *to warn*
un avion à réaction, *jet plane*
un aviron, *oar*
un avis, *opinion*
à mon avis, *in my
opinion*
aviser, *to perceive, to learn*
avoir lieu, *to take place*
avouer, *to admit*

le baccalauréat, *leaving exam
(cf. GCE A level)*
les bagages (*m.*), *luggage*
une bague, *ring*
se baigner, *to bathe*
une baignoire, *bath*
bâillonner, *to gag*
baisser, *to lower*
balayer, *to sweep*
balbutier, *to stammer*
une bande magnétique, *tape*
une banque, *bank*
une banquette, *car seat*
un banquier, *banker*
un baptême, *baptism*
une barbe, *beard*
barbouiller, *to smear*
une barque, *boat*
un barreau, *bar*
une barrière, *fence*
bas(se), *low*
un bas, *stocking*
en bas, *below, at the bottom*

une bataille, *battle*
un bateau, *boat*
un bateau de sauvetage,
lifeboat
un bâtiment, *building*
bâtir, *to build*
un bâton, *stick, truncheon*
un battant, *folding door,
swing door*
battre, *to beat*
battre en retraite, *to
retreat*
bavarder, *to chatter*
un beau-frère, *brother-in-law*
un beau-père, *father-in-law*
un «bec de laboratoire», *bunsen
burner*
bêcher, *to dig*
belge, *Belgian*
la Belgique, *Belgium*
une belle-sœur, *sister-in-law*
une belle-mère, *mother-in-law*
avoir besoin de, *to need*
le bétail, *cattle*
une bête, *animal*
bête, *stupide*
le beurre, *butter*
une bibliothèque, *library*
une biche, *hind*
un bien, *property*
bien aimé, *beloved*
bien sûr, *of course*
un bienfait, *benefaction*
un bienfaiteur, *benefactor*
un bijou, *jewel*
une bijouterie, *jeweller's shop*
un billet, *ticket, note*
blanc(he), *white*
le blé, *corn*
un blessé, *wounded man*
blesser, *to wound*
une blessure, *wound*
bleu marine, *navy blue*
un bloc-notes, *writing pad*

une blouse, *smock*
boire, *to drink*
une boisson, *drink*
boiteux, *lame*
un bol, *dish*
bondir, *to jump*
le bonheur, *happiness*
une bonne, *maid*
la bonté, *goodness, kindness*
le bord, *edge*
à bord, *on board*
une borne, *limit, boundary*
boucher, *to cork, stop up*
un bouchon, *cork*
boucler, *to fasten*
la boue, *mud*
une bouffée, *sudden feeling*
bouger, *to move*
bouillir, *to boil*
le bouillon, *soup*
une boule, *ball*
un bouquet, *bunch*
un bourg, *small town*
une bourse, *scholarship*
bousculer, *to push against,*
    jostle
un bout, *end, bit*
braquer un regard sur,
    cast a glance at
une brebis, *sheep, ewe*
une brèche, *breach, cleft*
bref (brève), *in short, brief*
brésilien, *Brazilian*
un brevet, *certificate*
un brillant, *precious stone*
briller, *to shine*
briser, *to break*
une broche, *brooch*
un brouillard, *fog*
brouillé, *mixed up*
brouter, *to graze*
une bru, *daughter-in-law*
un bruissement, *rustling*
un bruit, *noise*

brûler, *to burn*
une brume, *mist*
brusquement, *abruptly*
un buffet, *sideboard*
un buisson, *bush*
un bureau, *office, desk*
un but, *purpose*
le butin, *booty*

un cabaret, *tavern*
un cabriolet, *cab*
cacher, *to hide*
en cachette, *in hiding*
un cadavre, *corpse*
un cadeau, *present*
cadet(te), *youngest*
un cafetier, *owner of café*
un caillou, *pebble*
une caisse, *large box*
calciner, *to burn*
un calendrier, *calendar*
cambrioler, *to burgle*
un cambrioleur, *burglar*
un camion, *lorry*
la campagne, *country*
un canapé, *sofa*
un canard, *duck*
une canne, *stick*
une canne à pêche, *fishing-rod*
un canot, *little boat*
le capot, *car engine cover*
car, *because, for*
un car, *coach*
un carnet (de chèques),
    cheque-book
un carrefour, *crossroads*
une carrière, *career; quarry*
la carrosserie, *bodywork (car)*
une carte, *card, map*
une carte routière, *road-map*
un cartographe, *map-maker*
le carton, *cardboard*
le cas, *case*
une case, *hut*

un casque, *helmet*
une casquette, *cap*
casser, *to break*
une casserole, *pan*
un cauchemar, *nightmare*
causer, *to chat*
une cave, *cellar*
une ceinture, *belt*
célèbre, *famous*
un cendrier, *ashtray*
un censeur, *man in charge of discipline in French lycée*
cependant, *however*
un cerf, *stag*
une cerise, *cherry*
chacun(e), *each*
la chaleur, *heat*
un champ, *field*
la chance, *luck*
un chapitre, *chapter*
chaque, *each, every*
le charbon, *coal*
un charcutier, *pork-butcher*
un chariot, *porter's trolley*
une charrue, *plough*
chatouiller, *to tickle*
le chauffage, *heating*
chauffer, *to heat*
un chauffe-eau, *water-heater*
une chaumière, *cottage*
la chaussée, *roadway*
chausser, *to put (shoes, etc.) on one's feet*
des chaussettes (*f.*), *socks*
des chaussures (*f.*), *shoes*
un chef, *chief*
un chemin, *road*
le chemin de fer, *railway*
une cheminée, *chimney*
un chêne, *oak*
chercher, *to look for*
le chevet, *bedside*
une chèvre, *goat*

chimique, *chemical*
la Chine, *China*
chinois, *Chinese*
un chirurgien, *surgeon*
choisir, *to choose*
le choix, *choice*
le chômage, *unemployment*
un chômeur, *unemployed man*
chuchoter, *to whisper*
une chute, *fall*
ci-dessus, *above*
le ciel, *sky*
un cimetière, *cemetery*
la circulation, *traffic*
cirer, *to wax*
les ciseaux (*m.*), *scissors*
un citadin, *town-dweller*
clandestin, *secret*
une claque, *smack*
la clarté, *brightness*
une clef (clé), *key*
un client, *customer*
cligner, *to wink*
un clin d'œil, *wink*
une cloche, *bell*
clouer, *to nail*
un cœur, *heart*
coiffer, *to put on one's head*
la colère, *anger*
un colis, *parcel*
coller, *to stick*
un commissariat, *police station*
une commission, *errand*
commodément, *comfortably*
un compagnon, *companion*
un complet, *suit*
comporter, *to include*
composer (un numéro de téléphone), *to dial*
comprendre, *to understand*
un compte, *account*
un comptoir, *counter*
concevoir, *to conceive, imagine*

un(e) concierge, *caretaker*
un conducteur, *driver*
 conduire, *to lead, drive*
une conférence, *lecture*
la confiance, *confidence*
 confier, *to confide*
la confiture, *jam*
un conflit, *conflict*
une connaissance, *acquaintance*
 connaître, *to know*
 conquérir, *to conquer*
la conquête, *conquest*
 consacrer, *to devote*
un conseil, *council; advice*
 conseiller, *to advise*
 consentir, *to consent*
une conserve, *preserves*
la consigne, *school detention;*
 left luggage office
une consommation, *drinks,*
 refreshments
 construire, *to build*
un conte, *tale*
une contenance, *countenance*
 contre, *against*
  par contre, *on the other*
  hand
un contrevent, *shutter*
 convaincre, *to convince*
 convenable, *suitable*
 convenir, *to suit; to agree*
un copain, *friend, pal*
une cornue, *retort (chemistry)*
le cordage, *rope*
un corps, *body*
la côte, *coast*
 à côté de, *by the side of*
  de l'autre côté, *on the*
  other side
un coteau, *hillside*
un cou, *neck*
une couche, *layer*
le coucher (du soleil),
 sunset

un coude, *elbow*
 coudre, *to sew*
 couler, *to sink; to flow*
un couloir, *corridor*
un coup de feu, *shot*
un coup de grâce, *final blow*
un coup d'œil, *glance*
 coupable, *guilty*
 couramment, *fluently*
 courbé, *curved, bent*
une courbure, *curve*
un coureur, *runner, cyclist in*
 race
 courre (la chasse à),
 hunting
le courrier, *post*
 couronner, *to crown*
un cours, *lesson; course*
 au cours de, *in the course of*
une course, *race*
faire des courses, *to do errands,*
 to go shopping
 court, *short*
un coussin, *cushion*
un couteau, *knife*
 coûter, *to cost*
un couvent, *convent*
une couverture, *blanket*
 couvrir, *to cover*
 cracher, *to spit*
 craindre, *to fear*
la crainte, *fear*
 cramoisi, *crimson*
 craquement, *cracking*
 créer, *to create*
le crépuscule, *twilight*
 crêté, *crested*
 creuser, *to dig*
 creux, *hollow*
 crever, *to burst*
 crier, *to shout*
une crise, *crisis*
une critique, *review*
 croire, *to believe*

un croisement, *crossroads*
croiser, *to cross*
un croquis, *sketch*
cueillir, *to gather*
une cuillère, *spoon*
le cuir, *leather*
cuire, *to cook*
la cuisson, *cooking*
cuivre, *copper*
un curé, *Catholic priest*

jouer aux dames, *to play draughts*
un damier, *draughtsboard*
le Danemark, *Denmark*
danois, *Danish*
davantage, *more*
un débarcadère, *jetty*
débarquer, *to disembark*
se débarrasser de, *to get rid of*
se débattre, *to struggle*
le déblayage, *clearing*
déborder, *to overflow*
un débouché, *outlet*
le début, *beginning*
un débutant, *beginner*
débuter, *to begin*
déchirer, *to tear*
décliner, *to decline*
décoller, *to take off
(aeroplane)*
une découverte, *discovery*
découvrir, *to discover*
décrire, *to describe*
décrocher, *to unhook*
déçu, *disappointed*
dedans, *inside*
une défaite, *defeat*
défendre, *to defend; to
forbid*
un défi, *challenge*
la défiance, *mistrust*
un dégivreur, *de-icer*
dégonflé, *deflated (tyre)*
dégringoler, *to tumble down*

(se) déguiser, *to disguise
(oneself)*
(au) dehors, *outside*
déjà, *already*
se demander, *to wonder*
une demeure, *dwelling*
demeurer, *to live, dwell*
démontrer, *to prove*
le dénouement, *the ending*
les dents (*f.*), *teeth*
un départ, *departure*
un département, *administrative
district in France*
dépasser, *to overtake; to
exceed*
se dépêcher, *to hurry*
les dépenses (*f.*), *expenses*
se déplacer, *to move*
déplaire, *to displease*
déposer, *to place*
un député, *member of
parliament*
déranger, *to disturb*
dérobé, *stolen*
se dérober à, *to evade*
dérouler, *to unroll*
dès (3 heures), *by (3
o'clock)*
dès que, *as soon as*
désagréable, *unpleasant*
le désespoir, *despair*
désolé, *sorry*
désorienté, *lost,
bewildered*
désormais, *henceforward*
un dessin animé, *cartoon*
le Destin, *destiny, fate*
détourner, *to turn away
from*
un détroit, *strait*
devenir, *to become*
deviner, *to guess*
dévisager, *to look someone
up and down*

le devoir, *duty; homework*
le dévouement, *devotion*
un diamant, *diamond*
une dictature, *dictatorship*
diminuer, *to diminish*
un directeur, *manager;*
  headmaster
un dirigeant, *director*
diriger, *to direct*
  se diriger vers, *to go*
    towards
un discours, *speech*
discuter, *to discuss*
disparaître, *to disappear*
disponible, *available*
un disque, *record*
dissimuler, *to hide*
distrait, *distracted; absent-*
  minded
se divertir, *to amuse onself*
un divertissement, *amusement*
un doigt, *finger*
à domicile, *at home*
(quel) dommage! *what a pity!*
un donjon, *castle keep*
dont, *of which, of whom*
doré, *gold-coloured, gilt*
un dos, *back*
la douane, *customs*
doucement, *gently*
(sans) doute (*m.*), (*without*) *doubt*
se douter, *to suspect*
Douvres, *Dover*
doux (douce), *gentle; soft;*
  sweet
un drap, *sheet, cloth*
un drapeau, *flag*
dresser, *to erect, draw up*
se dresser, *to stand erect*
droit, *right; upright*
le droit, *law; right*
drôle, *strange, funny*
dur, *hard*
durer, *to last*

s'ébranler, *to set off*
une écaille, *fish scale*
écarquillé, *wide open*
à l'écart, *apart, on one side*
s'échapper, *to escape*
une écharpe, *scarf*
les échecs (*m.*), *chess; failures*
une échelle, *ladder*
éclabousser, *to splash*
un éclair, *flash of lightning*
éclairer, *to light up*
un éclaireur, *scout*
l'éclat (*m.*), *brilliance*
éclater, *to burst*
l'écoulement (*m.*), *passage (of*
  time)
écouter, *to listen to*
un écran, *screen*
écraser, *to crush*
un écrasement, *crushing*
s'écrier, *to cry*
l'écriture (*f.*), *writing*
un écrivain, *writer*
l'écume (*f.*), *foam*
une écurie, *stable*
Edimbourg, *Edinburgh*
effectuer, *to carry out*
s'effondrer, *to collapse*
s'efforcer, *to try*
effrayer, *to frighten*
également, *likewise, also*
égarer, *to lose*
s'élancer, *to rush forward*
élever, *to lift up, erect; to*
  bring up
s'éloigner, *to go away*
emballer, *to pack*
une embarcation, *boat*
l'embarras (*m.*),
  embarrassment
embêter, *to annoy*
une embouchure, *mouth of*
  river
un embouteillage, *traffic jam*

une émeraude, *emerald*
émerveillé, *astonished*
emmener, *to lead away,*
   take away
émouvant, *moving*
s'emparer de, *to take*
   possession of
empêcher, *to prevent*
empirer, *to worsen*
un emploi, *job*
empoigner, *to seize*
emporter, *to carry off*
emprunter, *to borrow*
ému, *moved*
une encombre, *hindrance*
s'endormir, *to fall asleep*
un endroit, *place*
s'énerver, *to become nervous*
s'enfler, *to swell up*
(s')enfoncer, *to sink*
enfourcher, *to bestride*
s'enfuir, *to flee*
s'engager, *to enrol*
enjamber, *to stride over*
enlever, *to take off, away*
l'ennui (*m.*), *boredom,*
   annoyance
ennuyant, *annoying*
ennuyeux, *boring*
enragé, *mad*
enregistrer, *register*
enrouler, *to wrap up*
une enseigne, *sign*
l'enseignement (*m.*),
   education
enseigner, *to teach*
ensemble, *together*
ensuite, *next*
entamer, *to start on*
entendu, *agreed*
bien entendu, *of course*
entier, *entire, all*
entourer, *to surround*
l'entraînement (*m.*), *training*

entraîner, *to drag; to train*
s'entraîner, *to train oneself*
entrouvert, *half-open*
envahir, *to invade*
envers, *towards*
avoir envie de, *to want to*
environ, *about*
s'envoler, *to fly away*
épais, *thick*
s'épaissir, *to thicken*
épatant, *fine, splendid*
une épaule, *shoulder*
éperdu, *bewildered*
une époque, *time*
une épouse, *wife*
épouser, *to marry*
épousseter, *to dust*
épouvantable, *frightful*
un époux, *husband*
éprouver, *to feel*
épuiser, *to exhaust*
équilibre, *balance*
un équipage, *crew*
une équipe, *team*
l'équitation (*f.*), *horse-*
   riding
une ère, *era*
un ermitage, *hermitage*
errer, *to wander*
une escale, (*ship's*) *call at port*
l'Espagne (*f.*), *Spain*
espagnol, *Spanish*
une espèce, *kind, sort, species*
espérer, *to hope*
l'espoir (*m.*), *hope*
un esprit, *mind*
un essai, *attempt*
essayer, *to try*
l'essence (*f.*), *petrol*
essoufflé, *out of breath*
un essuie-glace, *windscreen*
   wiper
s'essuyer, *to wipe oneself*
s'établir, *to settle, establish*

un étage, *storey, stage*
un étang, *pond*
une étape, *lap*
un état, *state*
étendre, *to extend, spread
    out*
étinceler, *to sparkle*
l'étoffe (*f.*), *material, cloth*
s'étonner de, *to be
    astonished at*
étouffer, *to stifle*
un étranger, *stranger, foreigner*
à l'étranger, *abroad*
des étrennes (*f.*), *New Year
    gifts*
étroit, *narrow*
les études (*f.*), *studies*
étudier, *to study*
éveiller, *to awaken*
un événement, *event*
évidemment, *evidently*
éviter, *to avoid*
un examen, *examination*
exclure, *to exclude*
un exemplaire, *copy (of book)*
exiger, *to exact, demand*
exigu(ë), *minute, very
    small*
expédier, *to send off*
une expérience, *experiment*
une explication, *explanation*
expliquer, *to explain*
exprès, *on purpose*
exprimer, *to express*
exténué, *exhausted*

fabriquer, *to manufacture*
une façade, *front, façade*
se fâcher, *to get angry*
une façon, *manner, way*
de façon à, *in such a way as to*
façonner, *to fashion*
un facteur, *postman*
un factionnaire, *sentry*

la faiblesse, *weakness*
la faim, *hunger*
faire face à, *to face*
(se) faire mal, *to hurt (oneself)*
les faits (*m.*) divers, *news items*
une falaise, *cliff*
falloir, *to be necessary*
un fantôme, *ghost*
la farine, *flour*
un faubourg, *suburb*
une faute, *fault, mistake*
un fauteuil d'orchestre,
    orchestra stalls
un fauve, *wild animal*
faux (fausse), *false, wrong*
la félicitation, *congratulation*
féliciter, *to congratulate*
le fer, *iron*
un fer à repasser, *iron (for
    clothes)*
fermer à clef, *to lock*
un fermier, *farmer*
féroce, *ferocious*
un feu, *fire; traffic light*
    un feu clignotant,
        winking traffic light
    mettre le feu à, *to set
        fire to*
    prendre feu, *to catch fire*
le feuillage, *foliage*
feuilleter, *to turn over the
    leaves of a book*
ficeler, *to fasten (with
    string)*
une fiche, *form*
fidèle, *faithful*
fier (fière), *proud*
se fier à, *to trust*
la fierté, *pride*
se figurer, *to imagine*
un fil, *thread, wire*
filer, *to file*
un filet, *string bag, thread*
prendre fin, *to come to an end*

un fleuve, *river*
un flot, *wave*
un flottant, *large pullover*
une foire, *fair*
foncé, *dark, deep (colours)*
le fond, *bottom, background*
fonder, *to found*
fondre, *to melt*
fondre en larmes, *to burst into tears*
une forêt, *forest*
fort, *strong; very*
un fossé, *ditch*
fou (folle), *mad*
la foudre, *thunder*
fouiller, *to search*
un foulard, *scarf*
une foule, *crowd*
un four, *oven*
une fourchette, *fork*
un fourneau, *furnace, oven*
fournir, *to provide*
fourrer, *to stuff into*
frais (fraîche), *fresh*
une fraise, *strawberry*
franchement, *frankly*
franchir, *to cross*
une frange, *fringe*
un frein, *brake*
fréquemment, *frequently*
fréquenter, *to frequent*
Fribourg, *Freiburg*
frit, *fried*
le fromage, *cheese*
le front, *forehead*
fuir, *to flee*
la fuite, *flight*
la fumée, *smoke*
une fusée, *rocket*
un fusil, *gun*
fusiller, *to shoot*

gagner, *to earn, win*
Galles (le pays de), *Wales*

gambader, *to gambol*
un gamin, *boy (colloquial)*
un garagiste, *garage-worker*
garder, *to keep*
un gardien, *keeper, official*
garnir, *to decorate, adorn*
garer, *to park*
gâter, *to spoil*
un géant, *giant*
geler, *to freeze*
gémir, *to groan*
un gémissement, *groan*
un gendre, *son-in-law*
gêner, *to bother, embarrass*
un genou, *knee*
un genre, *type*
les gens (*m.* or *f.*), *people*
gentil(le), *nice*
un gérant, *manager*
un geste, *movement*
un gilet de sauvetage, *parachute*
une gitane, *gipsy*
givrer, *to ice up*
une glace, *mirror*
la glace, *ice*
glisser, *to slip*
un gobelet, *beaker*
une gomme, *rubber*
la gorge, *throat*
une gorgée, *mouthful*
grâce à, *thanks to*
grand-chose, *much*
grandir, *to become bigger*
une grange, *barn*
gras, *fat*
un gratte-ciel, *skyscraper*
gratter, *to scratch, scrape*
gratuit, *free*
gravir, *to climb*
le gré, *free-will*
bon gré mal gré, *willy-nilly*
une grève, *strike; shore*

une grille, *gate*
grimper, *to climb*
grincer, *to creak*
gris, *grey*
grogner, *to grumble*
grommeler, *to grumble*
un grondement, *rumbling,*
growling
gros(se), *big*
une grotte, *cave*
ne ... guère, *hardly, scarcely*
guérir, *to cure*
la guerre, *war*
guetter, *to watch for, look*
out for
une gueule, *mouth of wild*
animal
un guichet, *ticket window*
un guidon, *handlebars*

habile, *skilful*
s'habiller, *to dress*
d'habitude, *usually*
habituel(le), *usual,*
habitual
s'habituer à, *to accustom*
oneself to
une hache, *axe*
l'haleine (*f.*), *breath*
haleter, *to gasp*
une hanche, *hip*
une hantise, *obsession*
harceler, *to harass*
hâter, *to hasten*
hausser, *to shrug*
haut, *high*
hebdomadaire, *weekly*
héler, *to hail*
une hélice, *propellor*
l'herbe (*f.*), *grass*
les mauvaises herbes,
weeds
hériter, *to inherit*

heurter, *to strike against,*
bump
hocher (la tête), *to nod*
honteux, *ashamed,*
shameful
une horloge, *clock (public)*
hors de, *outside*
un hôte, *guest*
l'Hôtel (*m.*) de ville, *town*
hall
un hublot, *port-hole*
hurler, *to howl*

une idée, *idea*
ignorer, *to be ignorant of*
une île, *island*
un îlot, *islet*
il y a, *there is, are; ago*
qu'est-ce qu'il y a ?
what's the matter ?
un immeuble, *block of flats*
immobile, *motionless*
impérieux, *imperious*
un imperméable, *raincoat*
impétueux, *impetuous*
n'importe, *no matter*
n'importe quel, *any at all*
importer, *to matter*
un importun, *intruder*
imprévu, *unforeseen*
imprimer, *to print*
imprudemment,
imprudently
inattendu, *unexpected*
un incendie, *fire*
inconnu, *unknown*
un inconvénient, *disadvantage*
indécis, *hesitant*
un indigène, *native*
indiquer, *to point, indicate*
un(e) infirmier(ière), *nurse*
infliger, *to inflict*
les informations (*f.*), *news*
un ingénieur, *engineer*

ingrat, *ungrateful*
un injure, *insult*
inoubliable, *unforgettable*
inquiet, *anxious*
l'inquiétude (*f.*), *anxiety*
insouciant, *carefree*
s'installer, *to settle in*
instruit, *learned*
un interne, *house doctor*
interpeller, *to question*
interroger, *to interrogate*
un interrupteur, *electric switch*
inutile, *useless*

jadis, *formerly*
une jambe, *leg*
le jambon, *ham*
le Japon, *Japan*
japonais(e), *Japanese*
un jardin, *garden*
un jardinier, *gardener*
jaune, *yellow*
jaunir, *to become yellow*
jeter, *to throw*
un jeu, *game*
jeune, *young*
un joaillier, *jeweller*
la joie, *joy*
une jointure, *joint*
joli(e), *pretty*
une joue, *cheek*
jouer, *to play*
un jouet, *toy*
un journal, *newspaper, diary*
un juge d'instruction,
    magistrate
un(e) Juif (Juive), *Jew(ess)*
jurer, *to swear*
jusqu'à, *as far as, until*

un kilo, *kilogramme*
un kilomètre, *kilometre*
un kiosque, *kiosk*

là, *there*
là-bas, *over there*
là-dessus, *thereupon*
labourer, *to plough*
un laboureur, *ploughman*
le lac Léman, *Lake Geneva*
un lacet, *lace*
laconiquement, *tersely*
la laine, *wool*
laïque, *lay*
laisser, *to let, leave*
une laitue, *lettuce*
une lame, *blade*
lancer, *to throw, launch*
une langue, *language, tongue*
large, *wide*
le large, *open sea*
une larme, *tear*
las(se), *tired*
lécher, *to lick*
un lecteur (une lectrice),
    reader
une lecture, *reading*
léger (légère), *light*
légèrement, *lightly*
un légume, *vegetable*
le lendemain, *the next day*
lentement, *slowly*
la lenteur, *slowness*
lequel, laquelle, *which*
la lessive, *washing*
lever, *to lift*
le lever (du soleil), *sunrise*
se lever, *to get up*
une lèvre, *lip*
une liasse, *bundle*
libérer, *to set free*
un libraire, *bookseller*
une librairie, *bookshop*
une licence-ès-lettres, *B.A.*
un lien, *bond*
(avoir) lieu, *to take place*
au lieu de, *instead of*
une lieue, *league*

un lièvre, *hare*
une ligne, *line*
   ligoter, *to bind*
le linge, *washing, cloth*
lire, *to read*
la lisière, *edge*
lisse, *smooth*
un lit, *bed*
une livre, *pound*
une loge (de concierge),
   (*porter's*) *lodge*
un logement, *lodging*
un logis, *lodging*
la loi, *law*
   loin de, *far from*
lors de, *on the occasion of*
lorsque, *when*
louer, *to hire, rent; to
   praise*
lourd(e), *heavy*
lucratif, *profitable*
une lueur, *gleam*
lui-même, *himself*
luire, *to shine*
la lumière, *light*
la lune, *moon*
   la lune de miel,
     honeymoon
   le clair de lune,
     moonlight
les lunettes, *spectacles*
une lutte, *struggle*
un lycée, *grammar school*

une machine à laver, *washing-
   machine*
un magasin, *shop*
un magazine, *magazine*
un magnétophone, *tape
   recorder*
maigre, *thin*
un maillot, *bathing costume,
   jersey*
maintenant, *now*

un maire, *mayor*
la mairie, *town hall*
maîtriser, *to control*
mal, *badly*
malade, *ill*
maladroit, *clumsy*
la malchance, *bad luck*
malgré, *in spite of*
malheureusement,
   unfortunately
malin, *cunning*
une manche, *sleeve*
la Manche, *English Channel*
un mandat, *postal-order*
manifester, *to show*
manquer, *to miss; to be
   lacking*
un Maquisard, *member of
   French Resistance
   movement*
un(e) marchand(e), *shopkeeper*
une marche, *step*
un marché, *market*
   bon marché, *cheap*
   le Marché Commun,
     Common Market
une marge, *margin*
un mari, *husband*
se marier, *to get married*
un marin, *sailor*
la marine, *navy*
le Maroc, *Morocco*
un marteau, *knocker, hammer*
un mât, *mast*
un matelot, *sailor*
une matière, *school subject*
mauvais, *bad*
méchant, *naughty*
mécontent, *discontented*
un médecin, *doctor*
la méfiance, *mistrust*
se méfier de, *to mistrust*
mêler, *to mix*
même, *same; even*

ménager, *to manage; to treat carefully*
une ménagère, *housewife*
mendier, *to beg*
un mensonge, *lie*
un menteur, *liar*
mentir, *to lie*
le mépris, *contempt*
la mer, *sea*
mériter, *to deserve*
une merveille, *marvel*
merveilleux, *marvellous*
un messager, *messenger*
un métier, *occupation*
le métro, *Paris underground*
mettre, *to put (on)*
se mettre à, *to begin to*
un meuble, *piece of furniture*
un meurtre, *murder*
mieux, *better*
au milieu de, *in the middle of*
un millier, *thousand*
mince, *thin*
minutieux, *very careful with details, punctilious*
la mise en pages, *lay-out*
une mitraillette, *sub-machine gun*
une modiste, *milliner*
le moindre, *the least*
moins, *minus, less*
au moins, *at least*
un moissonneur, *harvester*
la moitié, *half*
le monde, *world*
   beaucoup de monde, *many people*
   tout le monde, *everybody*
   un monde fou, *large crowd*
mondial, *worldwide*
la monnaie, *change*
le montant, *total*
monter, *to go up; to get in*

une montre-bracelet, *wristwatch*
montrer, *to show*
se moquer de, *to laugh at*
un morceau, *piece*
mordre, *to bite*
mort(e), *dead*
un mot, *word*
un moteur, *engine*
une moto, *motocycle*
mou (molle), *soft*
un mouchoir, *handkerchief*
mouillé, *soaked, wet through*
un moule, *mould*
mourir, *to die*
un moustique, *mosquito*
au moyen de, *by means of*
un mugissement, *roar*
se munir de, *to procure*
un musée, *museum*

nager, *to swim*
la naissance, *birth*
naître, *to be born*
une natte, *mat*
un naufragé, *shipwrecked man*
naviguer, *to sail*
un navire, *ship*
ne ... aucun, *no*
ne ... guère, *scarcely, hardly*
ne ... jamais, *never*
ne ... ni ... ni, *neither ... nor*
ne ... nul, *no*
ne ... pas, *not*
ne ... personne, *no one, nobody*
ne ... plus, *no more, no longer*
ne ... que, *only*
ne ... rien, *nothing*
né(e), *born*

la neige, *snow*
nettement, *clearly*
nettoyer, *to clean*
neuf (neuve), *new*
un neveu, *nephew*
un nid, *nest*
une nièce, *niece*
un niveau, *level*
Noël, *Christmas*
noir(e), *black, dark*
noircir, *to blacken*
un nombre, *number*
nombreux (euse),
    numerous
le nord, *north*
la nostalgie, *longing*
un notaire, *solicitor*
nourrir, *to feed*
la nourriture, *food*
nouveau (nouvelle), *new*
de nouveau, *again*
les nouvelles (*f.*), *news*
se noyer, *to be drowned*
nu, *bare, naked*
un nuage, *cloud*
nuisible, *harmful*
un numéro, *number*

obéir, *to obey*
obligatoire, *compulsory*
obligeamment, *obligingly*
l'obscurité (*f.*), *darkness*
obtenir, *to obtain*
une occasion, *chance*
un Occidental, *Westerner*
s'occuper de, *to busy oneself
    with*
un œil (des yeux), *eye (eyes)*
un œuf, *egg*
une œuvre, *work (artistic or
    social)*
offrir, *to offer*
un oiseau, *bird*
une ombre, *shadow, shade*

opérer, *to operate*
or, *well, now*
l'or (*m.*), *gold*
un orage, *storm*
ordonner, *to order*
une oreille, *ear*
l'orgueil (*m.*), *pride*
orner, *to adorn*
oser, *to dare*
ostensiblement, *in an
    obvious way*
ôter, *to take off*
l'oubli (*m.*), *forgetfulness*
oublier, *to forget*
un ours, *bear*
un outil, *tool*
outré, *outraged*
(en) outre, *besides*
outremer, *overseas*
un ouvrier, *workman*
ouvrir, *to open*

une paille, *straw*
paître, *to graze*
la paix, *peace*
un palais, *palace*
un palier, *landing*
pâlir, *to grow pale*
la palme, *prize*
un panier, *basket*
une panne, *breakdown*
un paquebot, *steamer*
Pâques, *Easter*
par conséquent, *consequently*
paraître, *to appear*
un parapluie, *umbrella*
parce que, *because*
parcourir, *to go through*
un pardessus, *overcoat (man's
    or boy's)*
par-dessus, *over*
un pare-brise, *windscreen*
pareil, *like, similar*
la parenté, *relationship*

parfois, *sometimes*
parier, *to bet*
un parloir, *reception room (in school)*
parmi, *amongst*
une paroi, *wall*
une parole, *word*
un parquet, *floor*
partager, *to share*
un parti, *decision*
partout, *everywhere*
parvenir, *to succeed, to reach*
un pas, *step*
le Pas de Calais, *Straits of Dover*
se passer, *to happen*
une passerelle, *gangway*
un passetemps, *pastime*
une patte, *paw*
un patin, *skate*
patiner *to skate*
la patrie, *native land*
un patron, *"boss"*
une paupière, *eyelid*
pauvre, *poor*
un pavé, *paving stone*
un pays, *country*
un paysage, *landscape*
un(e) paysan(ne), *peasant*
la peau, *skin*
la pêche, *fishing*
un péché, *sin*
pêcher, *to fish*
un pêcher, *peach tree*
un pêcheur, *fisherman*
peigner, *to comb*
un peignoir, *dressing-gown*
la peine, *difficulty, trouble*
à peine, *hardly*
un peintre, *painter*
une peinture, *painting, paint*
penaud, *sheepish, crestfallen*
se pencher, *to lean*

pendant, *during*
pendant que, *while*
pénétrer, *to penetrate, enter*
pénible, *painful, difficult*
une pensée, *thought*
penser, *to think*
la pension, *board and lodging*
une pente, *slope*
perdre, *to lose*
périr, *to perish*
permettre, *to allow, permit*
le Pérou, *Peru*
une perruque, *wig*
un personnage, *character in play*
le personnel, *staff (of shop)*
la perte, *loss*
à perte de vue, *as far as the eye can see*
la pesanteur, *weight*
peser, *to weigh*
un petit-fils, *grandson*
une petite-fille, *granddaughter*
pétrole (lampe à), *paraffin lamp*
un peu, *a little*
la peur, *fear*
avoir peur de, *to be afraid of*
peut-être, *perhaps*
un phare, *car headlight*
un phonographe, *gramophone*
une pièce, *room; play*
un pied, *foot*
un piège, *trap*
une pierre, *stone*
pincer, *to pinch*
pire (pis), *worse*
une piscine, *swimming-pool*
une piste, *track; runway*
un plafond, *ceiling*

357

plaider, *to plead*
se plaindre, *to complain*
une plainte, *complaint*
plaire, *to please*
le plaisir, *pleasure*
une planche, *plank*
le plancher, *floor*
un planeur, *glider*
plaquer, *to flatten against*
une platane, *plane-tree*
un plateau, *tray*
le plâtre, *plaster*
plein(e), *full*
en plein air, *in the open air*
pleurer, *to weep*
il pleut à verse, *it is raining in torrents*
la pluie, *rain*
la plupart, *most*
plusieurs, *several*
plutôt, *rather*
une poche, *pocket*
un poêle, *stove*
une poêle, *frying-pan*
le poids, *weight*
une poignée, *handful; door handle*
un poing, *fist*
une pointe, *running shoe with spikes*
un poisson, *fish*
la poitrine, *chest*
poliment, *politely*
polonais, *Polish*
une pomme de terre, *potato*
un pommier, *apple-tree*
une pompe, *pump*
un pompier, *fireman*
un pont, *bridge, deck*
un pont-levis, *drawbridge*
un porte-monnaie, *purse*
portugais, *Portuguese*
poser (une question), *to put or ask a question*

posséder, *to possess*
un poste, *post, job*
un pouce, *thumb*
poudreux, *powdered*
un poulailler, *hen-house*
une poule, *hen*
un poulet, *chicken*
un pouls, *pulse*
poursuivre, *to pursue*
pourtant, *however*
pourvu que, *provided that*
pousser, *to push; to grow (plants)*
pousser un soupir, *to sigh*
la poussière, *dust*
le pouvoir, *power*
une prairie, *meadow*
pratique, *practical*
pratiquer, *to practise*
un pré, *meadow*
préalable, *preliminary*
une précision, *piece of precise information*
un préfet, *administrator of a French département*
prendre, *to take*
près de, *near*
presque, *almost*
se presser, *to hasten, hurry*
prêt, *ready*
prêter, *to lend*
un prêtre, *priest*
une preuve, *proof*
prévenir, *to warn*
une prévision, *forecast*
prévoir, *to foresee*
se priver de, *to deprive onself of*
un prix, *price, prize*
à tout prix, *at all costs*
un procès, *lawsuit*
prochain, *next*
proche, *near*

produire, *to produce*
un produit, *product*
la proie, *prey*
un projet, *project, plan*
se promener, *to walk*
prometteur, *promising*
promettre, *to promise*
propre, *clean; own*
un propriétaire, *owner*
protéger, *to protect*
prouver, *to prove*
provenir, *to come from*
un proviseur, *headmaster*
prudemment, *prudently*
puis, *then*
puisque, *since (because)*
punir, *to punish*

quand même, *in any case*
quant à, *as for*
un quart, *quarter*
quelque chose, *something*
quelquefois, *sometimes*
quelqu'un(e), *someone*
quelques-un(e)s, *some*
une querelle, *quarrel*
une queue, *tail, queue*
une quinzaine, *fortnight*
quitter, *to leave*
quoique, *although*
quoi que, *whatever*
quotidien, *daily*

raccommoder, *to mend*
raccrocher, *to hook on
   again*
une racine, *root*
un radeau, *raft*
radieux, *radiant*
un radis, *radish*
la rage, *rabies*
rageur, *furious*
raide, *steep*
avoir raison, *to be right*

ralentir, *to slow up*
ramasser, *to pick up*
une rame, *oar*
un rang, *row; rank*
une rangée, *row*
ranger, *to arrange, put
   away*
ranimer, *to revive*
un rapatrié, *repatriated
   citizen*
râper, *to grate*
se rappeler, *to remember*
un rapport, *connection,
   relation*
rarement, *rarely*
se raser, *to shave*
ravi, *delighted*
rayé, *striped*
un rayon, *department in store;
   ray*
rebuter, *to rebuff*
récemment, *recently*
un récepteur, *receiver*
la réception, *reception desk*
une recette, *recipe*
un(e) receveur(euse),
      *conductor; post-master
      (mistress)*
recevoir, *to receive*
un réchaud, *stove*
un récit, *tale, story*
une réclame, *advertisement;
   demand*
réclamer, *to demand*
la récolte, *harvest*
une récompense, *reward*
la reconnaissance, *gratitude*
reconnaître, *to recognise*
reconstituer, *to bring back
   to mind*
recueillir, *to collect
   together*
un recul, *retreat*
reculer, *to recoil*

359

récupérer, *to recover*
une rédaction, *composition*
redoutable, *to be feared*
redresser, *to raise again*
se redresser, *to stand up straight*
réfléchir, *to think, reflect*
refléter, *to reflect (light)*
se réfugier, *to take refuge*
un regard, *look, glance*
un régime, *diet*
réglementer, *to regulate*
régler, *to settle, regulate*
regresser, *to lose ground, retrogress*
une reine, *queen*
la relève, *relief from duty*
rembourser, *to pay back*
remercier, *to thank*
remettre, *to put back*
remis, *recovered*
un(e) remplaçant(e), *substitute, replacement*
remplacer, *to replace*
remplir, *to fill*
remporter, *to gain (victory)*
remuer, *to shake*
un renard, *fox*
rencontrer, *to meet*
rendre, *to give back*
rendre visite à, *to pay a visit to*
se rendre à, *to go to*
se rendre compte de, *to become aware of*
renforcer, *to reinforce*
un renseignement, *piece of information*
se renseigner sur, *to obtain information about*
renverser, *to overthrow*
un repaire, *den*
une réparation, *repair*

réparer, *to repair*
repasser, *to iron; to revise*
répliquer, *to reply*
répondre, *to reply*
une réponse, *answer*
se reposer, *to rest*
repousser, *to repulse*
la reprise, *recapture*
républicain, *republican*
requis, *required*
résonner, *to resound*
resserré, *tightened, compressed*
ressembler, *to resemble*
rester, *to remain*
un résultat, *result*
un résumé, *summary*
rétablir, *to re-establish*
en retard, *late*
retarder, *to delay*
retenir, *to retain*
retentir, *to resound*
(se) retirer, *to withdraw; to pull out*
le retour, *return*
se retourner, *to turn round*
la retraite, *retirement; retreat*
une réunion, *meeting*
réunir, *to meet, reunite*
réussir, *to succeed*
un rêve, *dream*
réveiller, *to awaken*
se réveiller, *to wake up*
un réveille-matin, *alarm clock*
un revenant, *ghost*
rêver, *to dream*
le rez-de-chaussée, *ground floor*
un rideau, *curtain*
rire, *to laugh*
risquer, *to risk*
une rive, *bank*
un rocher, *rock*
un roi, *king*

un roman, *novel*
    un roman policier,
      detective novel
un romancier, *novelist*
    ronfler, *to snore; to roar*
    (*engine*)
un rossignol, *nightingale*
    rôti, *roast*
une roue, *wheel*
    rougir, *to blush*
une roulade, *roll* (*in music*)
un rouleau, *roll* (*of material*)
    rouler, *to roll, to go* (*cars,*
    etc.)
un ruban, *ribbon*
    rugir, *to roar*
    ruisselant, *streaming*
    russe, *Russian*

le sable, *sand*
    sablonneux, *sandy*
un sabot, *wooden shoe,*
un sac de couchage, *sleeping-*
    bag
la sagesse, *wisdom*
    saigner, *to bleed*
    sain, *healthy*
    saisir, *to seize, grasp*
    sale, *dirty*
une salle de séjour, *living-room*
    saluer, *to greet, salute*
le sang, *blood*
un sanglot, *sob*
    sangloter, *to sob*
la santé, *health*
un sapin, *fir-tree*
    sauf, *except*
    sauter, *to jump*
    sauvegarder, *to safeguard*
    sauver, *to save*
    se sauver, *to run away*
un (canot de) sauvetage,
    lifeboat
un savant, *learned man*

scier, *to saw*
scintiller, *to gleam*
sec (sèche), *dry*
sécher, *to dry*
secouer, *to shake*
une secousse, *shock*
une selle, *saddle*
selon, *according to*
semblable, *similar*
(faire) semblant de, *to pretend*
sembler, *to seem*
sensé, *sensible*
un sentiment, *feeling*
sentir, *to feel, smell*
serrer, *to press; to shake*
    (*hands*)
une serviette, *towel; briefcase*
servir à, *to be used for*
se servir de, *to make use of*
un serviteur, *servant*
un seuil, *threshold*
seul, *alone*
si, *if; yes*
un siècle, *century*
un siège, *seat*
le sifflement, *whistling*
siffler, *to whistle*
silencieusement, *silently*
un sillon, *furrow*
un slip, *bathing trunks*
une socquette, *ankle sock*
une société, *business company*
la soie, *silk*
la soif, *thirst*
soigner, *to care for*
soigneux, *careful*
le soin, *care*
le sol, *soil, earth*
sombre, *gloomy*
le sommeil, *sleep*
un son, *sound*
sonner, *to ring*
une sonnerie, *bell*
une sonnette, *bell*

le sort, *destiny, fate*
la sorte, *kind*
   sortir, *to go out; to pull out*
   sot (sotte), *foolish*
se soucier de, *to worry about*
   soudain, *suddenly*
un souffle, *breath; whisper*
   souffler, *to blow, breathe*
   souffleter, *to buffet*
la souffrance, *suffering*
   souhaiter, *to wish*
le soulagement, *relief*
   soulager, *to console, relieve*
   soulever, *to lift*
un soupçon, *suspicion*
un soupirail, *fanlight*
   soupirer, *to sigh*
   sourciller, *to flinch*
   sourire, *to smile*
une souris, *mouse*
   sous, *under*
un sous-sol, *basement*
se souvenir de, *to remember*
un stade, *stadium*
   stupéfait, *stupefied*
   subir, *to undergo*
la Suède, *Sweden*
   suédois, *Swedish*
la sueur, *sweat*
   suffire, *to suffice*
le suffrage, *vote*
la suie, *soot*
la Suisse, *Switzerland*
   suisse, *Swiss*
la suite, *continuation*
   suivant, *following, next*
   suivre, *to follow*
une superficie, *area*
   supplier, *to beg*
   supporter, *to bear, endure*
   supprimer, *to suppress*
le surlendemain, *next day but one*
   surprendre, *to surprise*

sursaut (se réveiller en), *to awake with a start*
   surtout, *above all*
   surveiller, *to watch*
un survêtement, *overgarment*
   survoler, *to fly over*
un syndicat d'initiative, *information bureau*

un tablier, *apron*
un tabouret, *stool*
une tâche, *task*
   tâcher, *to try*
la taille, *shape, size*
se taire, *to be silent*
un talus, *bank*
un tambour, *drum*
   tandis que, *whilst, whereas*
le tangage, *pitching (ships, aircraft)*
   tant (de), *so much, so many*
   tant mieux, *so much the better*
   tant pis, *so much the worse*
   tant soit peu, *ever so little*
   tantôt ... tantôt, *at one time . . . at another*
un tapis, *carpet*
un tapis de sol, *groundsheet*
   taquiner, *to tease*
   tard, *late*
   tarder à, *to delay in*
   tâter, *to feel*
un taureau, *bull*
une teinturerie, *drycleaner's shop*
un téléférique, *cable-car*
un téléspectateur, *television viewer*
   tellement, *to such an extent*
   témoigner, *to show (gratitude, etc.)*

un témoin, *witness*
une tempête, *storm*
tendre, *to hold out*
tendu, *tense*
tenir, *to hold*
tenter, *to attempt*
la tenue, *dress, appearance*
un terrain, *ground*
la terre, *ground*
terrien(ne), *landed*
la tiédeur, *lukewarmness*
un tiers, *third*
un timbre, *stamp; bell*
tinter, *to tinkle*
un tirage, *circulation*
    (newspapers, etc.)
tirer, *to pull; to shoot; to*
    take from
un tire-bouchon, *corkscrew*
un tiroir, *drawer*
un titre, *title*
une toile, *cloth*
un toit, *roof*
un tombeau, *tomb*
tomber, *to fall*
le tonnerre, *thunder*
un torchon, *rag; duster*
tordre, *to twist*
avoir tort, *to be wrong*
une tortue, *tortoise*
tôt, *soon*
toujours, *always*
le toupet, *cheek, insolence*
un tour, *turn; trick*
    faire le tour, *to go round*
    jouer un tour, *to play a*
    trick
une tournée, *newspaper round*
tout à coup, *suddenly*
tout de suite, *immediately*
tout le monde, *everybody*
toutefois, *however*
tous deux, *both*
en train de, *in the act of*

un traîneau, *toboggan, sledge*
traîner, *to dawdle, drag*
un trait, *line*
un traité, *treaty*
le traitement, *salary*
un trajet, *journey*
une tranche, *slice*
une tranchée, *trench*
tranquillement, *quietly*
traqué, *hunted*
le travail, *work*
travailler, *to work*
un travailleur, *worker*
traverser, *to cross*
une tribu, *tribe*
tricoter, *to knit*
un trimestre, *term*
triste, *sad*
tromper, *to deceive*
    se tromper, *to make a*
    mistake
trop, *too, too much, too*
    many
un trottoir, *pavement*
un trou, *hole*
trouver, *to find*
    se trouver, *to be*
tuer, *to kill*

uni, *united*
unique, *only*
une usine, *factory*
utile, *useful*
utiliser, *to use*

une vache, *cow*
une vague, *wave*
vaincre, *to conquer*
un vaisseau, *vessel, ship*
la vaisselle, *crockery,*
    washing-up
la valeur, *value*
une valise, *suitcase*
valoir, *to be worth*

(se) vanter, *to boast*
vécu, *lived*
la veille, *the day before*
un vélo, *bicycle*
un vendangeur, *wine-harvester*
une vendeuse, *saleswoman* (un vendeur)
vendre, *to sell*
venir, *to come*
venir de, *to have just*
le vent, *wind*
il fait du vent, *it is windy*
une vente, *sale*
verdâtre, *greenish*
verdoyant, *verdant*
un verger, *orchard*
le verglas, *thin layer of ice*
vérifier, *to check, verify*
la vérité, *truth*
un verre, *glass*
un verrou, *bolt*
verser, *to pour*
à verse (pleuvoir), *to pour with rain*
vert, *green*
un vestibule, *hall*
un veston, *coat*
un vêtement, *article of clothing*
vêtu, *dressed in*
un veuf, *widower*
veuillez, *please*
une veuve, *widow*
la viande, *meat*
vide, *empty*
vider, *to empty*
la vie, *life*
vieux (vieille), *old*
la vieillesse, *old age*
vif (vive), *alive, lively*

une vigne, *vine*
un vigneron, *wine-grower*
un vignoble, *vineyard*
vilain, *ugly, villainous*
le vin, *wine*
un violon, *violin*
un virage, *turn, turning*
un visage, *face*
la vitesse, *speed; gear (of car)*
une vitre, *pane of glass*
une vitrine, *shop-window*
vivant, *alive*
vivre, *to live*
des vivres (*f.*), *provisions*
le (la) voici, *here it is*
une voie, *way, path*
la voie ferrée, *railroad*
une voile, *sail*
un voilier, *sailing ship*
un voisin, *neighbour*
une voix, *voice*
à mi-voix, *in a low voice*
un vol, *flight; theft*
voler, *to fly; to steal*
un volet, *shutter*
un voleur, *thief*
la volonté, *will-power*
vouloir, *to want, wish*
je voudrais, *I should like*
vouloir dire, *to mean*
un voyage, *journey*
voyager, *to travel*
vrai, *true, real*
vraiment, *really*
une vue, *view*

y, *there, in it*
les yeux (*m.*), *eyes*

le zèle, *zeal*

Notes on the Photographs